郭德纲　作品

湖南文艺出版社
HUNAN LITERATURE AND ART PUBLISHING HOUSE

博集天卷
CS-BOOKY

喜马拉雅FM　出品

图书在版编目（CIP）数据

郭论 /郭德纲著. —长沙：湖南文艺出版社，
2018.9

ISBN 978-7-5404-8785-0

Ⅰ. ①郭⋯ Ⅱ. ①郭⋯ Ⅲ. ①中国历史—通俗读物
Ⅳ. ①K209

中国版本图书馆CIP数据核字（2018）第146590号

上架建议：文化·随笔

GUO LUN

郭论

作　　　者：郭德纲
出 版 人：曾赛丰
责任编辑：薛　健　刘诗哲
监　　制：蔡明菲　邢越超
特约策划：董晓磊
特约编辑：李乐娟
营销支持：霍　静　文刀刀
版式设计：潘雪琴
封面题字：桥半舫
封面设计：好谢翔
出版发行：湖南文艺出版社
　　　　　（长沙市雨花区东二环一段508号　邮编：410014）
网　　址：www.hnwy.net
印　　刷：三河市鑫金马印装有限公司
经　　销：新华书店
开　　本：700mm×995mm　1/16
字　　数：306千字
印　　张：21
版　　次：2018年9月第1版
印　　次：2020年5月第5次印刷
书　　号：ISBN 978-7-5404-8785-0
定　　价：49.80元

若有质量问题，请致电质量监督电话：010-59096394
团购电话：010-59320018

郭  论

Guo Theory

目 录

| 发刊词 |

我有故事，您有酒吗？

床前明月光，我是郭德纲。

各位读者朋友，大家好！非常开心能通过文字的方式和大家"见面"，这次我不说相声了，说的是中国历史、俗世文化。论论人间是非，笑谈乾坤风月。

老郭要来和您论论俗。什么叫俗，什么叫雅？单纯的高雅不足以构成世界，小人物的喜怒哀乐才是真艺术。包容才能并存，吃喝拉撒皆故事，生活处处是学问。饮食、服饰、居住、娱乐、语言……中国人家长里短的方方面面，老郭说给您听。且听国人待人接物的规矩，传承千年的世故人情。

老郭陪您漫话明清，拾遗历史品天下。每一夜都有段子，每一段都有故事。宫廷内外，百姓生活。用笑一顿的工夫，明清奇人异事就能一一捕获。历史不是任人打扮的小姑娘，正传之外，还有故事。老郭为您细话聊来。

老郭也会大话名著，经典背后有温度。名著也是老百姓写的，不吹不黑也精彩。跳出名著正见，听听妙趣歪批。名著中的某人、某段话，背后究竟隐藏了什么？寻找经典背后的故事、热血和真性情。

洞悉人间百态，笑握方寸之间。

历史有冷暖，老郭有故事。故事我准备好了，您有酒吗？

郭 论

Guo Theory

01
—捡 史—

中国历史上唯一成功的
『清君侧』（上）

Guo Theory

"清君侧"①的目的不是"清",而是"君",所谓的"侧",只是个借口罢了。古往今来,"清君侧"都是造反的一块最美好的遮羞布。

此时此刻捧着这本书的读者里边藏龙卧虎,哪一路的高人都有,我在这里信笔由缰,也不知道写得对不对,所以我永远都是那句话,我是抱着一个学生的心态来写这本书的,您如果觉得我说的哪儿不对,哪个字用得不准确,哪个词说反意思了,您千千万万得提出来,我还指望着跟您各位一起好好学习,天天向上。

刚才我跟几个不错的朋友聊天,他们还问呢:"你这回打算给人家写点儿什么啊?"我说:"我真没想好,我也不知说点儿什么。"他们说:"你别一上来就老说什么做饭哪,炒菜呀,显得没什么水平。"我说:"我本来就没什么水平,我就一说相声的普通的民间闲散艺人,从幼而失学到现在,连个初中的文凭都没有,我只能是分享些'记问之学'。"

---

① 古代政治性名词。《公羊传·定公十三年》有云"此逐君侧之恶人",含意为"清除君主身旁的乱臣贼子、奸邪小人"。

当然，天下所有人，没有人生而知之，都是学而知之。你说哪个孩子一落生就什么都会？每个人都是通过上学念书获得知识的。"记问"二字的意思是，不会的就去问，不懂的就看书，每个人都是这样成才的。

有一哥们儿跟我说："爱听你说书、讲故事，可这里边的好些东西，你说的都是真的还是假的？"这个怎么说呢？你要真上升到说书的艺术了，那是另一回事儿。但是我们这个，真真假假，假假真真。有些是从历史中来的，这些事情就来不得半点儿虚假，不能给人胡编。当然有的也是艺术的虚构和创造。今天咱们要成书，就先从一个名词开始说起，我是今儿个无意中看了一眼电视，里边演的是什么戏我也不知道，只知道是一部历史片，提到了"清君侧"，那我今天就从"清君侧"这三个字开始写起。

"清"是清除的清，"君"是君王的君，"侧"是身侧、身边的意思。"清君侧"，如果从字面上来解释，说的大概就是清除君王身侧那些个亲信、奸臣。

中国历史上大大小小的清君侧的故事发生了不少，但是清君侧要成功不是那么容易。我也不知道您各位有哪一位是历史专家，哪一位是这方面的学者。但是您要问我什么叫清君侧，我只能很遗憾地说，我个人认为清君侧其实就是造反的借口。

"清君侧"的人都是觉着皇上很好，皇上身边的坏蛋太多，你看皇上身边这个张三、李四、王五和赵六，这厮坏蛋在皇上的身侧，老教皇上学坏，我们实在看不下去了，怎么办呢？得了，咱们带点儿人一块儿去吧，去把君王的身边打扫干净，这就是"清君侧"的人名义上的说法。可是还有最重要的一点，有的人就忽略了，我们去清理了君王身侧，之后又当如何？我带着十万人来了，君王身边的人都清理干净了，挺好，得了，皇上，我们也忙完了，您还当您的皇上吧，我们回去了，该摆摊的摆摊，该卖菜的卖菜，该干吗的干吗，再见。这显然是不可能啊，对不对？

所以，"清君侧"的目的不是"清"，而是"君"，所谓的"侧"，只是个借口罢了。古往今来，"清君侧"都是造反的一块最美好的遮羞布。

我大概想了想，反正太小的事儿想不起来了，有的"清君侧"就跟起哄似的，三五个人就造反了，那不算是真正意义上的"清君侧"。我不知别人怎么看，反正我觉得能够称得上"清君侧"的事儿，在中国历史上好像只有四次，但这四次里面，好像只有一次成功了。

头一个，发生在汉朝，故事的主人公是汉高祖刘邦的侄子，叫刘濞——你听这名字起的。刘濞是个挺厉害的主儿，为什么呢？他好像20岁不到就被封为了沛侯，到后来又被封为吴王和诸侯王，管辖三郡五十三城。好家伙，五十多个城市都归他管，你想他还错得了吗？他又是汉高祖的亲侄子，亲侄子跟儿子差不了太多，所以说这个身份也很厉害。但什么事情都没有一成不变的道理，汉文帝继位之后，觉得像刘濞这样的诸侯，权势是越来越大了，到最后已经集中地影响到了皇上的执政能力，对江山社稷是一个威胁，于是就开始逐渐地削弱这些诸侯的势力。景帝继位之后，干脆就正式翻脸了，直接开始削藩，今儿把这个诸侯王给弄了，明儿又把那个诸侯王给弄了。在这样的情况下，刘濞不干了，你这清来清去，清到我这儿来了，这样的话，咱们就反了吧！于是刘濞就联合了和他关系不错的几个王，一共凑了七家，起兵造反了。在中国历史上，刘濞的这次造反被称为"七国之乱"，他们打出来的旗号就叫"清君侧"。

好家伙，七家王一块儿造反，那还了得？当然了，这次"清君侧"虽然闹得挺大，但是最后没能成功，刘濞本人也兵败被杀[1]。所以说造反这种生意，它的本钱太高了，而且结局只有两个极端，要么成功，要么就失败。成功了自然最好，江山社稷都是你的了，如果失败了，江山社稷哪儿都能埋你，必死无疑。

第二次"清君侧"发生在唐朝，主人公是安禄山[2]。安禄山做到节度使之后，率兵造反，他不是一个人，还叫了一个叫史思明的人一起，历史上称这次造反为"安史之乱"，他们也是以"清君侧"为名。安禄山和史思明哥儿俩好，一块儿热热

---

[1] 公元前154年，刘濞以"诛晁错，清君侧"为名，起兵叛乱。汉景帝听信谗言，杀了晁错，枚乘又写《上书重谏吴王》，劝刘濞罢兵，刘濞一意孤行，后兵败被杀。

[2] 安史之乱的祸首之一，这场叛乱以安禄山为自己的儿子庆绪所杀，庆绪又为史思明所杀，史思明又为其子朝义所杀结束。

闹闹地造反，等到打下天下来，哥儿俩如何如何分设计得不错，但是也没能成功，最后都垂败身死。

接下来就到了元朝，帖木儿①也来"清君侧"，而且差点儿就成功了，他已经攻入元大都了，元朝太子一瞧，好家伙，这忒厉害了，赶紧逃命吧，于是元朝太子流亡了。到了最后，元顺帝派人把这位"清君侧"的帖木儿给杀了，这次"清君侧"也没成功。

三次"清君侧"都没成功，第四次终于成功了，这也是中国历史上唯一一次成功的"清君侧"，主人公就是明朝的朱棣②。朱棣当上皇上之后就是永乐大帝。当皇上之前，朱棣是燕王，是朱元璋的四儿子。

洪武三十一年（1398 年），燕王的爸爸朱元璋去世了，到了这一年的六月，新帝登基坐殿，名叫朱允炆。朱允炆是朱元璋的孙子、大太子朱标的儿子，始称建文帝。建文帝朱允炆登基闹得不太愉快，为什么呢？朱元璋的膝下有一大堆儿子，大儿子朱标虽然早逝，但还有其他的儿子呢，在其他的儿子里再选一个当皇上呗，但朱元璋没有这么做，他偏疼皇孙。这按下棋的术语来说就是"炮打隔一位"，朱元璋不让儿子继承皇位，而是让孙子继承皇位，儿子们心里就不痛快了。建文帝当了皇上之后，其实他心里也不踏实，为什么呢？他往那龙椅上一坐，往下一看就看明白了，我什么人，我这个年纪，我的这些叔叔一个个虎视眈眈地看着我的皇位，而且现在只有首都南京在我手里，天底下的其他地方都分出去了，这个叔在那儿雄霸一方，那个叔在这儿占山为王，到处都是他们的势力，这皇位怎么坐得安稳？

当然了，朱元璋活着的时候想得很周到，这些儿子都长大了，都被封为了藩王，有的在湖南，有的在湖北，燕王朱棣在北平，封到哪儿的都有。平时没事儿的时候，不允许他们到首都来，而且不允许他们同时离开各自的属地。山东的儿子要

---

① 全名字罗帖木儿，为元朝将领答失八都鲁之子，从父讨贼，屡立战功。
② 明成祖朱棣（1360—1424），朱元璋第四子，年号永乐，在位二十三年。明洪武三年（1370 年）封燕王；建文元年（1399 年）发动"靖难之役"夺取皇位；永乐六年（1408 年）编成《永乐大典》；永乐十九年（1421年）迁都北京；永乐二十二年（1424 年）七月征漠北，病逝于榆木川。

到首都来瞧瞧爸爸，可以，但湖南那个就别来了，非得等山东这个回去了，湖南那个才能来，反正就是想方设法地把这些儿子都牵制在各自的领地里。为了什么？就为了让孙子朱允炆能拥有一个太平天下。

建文帝登基之后，身前有这么两位不错的官员，一个叫齐泰，一个叫黄子澄。这俩人跟皇上说，您琢磨琢磨吧，我们建议您削藩。削藩的理由是，您这几个叔的能力太大了，您瞧，哪个叔叔都比您厉害。比如说您二叔，您跟他一块儿跑步，同样的路，人家跑十五秒，您得跑半个钟头，这不成；再比如说您四叔，您和他一起做仰卧起坐，同样的时间，您做三十个，人家做七百来个。反正哪个叔叔要是一翻脸，都够您受的。建文帝心想，当初我爷爷给我留下的这些叔叔，都是非物质文化遗产，怎么办呢？没办法，干脆就削藩吧。总之，一个齐泰，一个黄子澄，两人一起给皇上出主意，建文帝越听越觉得有道理，认为这两个人确实是站在建文帝的角度，为了建文帝好，才说的这些话，于是就决定开始削藩。他这一削藩，几个叔就遭殃了，今儿被拿下一个县，明儿被逮起来。到最后，建文帝的四叔，也就是燕王朱棣，一瞧不成了，不能再忍了，再忍下去，建文帝该弄我了。得了，我"清君侧"吧。

这是中国历史上最大的一次"清君侧"，而且朱棣的这次还算是师出有名，为什么呢？朱元璋当初写过一个《皇明祖训》，就是他们皇家内部流通的一本杂志，是专门写给孩子们看的，里面规定了什么许做、什么不许做，其中提到了这么几句话："如朝无正臣，内有奸恶，则亲王训兵待命，或领正兵讨平。"意思就是说，如果朝廷里边没有好官了，都是奸臣、坏蛋当道，就可以带着兵来征讨，以清理皇上身边的奸佞。这几句话算是给朱棣找到了合适的借口，你看我爸爸当年说过这话。我侄子建文帝是好孩子，我是从小看着他长大的，他非常有礼貌，不随地吐痰，特别听话，但他身边净是些坏蛋，不行，我得带着兵去南京，清理我侄子身边的这些坏蛋。民间也就传开了，有的说燕王造反，有的说燕王扫北，反正就是燕王做的这点儿事儿吧。

战争当然是很残酷的了，战争的过程有机会我再单独细说，这里不赘述，总之到了 1402 年 7 月 13 日，朱棣的"清君侧"终于成功了，此处应该有掌声，为什么呢？因为这是中国历史上第一次大规模的"清君侧"，圆满成功，很顺利。

朱棣打南京城大获全胜，明天就要带着兵进城，到时候天下就是他的了。

就在今天晚上，南京城里有一个饭局，有几个人凑到一起吃饭，他们不是在饭馆里面吃饭，而是在一个人的家里边吃饭，这个人叫吴溥，是翰林院的一位修撰。这些人凑到吴溥家吃饭，摆张桌子，南京的小龙虾、盐水鸭、鸭血粉丝汤、拍黄瓜，各种好吃的摆了一大桌，吴溥和他的儿子在席间忙活着，端菜、端酒、盛米饭。

那么在吴溥家里吃饭的是什么人呢？有三个人，一位叫解缙①，一位叫胡广，一位叫王艮。

中国历史上有几个出了名的神童，其中就有解缙。我们在单口相声里经常提到的解学士、解缙赶考、解缙闹店、解学士对诗等段子，说的就是这个解缙的故事。我记得动画片好像也演过神童解缙的故事。解缙这个人很聪明，文化水平也很高，朱元璋活着的时候也很器重他。但是解缙有点儿小问题，是什么呢？那就是太聪明了，经常不过脑子地说一些不合时宜的话，导致朱元璋很头疼。后来朱元璋只好请家长，把解缙他爸爸叫进宫里，说你把你儿子带回去吧，这孩子"大器晚成，若以尔子归，益令进学，后十年来大用未晚也"。这句话是什么意思呢？就是说你这孩子还行，你带回去让他好好念书吧，过十年再来也不晚。朱元璋为什么要把解缙送回家继续念书呢？就是因为朱元璋疼孙子。朱元璋是真爱他的孙子朱允炆，他让解缙十年后再回来，好给自己的孙子干活儿，也可见朱元璋对解缙的器重。

饭桌上还有一个人叫胡广，他是庚辰科的进士，赶考的时候是第一甲第一名的状元。挨着胡广坐的那个人姓王名艮，字敬止，是庚辰科的榜眼。

熟悉科举制的人都知道，赶考第一名的是状元，第二名的是榜眼，第三名的是探花。今天这饭局，状元和榜眼都来吃饭了，但探花没来。跟胡广和王艮同一

---

① 明江西吉水人，19 岁中进士，时称"神童"。永乐元年（1403 年），朝廷命其为《永乐大典》总编。明成祖对其十分信任，曾曰："天下不可一日无我，我不可一日少解缙。"

届的探花叫李贯，因为他没有来参加饭局，这里就不细表他了，单说说状元胡广和榜眼王艮，以后有机会再讲他的故事。

其实王艮这个榜眼当得有点冤，因为按当时考试的卷面成绩来说，王艮的水平最高，应该是状元，但是王艮长得不太好看，殿试的时候，建文帝一看王艮这脸，就觉得这个人的颜值有问题，让这样的人进朝当官，大家该说大明朝没人了，怎么能让长成这样的人当状元？挨着王艮进来殿试的人就是胡广，胡广长得白白净净漂漂亮亮的，很投建文帝的眼缘。建文帝立刻拍板，得了，让胡广当第一名的状元，王艮来当第二名的榜眼吧，就这么硬生生地把状元和榜眼两人调个过儿，王艮和胡广二人就是这么一种关系。

今天晚上，解缙、胡广和王艮三个人在吴溥的家中一起吃顿饭，因为明天朱棣要进南京当皇上了。

02

—论 俗—

吃饭那点儿事儿：
饭桌上使筷子的讲究

Guo Theory

筷子往嘴里入的这头，也就是"筷头"，它是圆的，在八卦里面算"乾卦"，"乾"即为天，所以说往嘴里放，就是"为天"，这就是咱们俗话说的"民以食为天"。

说话对我来说其实不难。这么些年来，我说书、说相声、给学生们上课、唱戏，也做节目，都离不开嘴。但是要执笔成书，系统地写点儿什么，我还真没想过。

之前跟工作人员聊天，我也问，你们打算看我写点儿什么呀？因为我说过的东西太多了，他们大伙儿跟我说，写什么都行，吃喝玩乐，跟您的专业有关的民俗野史，您看的书、各种小故事，随便写。我说行，那就择点儿我懂的写呗，哪怕不懂，我也得说点儿自己熟悉的，跟相声有关的，跟唱戏、说书有关的。看孩子做饭，反正就眼前这点儿事儿呗。您让我讲什么股票、理财，我是一点儿都不懂，讲点儿什么军事题材，我也不能给您各位瞎编是不是？

说人活一世什么最重要？也就吃饭是最重要的，民以食为天，打到天边去也有道理，不管是为了吃饭而活着，还是为了活着而吃饭，反正谁也离不开吃饭，我个人对吃饭还是比较感兴趣的。但是现在我岁数越来越大了，也不能像十七八岁的愣小子似的，炒点儿菜能吃三碗米饭，现在累死我也吃不了这么些了。谁都会有这么一个过程，如今我 40 来岁了，就不以量取胜了，尽量吃得精一点儿。可是我对吃饭又没有什么太大的追求，因为吃东西这个玩意儿，其实一出娘胎，就遗传了父母对食物的一种记忆。爹妈爱吃什么、家里老吃什么，到了孩子这里也差不了太多。出去吃饭的时候，我也老说这事儿。经常有人跟我说，你看那外国人喜欢吃牛排，人家吃饭的时候从来没像咱们一样来一大碗炒面或烩饼。我说外国人跟咱们确实不一样，这件事儿你要往根儿上追溯，外国人的祖先净是打猎的，所以他们老得吃肉，咱们中国人的祖先往上追溯几千年，净是种地的，所以咱们必须吃粮食。

我跟于谦老师也聊过这件事儿，他说自己一见到主食就开心得不行，不管吃什么山珍海味，到最后要是没吃到点儿主食，就老觉得今儿没吃饱似的，这就是骨子里的东西，错不了。

既然说到吃，我就得先从筷子说起。我瞧外国人拿筷子，看得是可乐至极。因为习惯不同，人家吃饭是习惯拿刀拿叉的，我也见过"准亚洲人"拿刀拿叉吃饭，划伤了舌头跟嘴的。

我在相声节目里介绍过，筷子有两根，两根算是一双。

中国人的老祖宗其实很讲究科学，我们老说"先天八卦"[①]，八卦有明八卦和暗八卦。明八卦分为乾、坎、艮、震、巽、离、坤、兑；暗八卦分为休、生、伤、杜、景、死、惊、开。这两根筷子，两根就是"二"，二这个数字在"先天八卦"里边算是"兑"，也就是"口"，说白了就是"吃"的意思。筷子是长的、直的，那就是巽卦。巽，当木头讲，也当"入"来讲。这些意思组合在一块儿，就是拿筷子吃东西的意思。筷子往嘴里入的这头，也就是"筷头"，它是圆的，在八卦里面算"乾卦"，"乾"即为天，所以说往嘴里放，就是"为天"，这就是咱们俗话说的"民以食为天"。

中国文化博大精深，其实每一句话都有它的讲究。两根筷子在手里拿着，

---

① 传说是伏羲氏观物取象所作，故又称"伏羲八卦"。卦序为一乾、二兑、三离、四震、五巽、六坎、七艮、八坤。

一根主动，一根从动，一根在上头，一根在下头，所以两根筷子的这个配合，其实是一个太极。主动的这一根是阳，从动的那一根是阴。上边那根是阳，下边那根是阴。这叫两仪之象，阴阳互动，阴阳分离，此太极不存，这是对立统一的。两根筷子可以互换，主动的还不是永远主动，在下边那根也不是永远在下，这叫阴阳可辨。所以说吃个饭，光筷子就能倒腾半天，咱们中国的传统文化确实博大精深。

筷子用来往嘴里送的这头，跟另一头也不一样，为什么呢？您回去看看您的筷子，往嘴里入的这头，它是圆的，上面那头，它是方的。方的，象征地，圆的，象征着天，这就是民间所说的"天圆地方"。方形属于坤卦，圆形属于乾卦，合起来就是乾坤之象。这个事儿挺复杂，再往细致了研究，我也说不明白了，大致是这么个意思吧。

拿筷子也有讲究。筷子在手里，有人是用左手拿，有人是用右手拿，反正你肯定是用手拿筷子的。光是用五根指头攥着这两根筷子，就得分成三个部分。拇指跟食指在上头，无名指跟小指头在下边，中指在中间，这叫什么呢？这叫"天地人三才之象"。所以说"吃饭"真是挺热闹，还没吃上饭呢，光是用筷子，就能说出这么些个事儿来。五根指头拿着两根筷子，还得互相帮忙、相互扶持着，才能吃到东西，这也象征着咱们为人处世，单丝不成线，孤木不成林，浑身是铁能打几根钉子，人若是没有辅助，是成功不了的，这个道理通过吃饭就能看出来。

筷子是随处可见的东西，各式各样的筷子都有。我们常见的筷子有竹子的，有木头的。据说还有拿纯黄金打造的筷子，以及拿银子做的筷子，那就单说了，您钱多，爱怎么糟践那是您的事儿。还有象牙筷子，我老觉得象牙筷子不好使，民间有句俏皮话说："象牙筷子加凉水，哆里哆嗦颤颤巍巍。"您琢磨吧，象牙筷子搁手里又沉，又不好操作。

在中国古代，我们把筷子叫"箸"，一个"竹"字头，底下放一个记者的"者"字，到现在有的地方还爱说这个"箸"字，有的地方念成"竹"，有的地方念成"煮"，反正念成什么音的都有。包括天津也是这样，天津老城有的人，如果你上他家串门去，中午一块儿吃个饭，吃个天津的捞面[①]，也就是打卤面，做了一大盆，大家吃得挺多也挺开心，主人老怕客人吃不饱，还得再给客人添面，客人说："唉呀，我吃不了，吃不了了。"天津老人一听到这话，一般来说就会拿筷子挑起这么一大筷子面，跟你说："唉，没事儿没事儿，再来一箸子！"他们所说的"再来一箸子"，就是"再来一筷子"的意思，当然现在也只有天津的老人们爱这么说了，年轻人估计没有这么讲究的了。

我记得我小的时候，我姥姥在天津，她喝水拿茶杯，不说茶杯，而是说拿她的"茶瓯"[②]。按照天津人的齿音，这个字说出来的音是 nōu，但是写出来就是"瓯"字。我小的时候还总跟我姥姥说，唉呀，你看你老了没有？人家文化人都说拿个"茶杯"来，"茶杯"多讲究，"茶瓯"太俗气了。后来我长大了，才知道这"瓯"字反倒是一个文言字，"金瓯永固"[③]嘛。后来我看戏，听到铫期[④]唱了这么几句快板，"马王兄赐某的饯行酒，大家同饮太平瓯"，里边的这个"瓯"，其实就是"茶杯"的意思。所以说很多时候，老人还是很有水平、有学问的。

筷子一般来说是拿在右手的居多，而且拿在手里，筷子的两端要对齐了，不齐不好看。

使用筷子还有很多的忌讳，比如上谁家吃饭去，如果这家不太讲究，就会把一大把筷子给你扔桌上，大家一起来吃饭哪，显得挺热情。但是你一瞧，扔到桌子上的这些筷子，有长的、有短的、有塑料的、有竹子的，有这有那的。筷子最忌讳的就是有长有短，为什么呢？中国人讲究凡事和美，不喜欢那些不吉利的事情。比如"中国结"，实话实说，我也不知道是哪位高人给起的名，

① 捞面是中华传统面食，有上千年历史。将鲜面条在锅中煮熟后捞出，再淋上提前做好的浇头，故名"捞面"。
② 瓯，普通话读音是 ōu，中国古代饮具，多为敞口小碗式。《说文》云："瓯，小盆也。"茶瓯分玉璧底碗和花口茶碗两类。
③ 全名清乾隆金嵌宝金瓯永固杯，是清宫内不多见的皇帝专用饮酒器具，有"大清疆土、政权永固"的寓意。
④ 铫期（？—34），字次况，颍川郏县（今属河南）人。东汉大将，云台二十八将之一。为刘秀少数心腹之一，后来随刘秀平定河北，消灭王郎等起义军，为东汉的建立立下汗马功劳。历任偏将军、虎牙大将军、魏郡太守、太中大夫、卫尉等，位至安成侯。

大家就约定俗成地都这么叫了，其实在过去来说，这不能叫"中国结"。中国人最忌讳的就是打了结，结了疙瘩，比如谁跟谁之间闹了矛盾，经常说"咱们俩之间有结了"，这就坏了，不能叫"结"。"中国结"的本名叫"万字不到头"，它是一种吉祥物，原本是特别好的一个东西，不知是哪位大爷给出了这么一主意，改成了这名儿。

筷子也是如此，一大把筷子有长有短扔在那儿，这叫什么？这叫三长两短。但是我估计现在也没有什么人在意这些事儿了，但如果遇到我这样的是非人，可能就往心里去了，为什么呢？因为你也知道，"三长两短"在中国是代表着"死亡"的意思，过去有人死了，得装进棺材里，不像现在，火化了就完了。过去死人装进棺材之后，你就数数那棺材板。前后是两块短木板，两旁加底的是三块长木板，这五块木板合在一块儿，做好的棺材刚好就是三长两短。所以在中国人的传统观念里，三长两短，这就说明一个人不好了，要死了。筷子也是如此，所以说这是很忌讳的。

我觉得现在这种情况可能也不多了，因为谁家也不至于用不起几根一样长的筷子。但是用筷子还是有一些学问的。首先说，不能把筷子头搁在嘴里边嘬，更有甚者还嘬出声音。反正每家的教育方法不一样，吃饭的习惯也不一样，我跟有些人一块儿吃饭，对方吃得特香，喷喷有声，我也问过，您这是一种炫耀吗？怎么吃得那么开心？对方告诉我，这样吃饭香，不出声不香，可能这是人家的地域文化，咱也不能说不好。但是我觉得天津和北京，或者是大部分的地区，家里面还是不让吃饭出声的，从小吃饭就得闭上嘴嚼，不允许出声音吧唧嘴。我们很小的时候吃饭，你要是一出声，大人手里的筷子就啪一声扔到你脸上了，为什么呢？要教育你懂规矩，出去在外人面前吃饭出声音，会让人笑话家里的大人没把你教好。当然这也不是说指责谁，就是一家一活法，反正我个人觉得吃饭出声音不好。再说回嘬筷头这件事儿，用筷子往嘴里放饭、放菜，这是没问题的，但是用嘴嘬筷头，这不行。嘬筷头是很无礼的，大家能改就尽量改掉这种坏毛病吧。还有拿筷子指人家，你想想，拿筷子的时候，中指、无名指、小指和大拇指都在里边，单单食指是伸出来的，食指伸出来老去指对方，这就算骂人了。可能这是从小家长训练用筷子的时候，没给孩子归置好，反正这个是不应该的。

还有就是敲盆敲碗，不允许。吃饭的时候，不管出于什么原因，孩子要是拿着筷子敲碗，大人必须拦住他，为什么呢？过去传说，乞丐要饭的时候，才拿筷子敲他那盘子和碗。另外在饭店里吃饭，你要是敲盘子和碗，这等于在骂厨子。咱们哥儿四个吃饭去了，到饭店点四个菜吃，甭管是咸了还是怎么着，越吃火越大，拿筷子啪啪一敲盘子，你要是跟前面骂街，后厨不会理你，但你要是敲盘子敲碗，人家大师傅就得撩开帘子，出来瞧瞧是哪位在骂他。所以说不允许去敲盘子和碗，这是必须的。

我之前在微博上写过吃饭的规矩。用筷子夹菜，有"骑马夹"跟"抬轿夹"两种夹法，有人说这吃饭的事儿太多，那没办法，规矩嘛，没有规矩不成方圆。"骑马夹"是在菜的上面夹，像骑马一样；"抬轿夹"是铲底，从菜的底下去夹。"抬轿夹"是吃饭的大忌讳，没有样子。我曾经跟老先生聊天，听到一个小段子，印象特别深，我们的京剧大师梅兰芳先生，有几道菜他特别爱吃，但出去吃饭的时候，如果爱吃的菜离得很远，那他绝不会去夹，他夹菜永远是夹自己跟前的菜，甚至不能越到盘子另一边去，这是一种素养。还有在盘子里边找东西，比如肉丝炒的菜，有的人光夹肉丝，为了找肉丝，用筷子在盘子里来回地翻腾，我管这种吃法叫"盗墓刨坟"，这个太不像话了！有时候我在外面跟人吃饭，谁家的孩子要是这样夹菜，我能别扭一晚上，我倒不是生气这孩子不懂事儿，我是气家里的大人怎么不管管孩子呀，哪能这样？包括夹到菜往嘴里送的时候，哩哩啦啦地洒了满桌子的菜汤，这也不行，东西夹好了，在盘子里边先蘸两下，把汤沥干，尽量别弄得到处都是。有的菜夹起来，从那边到这边，菜汤在桌子上画了一道地理防线，这个不成，不允许！

所以说，吃饭事儿多。给人家盛米饭，这里边也有讲究。家里来亲戚朋友了，留人家吃饭，饭做得挺好，客人碗里的米饭吃得差不多了，主人拿起碗给客人去盛米饭，得问人家："再给您添点儿吗？"不能说："您还要饭吗？"这个不允许。

这饭盛满的时候，还忌讳把筷子插在饭里头，一个饭碗里边立着筷子，如果家里有老人的话，尤其是那种讲究点儿的老人，非翻脸不可，为什么呢？因为只有供奉死人的香炉里边才插两根香。过去在封建社会，每当有死刑犯要被砍头，他最后那顿饭的米饭就是这么处理的，长休饭，永别酒①，盏酒切肉，刽子手把人架出来之后，差人拿给你的米饭，就是一双筷子立在里边，一吃这碗米饭，这人就算是完了。所以说不允许把筷子插在饭里，这是大不敬，等于给死人上香。家里出了白事儿的，给死人上香的时候，也是这样的，这个行为在吃饭的时候是不能被接受的。

还有您的筷子在桌子上，无意中摆出了一个交叉的十字形，这个也最好避免，为什么呢？这就好比老师在作业本上给你打一叉，代表你错了，还有过去打官司的时候，官老爷给你打一叉，这也是否定的意思，其实就是不礼貌。

我小的时候还有一种规矩，就是筷子不能掉到地上。吃着吃着饭，筷子掉地上了，家里的大人就不乐意了，为什么呢？这叫"落地惊神"。一般的孩子没有故意摔筷子的，但是保不齐他拿不住了，包括大人也有不小心把筷子掉地下的时候。为什么会落地惊神呢？祖先逝去之后，都长眠在地下了，一掉筷子，等于惊扰到他们了，吓了祖先一跳，所以说这属于大不孝。那万一不小心把筷子掉了该怎么办呢？一般来说，在把筷子捡起来之后，旁边无论是谁，真真假假地打你一小下，就代表惩罚你了。当然还有更要命的，说筷子掉地下，要赶紧捡起来，还要在地上画个十字，画的顺序还要先东西后南北，为什么先东西后南北呢？那意思就是我不是东西，我不应该这样做，筷子捡起来之后还要说，唉呀，我该死该死。估计现在谁吃饭的时候要这样来一下，这一桌人都不会再跟他来往了。

规矩是规矩，现实中该怎么样还是怎么样。我也就是说我自己家的这些规矩，包括我从小到大对于吃饭、对于用筷子的一些了解。但也不能老说有关吃的事儿，因为聊这个就没完没了了。曾经我还准备出一本书，书里边专门介绍各种吃的东西，

---

① 在古代，死囚临刑前吃的最后一顿饭叫"长休饭"，喝的最后一顿酒叫"永别酒"。

我还初步算了算，光是我列出来的素材和搭的架子，就已经很多很多了，各位读者可以期待一下。

不管怎么说，民以食为天，吃得好一点儿，最起码对普通老百姓来说，是一种最大的幸福。

03

—捡 史—

中国历史上唯一成功的
『清君侧』（下）

食其禄，任其事，当国家危急，官近侍独无一言可乎？尔等前日事彼则忠于彼，今日事朕当忠于朕，不必曲自遮蔽也。

上一回写到明朝的四殿下燕王朱棣起兵造反，还给自己安了个好听的名字叫"清君侧"。"清君侧"成功了之后，朱棣明天就要进南京成就家国大业了，算是痛快了。

今天晚上在南京城里有一个饭局，请客的这人叫吴溥，是翰林院的修撰。三位客人分别是有"神童"之美誉的解缙，以及在科举考试中被调换了名次的状元胡广和榜眼王艮。

大家一起吃饭聊天，聊什么呢？国家大事。因为现在正是到了生死存亡的时候，咱们几个人坐在这儿，喝酒聊天烤串儿，说这说那的，明天天一亮，四殿下燕王朱棣就进南京了，摆在咱们面前的就两条道，要么归乡，要么就是死路一条。咱们几个人都是侍奉建文帝的，都是他的臣子，从这个角度来说，燕王朱棣是逆贼，怎么办？好家伙，一个解缙，一个胡广，俩人激昂慷慨，说到根儿上，一句话，就是宁死都不投降。燕王朱棣是反贼，咱们得食君之禄，报王之恩，建文帝待咱们恩重如山，咱们可不能对不起皇上，咱们得以身殉国，咱们怎么死呢？两个人还想了各种方法去死。

可在皇宫里边，建文帝下落不明了。在中国历史上，一直到今天，建文帝朱允炆的下落都是一个不解之谜。普遍的说法就是建文帝逃跑了，昆曲里边有这个，京剧里也有。我还唱过这出戏，戏名叫《碧血丹心》，我唱老生，前边唱的是建文帝"离宫逃难"，后边是方孝孺"草诏敲牙"[1]。在戏里，建文帝本来是准备赴死的，但有个老太监对他说，皇上，您别死。建文帝说，我不死不行了，我这位四皇叔都已经要打进来了，你们还不了解吗？我这个四叔很厉害，他来了我就活不了了。老太监接着说，您别死，我想起个事儿来，当年太祖（朱元璋）升天的时候，留下了一个挂着锁的小盒子，说家邦有难的时候，给您拿出来看看，您看现在咱算不算家邦有难？建文帝说，何止邦（帮）啊，现在我连鞋底都烂了，赶紧拿出来看看吧。老太监就从奉先殿里取出一小盒来，打开一瞧，建文帝的眼泪都下来了，盒子里边有一把剃刀、三份度牒等物，度牒就是和尚的身份证。建文帝一看就明白了，我爷爷想得太周到了，他就知道我坐不稳这皇位，这是让我把头发剃下来，拿着度牒假充和尚逃出去。那就来吧，剃头吧。于是有人给皇上把头发剃了，又有人拿出朱元璋提前准备好的僧衣、僧帽，建文帝就化装成一个和尚，打皇宫跑出去了。

这个桥段在评书和京剧里边叫作"焚宫落发"，演完这一段之后，演员下到后台，把脸洗了，换了衣服，再出去唱方孝孺的"草诏敲牙"。这两出戏合成一个全本的戏，就叫作《碧血丹心》，总之戏里边演的跟民间传说差不多，都是说建文帝从皇宫里逃走了。

后来永乐大帝为什么派郑和几次下西洋呢？据传说永乐大帝是派郑和出去寻找建文帝下落的，但是到今天，都没有一个准确的说法，没有谁能确切地说建文帝有没有被找到。

---

[1] 草诏敲牙讲述的是明朝朱棣起兵造反，夺取侄子建文帝的皇位后，命方孝孺为自己起草登基诏书，但方孝孺抵死不从，触怒朱棣，最后被敲掉牙齿、灭了十族的故事。

皇宫里面是乱了，在宫外吃饭的这哥儿几个，解缙和胡广那拍胸脯拍得是咣咣山响。胡广说，我得怎么死怎么死，解缙也说，我得死得多漂亮，唯有一死才能报答君王，就这么一顿说。桌上吃饭的除了吴溥之外，还有一个就是王艮。这王艮，从坐那儿吃饭开始就一直哭，历史上留下来的记载也说，王艮就是默默地流眼泪，没有说什么话，人家解缙和胡广为了尽忠心，都快动菜刀了。一顿饭能吃多长时间呢？终归有散局的时候，散了，大家就各自回家了。

胡广和王艮跟吴溥是邻居，他们三家挨着住，所以才过来一起吃饭。饭局散了，几位客人就都走了，吴家人得收拾收拾饭桌，收拾的时候，吴溥的儿子就跟父亲说："胡叔能死，是大佳事。"意思就是，看来胡叔叔这是准备要死了。"大佳事"里的"大"，是巨大的大，"佳"就是特别好的意思，合在一起就是好得不能再好的意思。吴溥的儿子认为，胡广要是能死，这是一件大好的事情，忠君报国，万古流芳。结果他爸爸吴溥听完乐了，说，儿子，你还是单纯并且善良，我跟你的看法不一样。儿子问，怎么会不一样？你看刚才人家胡叔起誓，顺嘴流白沫，拍胸脯咣咣响，肋骨都快砸折了，怎么不是好事儿呢？他爸爸就说，就算是死，也得是王艮死。

吴溥父子俩正聊天呢，他们家隔壁那个院里就传来了胡广的声音。就听胡叔叔说："外喧甚，谨视豚。"这是文言记载下来的句子，我估计当时胡广用口语不会这么说，那么他说的这句话是什么意思呢？就是胡广嘱咐自己的家里人："外边太闹腾了，你们都留点儿神，别把咱家那猪丢了。"听到这话，吴家爷俩也乐了，吴溥对儿子说，你看，都到这会儿了，他还担心他们家的猪丢了，你说他能死吗？这跟孝庄皇后劝降洪承畴[①]的典故很像，孝庄皇后打算去劝降洪承畴，先派了几个人暗中观察洪承畴，这几个人回来后说，这个洪承畴死不了，为什么呢？他跟那儿坐着，房上掉下来一块土，土掉到衣服上，洪承畴就用手拍下去，一件衣服他

---

① 洪承畴（1593—1665），字彦演，号亨九，明朝重臣。松山城破后，洪承畴被俘，清廷再劝降无果，后劝降者见洪承畴如此坚决，便举刀欲杀，谁料洪承畴竟"颈延承刃，始终不屈"。据传说，洪承畴后来归顺清廷，是因为孝庄皇后做通了他的思想工作，但这个说法无从查证。

都这么在乎，他会不在乎自己的命吗？所以他死不了。胡广也是如此，到这会儿他还担心他家那猪呢，放心，他死不了。

而就在胡广嘱咐家人看好自家的猪的时候，王艮回到家服毒自尽了。死之前，王艮跟自己的媳妇说："食人之禄者，死人之事。吾不可复生矣。"什么意思呢？意思就是，他吃了皇上家的俸禄，拿了人家的工资，所以必须对人家负责，他不打算再活了。按说，王艮应该是对建文帝有些怨恨的，为什么呢？天下秀才进京赶考，我王艮是状元，第一甲第一名，真才实学凭着能耐参加殿试的，结果皇上就因为我长得不好看，把我的第一名改成第二名了，还有公平可说吗？但是王艮用死去表达他对建文帝的这份尊敬，建文帝你因为相貌而轻视我，但我不会因为你的权力，不会因为你的这些错误而辜负国家，我以死来报答天子。所以到今天，一提到王艮，好多人都说，那是真英雄。

那么起誓的那两位呢？解缙从饭局回到家之后，就开始收拾东西了，他收拾东西干吗呢？去拜见明天就要进京的朱棣，投降于他。关于解缙投降这件事儿，历史上记载得很公正，用了三个字，去记录解缙当时的状态，是哪三个字呢？缙驰谒。"缙"是解缙，"驰"是飞驰，"谒"是谒见。翻译过来就是说，解缙飞一样地去拜见了朱棣。你再是神童，你再是聪明人，你在中国历史上留下的这个背影、这个状态，也并不美丽。还有胡广，历史上给胡广留下了五个字，是"召至，叩头谢"。"召至"就是"一喊就来了"，"叩头谢"是"见面就跪下磕头"。胡广比解缙还好点儿，解缙是半夜就去投降了，胡广好歹等到了天亮，人家来叫他，他才去，进门见到朱棣就先磕一个头。

朱棣进了皇城，继位登基，成了永乐大帝。永乐帝上位的方式虽然不太光彩，但他在历史上创造了丰功伟绩。永乐帝对解缙就算不错了，他让解缙主持修《永乐大典》。解缙这个主儿，最大的特点就是聪明，他打小儿就灵，缺点也是太聪明，有时候这是一种毛病，不是才能。当年朱棣曾说过"天下不可一日无我，我不可一日少解缙"，这两句话简直是说到家了，天底下不能一天没有我，因为我很厉害，我是皇上，但是我身边不能一天没有解缙。皇上能这么爱一个人，那这个人真是太幸运了。但是这位聪明绝顶的解大才子，有的时候表现得还是很幼稚的，很多时候朱棣也拿解缙没办法。总之解缙既聪明又有用，但实在不大会说话，很多时候都很不招人待见。包括后来打越南，就是打安南国，皇上说要打，结果解缙说，你能打下来，但是你守不住。朱棣也挺开心，说，好啊，我打给你看。结果打下来之后，朱棣告诉解缙，你上那儿守着去吧，直接给解缙打发到越南去了。

好家伙，你琢磨琢磨，到了越南，解缙也不能老跟那儿待着，他总得回来述职，一年或两年回来述一次职。他有一次回来汇报工作，刚好朱棣不在，这个时候，解缙犯了一个最严重的错误，这个错误表现出了他在政治上的幼稚。他去见了一个人——朱高炽。朱高炽是谁？朱棣的儿子，当时已经被立为太子了。解缙是觉着，我回来看看皇上，皇上不在家，那我上太子那儿串个门去吧。结果他这一去，犯了朝廷的大忌。

朱棣肯定不只有一个儿子，除了这个当太子的之外，还有其他的儿子，他们看见解缙去看太子了，立刻就跟朱棣说了，说得很简单，说解缙"伺上出，私觐太子，径归，无人臣礼"。什么意思呢？就是说解缙伺皇上不在之机，私见太子，看完之后就回去了，没有人臣的礼节。这几句话正捅到朱棣的肺管子上了，他就以"无人臣礼"的罪名，把这解大才子、大聪明人关起来了，关了几年呢？解缙在监狱里边一关就关了四年。四年后，一个偶然的机会，朱棣可能是清点在押犯人的花名册，突然发现了解缙的名字，顺口说了这么句话："缙犹在耶？"意思特别简单，就是："哟，解缙还活着呢！"可就这一句话，给解缙引来了杀身之祸。皇上的这句话被锦衣卫的都指挥使纪纲听到了，纪纲就是在监狱里边押着这些犯人的负责人。你可以理解成皇上是说"哟，他还在呢，快把他放出来吧，叫他来喝酒、烤串儿，我们聊会儿啊"。但纪纲那是跟在皇上身边的人，他一下子就明白了皇上的真正用意。回去之后，纪纲请解缙喝酒，把解缙灌得酩酊大醉，当天夜里就在雪地里挖了一个坑，把解缙埋了，解缙死的时候 47 岁，就因为皇上的一句话，他就死了。

早在朱元璋活着的时候，解缙跟胡广既是同乡、同学，又是同事，其实两人还是儿女亲家，那会儿胡广的老婆刚好要生孩子，朱元璋就说，得了，胡广你要生一闺女，以后长大了就许给解缙的儿子吧。好家伙，皇上许的婚！后来胡广的老婆确实生了一个女孩儿。可这次解缙一死，算是出了事儿了，胡广说，那我得悔婚，他们解家现在已经有问题了，我闺女不能再嫁给解缙的儿子解祯亮了。但是胡广的闺女真有样，她拿刀割自己的耳朵，跟自己的爸爸说，好马不配双鞍，烈女不嫁二夫，皇上许的婚，我就是人家解家的儿媳妇，就算他们家遭了滔天大祸，我也认。这闺女跟她爸爸的活法是不一样的。在闺女的坚持之下，等到后来解家这官司平了，他还是把闺女嫁给了解祯亮。

前面提到，探花叫李贯。这李贯后来也跟着朱棣了，有关他的记载不多，但是有一事儿挺可乐。

朱棣当上皇上之后，带着文武群臣一起查看建文帝时群臣所写的一些奏折和议政的文件。解缙和李贯这一大帮人都在场，永乐帝就问他们说，尔等也都有过议政的言论吧？也就是问他们，当年你们跟着建文帝的时候，背后是不是也说过我的坏话呀？解缙等人都不说话，唯独李贯往前一站，一拍胸脯说："臣实未尝有也。"这下李贯可露脸了，他这句话是什么意思呢？意思是，他们其他人都写过您的坏话，只有我确实没写过。李贯本来是暗自庆幸，你看我当年就留着后手，还留对了。可没想到，他说完这个之后，永乐大帝立刻把手里这点儿文件啪地扔到他脸上，怒斥道："尔以无为美耶？食其禄，任其事，当国家危急，官近侍独无一言可乎？尔等前日事彼则忠于彼，今日事朕当忠于朕，不必曲自遮蔽也。"那意思就是，你别没羞没臊的了，食君之禄，忠君之事，国家危难的时候你一句话都没有啊？当年我确实是造反了，但那个时候你的位置跟现在不一样，你那时候是跟着建文帝的，在国家需要的时候，你怎么连一句人话都没有呢？你那会儿跟着建文帝，就应该忠于建文帝，你现在跟我，就应该忠于我，你不用这样两面三刀的。

文武群臣都看着朱棣痛斥李贯，李贯臊得都没人样了。后来因为解缙这事儿，李贯也受到牵连,进监狱被关了十年,临死之前李贯说了一句话:"吾愧王敬止矣。"意思就是,我要死了,我对不起王艮,没脸去见人家。

李贯这哥儿几个的故事,正应了莎士比亚那句话:我猜中了这个故事的开始,但是我没有料到这个故事的结局。

04

—论 俗—

借钱吃海货，
不算不会过

吃鱼吃虾有讲究，"应食当令"。什么时候该吃带鱼，什么时候该吃黄花鱼，是有一定之规的。这俩礼拜什么鱼要下来了，就必须这俩礼拜吃，因为你这会儿不吃，过些日子它就没有了……

我也不知道我写的这些东西各位读者爱看不爱看，反正我就是这么一写，您各位这么一乐和，也就是这样。当然了，在我写你看的过程当中，也希望各位能提点儿意见，或者直接告诉我您想了解点儿什么。反正我是把这本书当作一个交朋友的平台，我也不知道您是谁，但是我觉得都是好哥们儿，咱们能通过这本书，聊聊心里话，写一些未必适合在舞台上说的话。

前面给大伙儿分享了"吃饭"的学问，聊的是"筷子"，我也不知道大家能记住多少。后来我想了想，光是吃饭事儿就够多了，但还要补充一个事儿，您也得记住了，用筷子吃饭有一规矩，要"以食就口"，不能"以口就食"，意思就是说，得拿着筷子夹好了菜，再往嘴里送，不能把嘴先张开了，再去夹菜，这个不行，按从前的老说法，显得下作。

还有，不能直接在锅里吃饭，饭得盛到碗里吃，要是直接就着锅吃，就会给人一种不怎么富裕的感觉，老年人通常都这么觉得。我在电视剧里经常看到，人家韩国人吃方便面，一次煮一锅，一人托一锅盖，就吃起来了，一个国家一个活法，这不一样。

还有一点，吃饭的时候，按照老规矩是不让说话的，但是现在咱们哥儿几个坐一块儿，其实就是借着吃饭聊个天。早先的时候，比如老北京和老天津卫，都讲究"吃不言，睡不语"，也有说"食不言，寝不语"的，其实是一回事儿。"吃不言，睡不语"是我在天津从小听到大的话，尤其是过去的大户人家，老太爷坐好了，老太太、大太太、二太太、大少爷和二少爷按辈分入座，全家人一块儿吃饭，特别忌讳瞎搭茬儿。尤其是孩子们，吃饭就是吃饭，叽叽叽叽地说话，家里头若有老人，尤其是讲究点儿的老人，当场就会翻脸。孩子吃饭不懂规矩，老人拿起筷子咣咣就打他两下，当然打孩子也不是什么好规矩，就是说"吃不言，睡不语"这个道理，到了睡觉的时候，就踏踏实实地睡，别在那儿躺着还叽叽。其实从另一个角度来想，如果睡觉前聊天，你说你讲个笑话吧，一乐，盹儿就过去了，你讲一鬼故事吧，越聊越害怕，干脆不敢再睡觉了。所以就是别说话，踏踏实实躺在那儿，睡不着就闭上眼，养养精神。据老中医所说，闭上眼其实是最好的一种休息，哪怕是白天，你老睁着眼，其实是很伤精神的。睡不着没事儿，闭上眼养养精神，也是身体的一种极好的休息。人睁开眼时所消耗的能量是非常大的，只要你一闭上眼，身体的某些部位就可以得到休息，这其中的道理，我说不了太细致，我不是医生，我也不是科学家，但是我个人感觉，有的时候闭目养神确实管用。话题有点儿扯远了，还是回归到"吃不言，睡不语"这个规矩上。

一提到规矩，就又想起来不少，还有吃饭的时候不能够随便换座，什么意思呢？你坐在哪里，就一直坐在那儿，不要端着碗，一会儿上这儿来，一会儿上那儿去，这种习惯不好，为什么呢？这也是老人说的规矩，只有在街上讨饭的乞丐，才会要了一家又换一家，你吃饭就固定坐在一个位置，老是来回这么倒腾着，是没品的行为，不允许这个样子。

还有吃饭的座位，这也挺可乐。我们一般请人吃饭，到了饭店，进了包间，一定有一个上首的正座，也叫主座，这一桌里边有身份的人、年纪大的人、辈分高的人，或者是在单位管事儿的这么一个主儿，他应该坐在正座上。那么哪个座位属于主座或正座呢？现在你到饭店去，有的时候服务员会给你安排好，他把那口布都叠好了，这一桌子别的口布都趴着，唯有一块一柱擎天地立着，这儿就是主座。但是这个也不准确，因为有的房子格局不一样，这个服务员跟那个饭店经理的审美和知识程度也不一样，有的时候他觉得那个座应该是正座，其实是不对的。按规矩来说，就是整张桌子上，哪个位置面冲着门、背靠着墙，哪个位置就应该是主座。

有一年我上山东济南演出，就闹出了一个笑话。我们演出完之后，当地的师兄弟和几个关系不错的哥们儿，就说大家一块儿去吃个饭吧，我们这儿有一家老饭店挺好，是多少年的老字号了。我这个人平时不爱跟人出去吃饭，因为我吃得很简单，而且我特别怕吃饭的时候人家费心张罗，还要花好些钱，身后还站着一服务员，我喝一杯就再给我倒一杯，我也不喝酒，出去吃饭我嫌麻烦。但是我跟济南这哥儿几个关系挺好，再说人家这么热情邀请了，我要再不去，就显得外道了，那就去吧。

到饭店，感觉还挺好，它是坐落在一个公园里边的这么一家饭店，古香古色，挺不错，服务员说给留出包间来了，因为知道德云社说相声的这帮人来了。我的这些师兄弟就说，快来吧，跟我都挺客气的，因为我是师哥，得让我坐到那个主座。我一瞧这主座的位置不对啊，应该是冲着大门的，但它这个主座摆的位置是冲着窗户的，我就跟服务员说，你们这座位错了，冲着门的才是主座。我也不知道人家爱听不爱听，就跟逗能似的告诉人家。结果服务员说，您不知道，我们是故意这么摆的，我们这么摆的原因是，窗户外边的景色好，您坐在这儿，面对窗户能看到景色，您不信看看窗外面的景致。服务员用手这么一指，我们所有人都往外看去，这一看所有人都傻了。饭店是在一个公园里，窗户外边有树、草地什么的，看着很隐蔽，但就在服务员拿手往外一指的时候，我们看到窗外边有一老太太，正蹲在那儿方便呢，好家伙，这屋里十多个老爷们儿都傻了。老太太一回头，正看见窗户里边这一大帮人，也弄了一大红脸，忽地一下子，屋里也乐，屋外也乐了。

老太太走了，弄得我们这个臊啊。

饭吃完了，这服务员也没再跟我们见面，他也觉得不合适。这是说吃饭的座位问题，反正要是往细里说，这吃饭的规矩大了。就像吃饺子，要调料，想要一点儿醋，油盐酱醋的醋，这都有规矩，也有很多忌讳。比如你跟服务员说："服务员，我吃醋，你赶紧给我来点儿醋吃。"服务员就会跟你说："吃醋，回家跟媳妇打架去，你上我们这儿吃什么醋？"所以如果你在饭店想要吃醋，就可以直接跟服务员说："我要点儿忌讳。"人家服务员端来醋了，也得跟你说："您的忌讳来了。"不能端着醋进来问："哪位先生吃醋？"这也不像话，所以过去人管"吃醋"叫"吃忌讳"。

甚至早年间在北京城，鸡蛋也不能叫鸡蛋，饭店里面管鸡蛋叫"白果"，为什么呢？过去的忌讳多，尤其清朝末年的时候，北京城里的太监很多，他们忌讳说这些字，所以就得改成别的词。现在这些忌讳都没有了，俱往矣，都不叫事儿了。反正是民以食为天，谁也离不开这个"吃"。

好多人都爱请人吃饭，您记住了，请人吃饭，三天为"请"，两天为"叫"，当天这算"提溜"。老北京和老天津卫都懂这个规矩，要请人吃饭，一定得提前三天跟人说，大哥，您哪天有工夫？我请您一块儿聚一聚？或者说，我知道哪里的螃蟹不错、哪里的羊肉好，我请您，咱们哥儿几个乐和乐和？提前两天跟人打招呼的，就是跟关系近一些的人了，给人打一电话说，明儿你干吗去？咱们吃饭去吧？当天请人吃饭，一般来说，应该就是实在是没想起来找人家，哥儿几个坐在一块儿吃得正高兴呢，突然想起来了，哎哟，还有一个张三没来，对，他哪儿去了？给他打一电话，问，你在哪儿呢？你过来吧，来吃饭。所以，当天请人吃饭这叫"提溜"，仅限于关系特别近的人。如果你要请长辈或有身份的人，或者是要求人办事儿，当天才跟人家打招呼，这是不允许的。

言归正传，回到主题"海货"上。前几天有人问我，你爱吃什么？我想了想，我还真没有什么特爱吃的，而且现在我岁数大了，饭量也不如原来，但我是天津人，天津就是所谓的"九河下梢天津卫，三道浮桥两道关"[1]，是水旱的码头，所以天津人爱吃海鲜，爱吃水里边打出来的东西。

一提到这水里出来的东西，我就想起一个有意思的人，也是拐弯抹角的这么一个主儿，凡是从水里捞出来的东西他都不吃，比如鱼、虾、螃蟹和蛤蜊。再后来就更夸张了，饺子不吃，馄饨不吃，片汤不吃，热汤面不吃，只要是水里煮出来的，他全不吃，这上哪儿说理去？我就知道有这么一爱好古怪的主儿，但这也不是什么罪过，就是个饮食习惯，不吃就不吃。但是在我的印象中，天津人爱吃海鲜的比较多，尤其爱吃海鱼。

科学证明，多吃鱼对身体是有好处的，尤其是海鱼。鱼肉里边含有蛋白质等各种营养成分。儿童和青少年生长发育的时候，或者生病、身体有伤口的时候，都要多吃海鱼，据说可以帮助伤口愈合、身体复原。鱼肉的肌肉纤维构造短，不像牛肉或者别的肉，所以说鱼肉吃起来比其他动物的肉更细致嫩滑，好消化，非常适合小孩儿、老人们吃，它的脂肪含量少，热量也低。

我从小就知道天津有句老话，说"借钱吃海货，不算不会过"，也有人说成"当当吃海货，不算不会过"。意思就是说，海鲜下来了，就算家里没钱，也得借钱吃，把家里的东西拿到当铺去当一当，换来钱也得吃海货，这样花钱不算是不会过日子，不算是胡糟。为什么这会儿一定要吃海货呢？因为按过去的习俗来说，吃鱼吃虾有讲究，"应食当令"。什么时候该吃带鱼，什么时候该吃黄花鱼，是有一定之规的。这俩礼拜什么鱼要下来了，就必须这俩礼拜吃，因为你这会儿不吃，过些日子它就没有了，就过去了。对此我的印象特别深。

我16岁就打天津出来了，到北京去发展，一晃也在北京生活几十年了。北京的大多数食物我都吃得惯，唯有一样东西，好像在北京不像在天津吃得那么方便，这东西在天津叫"鳎目鱼"。"鳎目"是民间的俗称，学名就是比目鱼[2]。我们老

---

[1] 天津的海河水系由南运河、北运河、大清河、子牙河和永定河五大干流组成。在中国的传统观念里，"九"为最多，因此"九河下梢天津卫"里的"九"即为大小支流众多之意。

[2] 比目鱼其实是对一类鱼的统称。脊索动物门、脊椎动物亚门、硬骨鱼纲和鲽形目共计六百多种鱼，都可以叫作"比目鱼"。而鲽形目中有一科叫鳎目鱼科，有三十多种。

听那相声里说，打南边来个喇嘛，手里拎着五斤鳎目，这个"鳎目"说的就是比目鱼。它的身子扁平，俩眼睛长在身体的上面，应该是并列而行，故名比目鱼。按照天津人的习惯，鳎目鱼得在夏天吃，老话说"伏天吃鳎目"。也有人说因为鳎目的皮特别大，扒下来能蒙一面鼓，当鼓皮用，反正这就是一说，我是没见过那么大的鳎目鱼。不论大的小的鳎目，天津人都吃，小的鳎目有一拃来长，"一拃"，差不多就是您把您的手打开，从大拇指到中指的距离。

一拃长的鳎目鱼，一般是炸着吃，先把鱼收拾干净了，简单地弄一弄，然后裹上面，扔到锅里边下油炸，炸着吃又酥又脆。天津老爷们儿有的直接拿着炸鱼下酒，还有的拿饼卷起来吃。要是稍微大一点儿的鳎目鱼，就得熬着吃了，先过油，之后锅里搁好葱花、姜、蒜瓣、甜面酱、酱油和料酒，也有放白酒的，总之熬鱼一定要放一点儿酒。甜面酱也是必不可少的，天津人炒菜是一定要放甜面酱的，这是天津人的一大特点。放好这些调料后，就开始熬鳎目鱼，熬的时候要随时看着，不能煳了锅，汤汁熬好之后，倒到盘子里边，表面上红不劲儿的，酱色很好看、很鲜艳，拿筷子把鱼肉捣开了，鳎目鱼的肉雪白雪白的，是下饭的好菜，而且刺很少，只有一根大刺。我奶奶当年就跟我说过，"鱼是驮饭的驴"，这是一句老话，我还真没听别人念叨过，就只听我奶奶说过，意思是，你吃别的菜，好像吃不了这么多米饭，唯独吃鱼的时候，能吃下很多米饭，那厉害了，鱼就像是驮饭的驴，它能把好多米饭都给你驮走。

我爱吃鳎目鱼，但是后来到了北京，就很少见着卖鳎目鱼的。因为北京和天津不一样，天津它靠海边，到北京这儿吃海鲜不那么容易。我记得在20世纪90年代的时候，曾经有一回，在虹桥市场卖海鲜的地方，我瞧见了有卖鳎目鱼的，觉得还挺亲切，你想这么些年没看见鳎目了，于是就买了点儿，那鱼的颜色看起来还不错，是冷冻的，买回家之后化了冻，准备烹饪，就觉得不行，它那肉发粉，所谓的发粉，不是说颜色发粉，而是肉的质地感觉很松懈，不结实，一看这鱼就是质地有问题，由此看得出来，鳎目鱼在北京不那么特别受重视。大的鳎目鱼，把它的脑袋和尾巴切下来，过完油之后熬汤，身体的中段用来干烧或者酱炖。吃完了鱼，再来碗鳎目鱼的鱼头汤，奶汤熬的，奶白奶白的，好喝得不行，一锅汤都能喝光。

但北京人觉得鳎目鱼差着呢，北京人爱吃黄花鱼和带鱼。我跟北京的朋友们聊天，也去看过过去的老资料，据说北京人那是讲究的主儿，院子里边种花椒树，因为花椒树种在院里能辟邪，而且吃花椒也方便。黄花鱼下来之后，打花椒树上揪两把花椒，跟着鱼一块儿熬，熟了之后全家人坐一块儿吃。我忘了是梁实秋先生还是谁写过，一家大小，每人两条鱼，吃完之后来碗打卤面垫底，这就是老北京的吃法。但是后来我四处问了问，也没发现北京有什么人家这么吃过，可能是因为他们家里没有花椒树。

黄花鱼，这些年市面上看见的净是作假的，我见过被染得金黄金黄的黄花鱼，结果熬完之后变成了白的，上当了。除了黄花鱼之外，带鱼也是北京的水产市场上很普通的一种鱼，但也净是些本地的带鱼，说是本地的，也不知道是本地哪儿的，可能是本地几百里外的，反正那带鱼有宽有窄。宽的就刮了鱼鳞，切成菱形的块，跟熬鳎目鱼的方法一样，好吃！还有一种特别窄的小带鱼，窄得就跟手表带似的，这种带鱼就只能炸着吃，先过油，过完油之后，在油里边放点儿花椒，撒点儿盐，还有的是先拿油炸，炸完之后调一碗糖醋汁，烹完之后再熬一锅粥，蒸一点儿死面的小卷子。您记住了，死面的卷子、炸烹的小带鱼，配上一锅粥，这三样放在一起是绝配。

还有一种鱼，在北京应该很少见到了，这鱼在天津叫"马口"，身体还挺长，有点儿扁，它的上颌骨两侧的边上分别有一缺口，好像有什么突出物嵌在那儿似的，样子像马口，所以叫马口鱼。马口鱼也就三四寸长，肉质鲜嫩，好像产量不大，这鱼的刺特别多，但是很好吃。

记得一九九几年的时候，我那会儿还在天津住，有一天，门口的菜市场里有一个人卖烤的马口鱼——这马口鱼你别看不大，只有三四寸长，但是从水里一网打上来，大小都差不多——烤完了加上孜然，加上辣椒面儿，加上盐，连刺一块儿嚼，特别好吃。

关于吃鱼，我要是想说的话，说上三天五天也说不完，反正就是想到哪儿就写到哪儿。也不能光写吃饭的事儿，以后还得写写喝酒，写写炒菜，写写唐诗宋词。唱戏、说相声，想到哪儿说到哪儿。反正跟各位读者我也不见外，咱们也是自己人，我信手一写，您喜欢就好。

05

一歪批一

『戏』说杜十娘：
经典是怎么流行起来的？

Guo Theory

　　《嫖院》《赠银》《酒楼》《归舟》《撒宝》《托赵》《建盼》和《活捉》，这些是评剧演员必须会演的戏。但无论唱哪一派的评剧，都得会唱《杜十娘》，这是评剧演员看家吃饭的戏。

　　我觉得我挺适合说相声这个工作的，因为我知道我这人没什么能耐，也没什么追求。从小上学的时候，老师问大家："长大了要做什么？"同学们都说要当科学家。就只有我一个人说："我要说相声。"一晃几十年过去，我们班里没有出科学家，倒是我一直在说相声。说相声、唱戏和说书，对我来说是一件特别开心的事情。这些工作虽然不敢说是"高台教化"，但是可以劝人向善，教人学好。书中自有颜如玉，书中自有黄金屋。我觉得这个可能更适合我，这三个工作可能是我毕生离不开的了。

　　我7岁开始接触评书，9岁正式开始学相声，唱戏是从1988年到1989年左右开始的，因为当时我的年纪小，说书可能既没有观众也没有平台，更何况过去还有"老阴阳少戏子"的说法，说书是需要达到一定的年龄的。一个白胡子的人坐在那儿给人说书，别人可能觉得说得更可信，几岁的孩子坐在那儿说书就是胡来，就是背课文，所以小孩子说书不现实。20世纪80年代的时候，说相声也没地儿说去，何况也不挣钱。所以当时我只能唱戏，从 80 年代末到 90 年代初，断断续续，零零散散，唱了得有三五年的戏。

当时我唱戏搭的是小班。小班指的是，它不是国有的专业院团。所以到现在，有时候有人跟我聊天还说："郭德纲，你唱戏算是专业的还是业余的？"每到这个时候，其实我还是很纠结该怎么回答。因为我要说自己是专业的，所谓专业的，就得是专业院团出身的，但省里或市里的专业院团我都没去过，所以我不能说自己是专业院团的。我要说自己是业余的，也不忍心，因为会让很多人觉得我的水平是有问题的。就好像是你本来有其他专业的工作，比如你是个铁匠、厨师或裁缝，这些是你的本职工作，然后你现在不打铁了，不给人炒菜了，不给人做衣服了，而是闲起来工夫去唱戏，这叫作业余。可是我那些年并没有闲下来，我是忙的时候唱戏，闲下来也是唱戏，所以要是说自己是业余的话，我自己都觉得委屈。后来我终于想透了，其实我是一个职业的演员，我要靠着这个职业吃饭。最起码 80 年代末到 90 年代初的那三五年时间里，我是靠着唱戏活下来的，京剧、评剧和河北梆子我都唱过。所谓的小班，就是私营团体、民营的社团，一个人自愿组织一些演员来唱戏，这个人可能是外行，也可能是内行。外行可能类似于企业家，旧社会管这种人叫财主，他出钱购买一堂戏剧的服装，然后雇十到二十个演员和乐队。他就是这个剧团的负责人，由他来为团体取名字，如"某某班"，他就是班主。还有一种就是唱戏的"角儿"，他自己能唱戏，家里就有一堂服装，或者从外边租来一堂服装，然后招一些演员来，老老少少，凑到一块儿唱戏，这也叫小班。

小班的特点是船小好掉头。80 年代末，在天津和河北有很多小班，我唱过十多个各种各样的小班。评剧的小班最多，梆子其次，京戏大戏的最少。别看京剧是国粹，那会儿它不卖钱。我们当时很少唱京剧，因为它不挣钱，最挣钱的是评剧。"到哪儿出去写戏去？"所谓的"写戏"，就是指演出。哪个村、哪个大队、哪个县里边，有点儿什么事儿，人家愿意写评戏，因为评戏热闹，通俗易懂。到了偏河北省一带，好像对梆了就稍微喜欢一些了，当然也有要看京剧的，但是太少了，所以那些年京剧我唱得不多。我为什么要唱戏？其实就是饿，得吃饭。最开始的时候，我唱一场戏赚六块钱，主演挣得更多一些。后来我的演出费逐渐往上涨，七块、八块，一直涨到唱一场戏能赚九块钱。在台上有的时候还能见一些彩钱，或者是到后来的小剧场里边上花篮了再分。

有关小班唱戏的事儿，有机会再给大家细写，那段时间现在回忆起来，我都觉得很快乐。

当时大批的老艺人今天都还在世，京剧的、评剧的、梆子的都有。还有的是专业院团里的演员，在团里边没事儿干，或者团领导不爱看他，或者是有心眼儿的人，也会自己跑出来，有时再凑一点儿爱好者和票友，聚在一块儿，就算搭成了一个班子。乐队上是"七忙八不忙"，也就是说，如果只有七个人，那乐队的人手就有点儿不足；要是有八个人，乐队就人手富余了，总之七八个人就足够。

评剧和梆子班里，有种乐器叫梆子，就是"击节而歌"①的梆子。打梆子的人通常还负责检场。检场就是把桌子和椅子搬来搬去，送一些需要的东西，反正就是要积极地发挥每一个人的能力。我最早就是从梆子开始唱起的，后来从梆子跨到了评剧，又从评剧跨到了京剧。前两天德云社出去演出，从北京飞纽约，要飞13个钟头。我在飞机上也不能老睡觉，心血来潮就列了个单子，回忆了一下当初我都唱过什么戏。在飞机上我一共写出了八九十出京剧的名字，这还只是个大概，实际上远不止这些。唱过的梆子我也列了个单子，梆子我会的不多，只有五六十出。评剧我没写，因为实在太多了。前年（2015年）和去年，北京有一家出版社找我，我当时跟他们签了合同，要出一本书，叫《马过黎园》，副标题叫"我唱过的评戏"，当时只是大概地写了写，就写了一百出戏。其实后来我算了算，那些年我唱过的，包括我会的、传统的老评剧，可能有两百多出。有的戏里我的戏份重要一些，有的戏里我只是演个配角。由此可见我们中国传统艺术的博大精深。

今天我就可以跟各位读者分享一下唱戏。我唱戏跟别人有区别，我既说书也唱戏。戏班里的老先生们经常说，这出戏我要是不明白该怎么办，那就听评书去。

---

① 即打着拍子唱歌。左思《蜀都赋》"巴姬弹弦，汉女击节"，《晋书·志·乐下》"案魏晋之世，有孙氏善弘旧曲，宋识善击节唱和"，白居易《琵琶行》"钿头云篦击节碎，血色罗裙翻酒污"，均有相关描述。

其实好多戏掐头去尾后，演员也闹不清楚这到底是个什么故事。有时候一起唱戏的孩子也问我："郭先生，这个人为什么这么干？为什么这句话这么长？"我就给他们讲，这是因为之前还有故事，所以才会发展成这样。因为我既说书又唱戏，所以就比别人明白得多。

评戏里有一出我特别爱的，也是我学得比较早的一出戏，叫《杜十娘》。一说《杜十娘》，好多人就乐了，说："我们知道这个故事，就是名妓杜十娘。"对！但为什么杜十娘的故事传唱了这么多年，经久不衰？到底这个戏是怎么来的？评书又是怎么回事儿？这个我可以给大伙梳理一番。杜十娘的故事出自《警世通言》，在《警世通言》和《今古奇观》里都有相关的记载。杜十娘的故事在《警世通言》的第三十二卷，在《今古奇观》里是第五卷，叫《杜十娘怒沉百宝箱》。评戏里管"百宝箱"叫"百（bò）宝箱"。"百"字在戏里为了上口，不念"bǎi"，而念"bò"，这是评剧班的大师成兆才[①]先生所创，他也是评戏班的祖师爷。

唱戏的人都供祖师爷，一般来说供的是唐明皇，因为唐明皇喜欢戏，喜欢梨园子弟。唐宫旁边有一片梨树，唱戏的人都被安排在梨园，所以后世凡是唱戏的人，都称自己是"梨园子弟"。唐明皇爱看戏，自己也喜欢唱戏，更愿意上台，但是他一上台，底下看戏的文武群臣和娘娘们就得赶紧站起来，然后跪下看皇上唱戏。唐明皇就说，你们不能这样，你们这样搅和了我唱戏的心情了。文武群臣说，您是皇上，您一上场我们谁敢坐着看戏？所以唐明皇想了一个办法，就是在他的帽子前面吊一块四四方方的白玉，把脸挡上，然后说，你们看，我的脸已经被挡上了，这样我就不是皇上了，你们就踏踏实实看戏吧。而且据说唐明皇在台上还挺活泛，幽默诙谐，有说有唱。所以后来唐明皇唱的这个角色，都在脸上用白粉画出一个白方块，也就是小花脸，又叫"丑角"，也是从这时候起，戏班子就把唐明皇当作祖师爷了。而且在戏班里边还有一个约定俗成的说法：小花脸有身份。按照过去戏班里的规矩，后台里的生旦净丑，不管是多大的演员的班，连梅兰芳梅先生

[①]　河北唐山人，艺名"东来顺"。著名戏曲表演艺术家、评剧创始人。

的班、马连良马先生的班也不例外，开演之前必须是小花脸先动笔，也就是唱丑角的人先化妆，然后其他人才能陆续开始。这是规矩，因为唱戏的祖师爷唐明皇唱的是小花脸。京班唱大戏要供奉唐明皇，评戏也供祖师爷，但是唐明皇没唱过评剧，供他稍微差了点儿，而且当时的人们拿地方戏也不当回事儿，后来是评戏班的人自己说，咱们有这行全是因为成兆才先生把莲花落和地秧歌综合起来，借鉴了河北梆子的音乐和舞场，干脆咱们就尊成兆才先生做祖师爷吧，所以评戏班管成先生叫祖师爷。成兆才这位祖师爷也确实对得起大伙儿，很多戏都是他写的，比如《花为媒》《杨三姐告状》和《杜十娘》等名戏。当然，他老人家最早写的戏跟现在演的也不一样。以后有工夫的话，有关《杨三姐告状》和《花为媒》当年的唱法，我会再给各位读者细细分析。

关于《杜十娘怒沉百宝箱》，资料记载应该是在1914年由庆春班的演员演出的，当年有个叫月明珠[①]的男旦，是评戏早期的名演员，他的本名叫任善丰，艺名是月明珠，还有张德礼和张志广等这些位演员。最早的评剧演出是在唐山的永盛茶园。评戏里分为这么几折，《嫖院》《赠银》《酒楼》《归舟》《撇宝》《托赵》《建盼》和《活捉》，这些是评剧演员必须会演的戏。但无论唱哪一派的评剧，都得会唱《杜十娘》，这是评剧演员看家吃饭的戏。

杜十娘这个故事用几句话来解释，您就能听明白。故事发生在明朝万历年间，在浙江绍兴有一个念书人名叫李甲，他爸爸是在朝里当官的，好像是布政司衙门里的官，所以也管他爸爸叫李布政。李甲在京城里念书，闲着没事儿到烟花院里去玩儿，也就是教坊司院，在里面碰见了当时的美女——京中第一名妓杜十娘。杜十娘的家里原是官宦人家，父亲是做官的，因为出了点儿事儿，惹了祸了，没办法，父亲被法办，闺女流落到烟花巷。"十娘"是她在烟花院里边的排行，老鸨子买了好多女孩儿当闺女，从头到尾排个顺序，排在第十位的就是姓杜的这闺女，所以她就叫杜十娘。十娘的本名叫杜嫩，这个名字您得记住了，评戏里边有句唱

---

① 　月明珠（1898—1922），字久恒，出生于河北滦县的一个莲花落世家。他被誉为评剧的发轫者，是对口、折出时期的著名编剧和演员。

词"你害我好心十娘，名叫杜媺"。李甲到了烟花院里就爱上杜十娘了，那一年杜十娘19岁。李甲爱杜十娘爱得不行了，把身上带的钱都扔到了烟花院里边。可是烟花院那种地方，谁跟你谈情说爱？没有钱就轰你走！老鸨子说，你的钱花光了，你差不多该走了，就让他走。但杜十娘也很爱李甲，最后就让李甲把她赎走，她愿意跟李甲从良。老鸨子说"从良可以，拿钱来吧"，开口就要三百两银子。李甲没有钱，只能出去借，天下最难的事儿就是找人借钱，多好的朋友一提借钱，就绝交了。李甲找不着朋友借钱，没辙了，只能回去找杜十娘，杜十娘当即给他拿出来一百五十两，说，赎金我出一半，你再想想办法吧。好在李甲有一位朋友，叫柳遇春，是当时跟李甲一起念书的监生，这柳遇春在评剧舞台上是由老生扮演的，他说："你看杜十娘对你真心实意，人家给你拿了一百五十两银子，另外一百五十两，我帮你借去吧。"柳遇春这人真不错，果然给李甲借来了一百五十两。

于是，李甲拿了三百两银子，给了老鸨子，把杜十娘接出了烟花院。杜十娘临走的时候，院中姐妹都来相送，其中有两个姐妹，一个叫徐素素，一个叫谢月朗，这是评剧《杜十娘》里边的两位二路旦角。李甲和杜十娘出了京城之后，发生了很多的变化，船停在了瓜洲渡口，风雪阻舟，晚上在船舱里边，杜十娘挺开心的，对李甲说，我终于跟你走了，嫁了个好人家，到家去见你的父母，我高兴，我给你唱个歌。杜十娘这一唱，惊动了旁边船里的一个人，这个人姓孙名富，徽州新安县人，是个盐商，很有钱。孙富字善赉，但在舞台上的老先生，包括我学唱戏时的老先生，都教我说他"姓孙，名富，字'shànlái'"。这个"赉"字有可能是给念白了，实际上应该念成"lài"。"赉"字怎么写呢？上面一个过来的"来"，底下一个贝壳的"贝"。当年写原著的人水平很高，"赉"字当什么讲呢？当"赐予、赠送"来讲。所以其实这个名字是符合之后孙富所做的事情的。孙富隔着船就问，谁在唱歌？能唱得这么好，不是一般人。

转过天来，孙富在岸边想认识一下唱歌的人，就跟李甲俩人到酒楼去喝酒聊天，说来说去，说到昨天谁在唱歌。这李甲也没脑子，直接就告诉孙富："唱歌的是我接出来的一位名妓，叫杜十娘。"孙富一听，觉得了不得了，"人的名，树的影"，天下人谁不知道杜十娘？孙富这小子就起了歹心，对李甲说："像你这种身份的人，接个名妓回家，你爸爸受得了吗？"这一句话算戳到李甲的肺管子上了。李甲的眼泪都快下来了，哭丧着脸说："我就怕我爸，他是做官的，我现在混成这样，还带了个名妓回家。"孙富说："所以我说，你也别太难过了，干脆，我给你一千两银子，你把杜十娘托付给我，这样你回家也能见你爸爸，什么都不耽误。"李甲一时鬼迷心窍，就答应了孙富。

　　李甲跟孙富喝完酒，回到船上之后发生的事儿，在评戏里边这一折叫《归舟》，李甲跟孙富在一起吃饭那一折叫《酒楼》。李甲归舟之后，杜十娘问他："你怎么回来之后情绪不好？"三问五问，就把真相给问出来了。李甲对杜十娘说："我对不起你，我把你卖了一千两银子，你得跟别人走了，我对不起你，希望你以后幸福。"杜十娘听完就傻了。这种时候呢，一般来说评剧里要唱一大段的反调。整出戏最重要的是转过天来的《撒宝》这折戏。

06

一 歪 批 一

自古不变，
痴情女子负心汉

往常人从梦中惊醒，"噢噢……"叫两声就行了，唯独这一段，张先生特意跟我说，这个叫板① 必须是"唉呀来……"。我问为什么，他说："我也不知道，我小时候怎么学的，我就怎么教你。"张先生那时候已经60多岁了，所以这个叫板到现在估计快有一百年的历史了，究竟是什么原因，没人知道……戏台上有很多这样的老规矩……

　　杜十娘在船舱里边等李甲，终于把李甲盼回来了，没想到等回一个负心人。

　　李甲说："我以一千两银子把你卖给了孙富。"说完李甲就睡觉了，这个家伙的心真宽。杜十娘哭着唱了一大段反调，"反调"就是抒情的唱腔。转天清晨起来，在船头交割，孙富派来了俩人，抬过来一千两银子。李甲对杜十娘说："我拿孙富的钱，你就跟人家走吧。"杜十娘说："行，我有点儿东西给你看。"说完杜十娘打开随身的小盒，里面装满了珍珠、碧玺、猫眼和钻石，散发着五彩光芒!

　　杜十娘抱着这个小盒，站在船头把李甲和孙富骂了一顿，最后怀抱着宝箱，投入流水而死，这就是《杜十娘怒沉百宝箱》。原著的故事就写到这儿，后边还有个尾巴，就是在杜十娘投河而死之后，之前给李甲凑了一百五十两银子的那位柳遇春，在河边打水洗手的时候，不小心把脸盆掉到了水里，赶紧雇人下去捞，

---

① 戏曲中为引入下面的唱腔，把道白的最后一句节奏化。用动作规定后面唱段的节奏也被称为"叫板"。

结果没捞着盆，却捞到了杜十娘的小百宝箱。

当天晚上，杜十娘托梦给柳遇春，说："我跟李甲恩断义绝，但是我要念您当初那份仁义恩德，所以这个箱子应该落在您手里，算是我对您的报答。"在评戏中，孙富之后也有一场戏，叫《活捉》，也就是活捉孙富。为什么呢？一出戏要有头有尾，坏人要受到惩罚，这个故事流传了很多年，自然也不能含糊，原著在结尾的时候有那么几句话说得特别好："以为孙富谋夺美色，轻掷千金，固非良士；李甲不识杜十娘一片苦心，碌碌蠢才，无足道者。独谓十娘千古女侠，岂不能觅一佳侣，共跨秦楼之凤？乃错认李公子，明珠美玉，投于盲人，以致恩变为仇，万种恩情，化为流水，深可惜也！"

这几句话说得特别到位，这也是杜十娘的故事一直流传到现在的原因。在评剧《杜十娘》中，我没唱过别的角色，我就会唱孙富的角色，因为我当时有一段时间是以唱小花脸为主。我唱《杜十娘》中的孙富，是两位评剧老先生授的艺，一位是黄绍炎先生，另一位是张春华先生。《酒楼》和《撇宝》是黄绍炎先生教我的，《活捉》是张春华张先生传授我的。这两位先生可能有的读者不是特别熟悉。黄先生出身梨园世家，他父亲、他哥哥都是干这行的。黄先生行四，所以戏班里边都尊称他为"黄四爷"。黄先生哥儿俩都是打鼓的，他二哥，我们应该都见过，就是黄绍璋先生，一直在东三省。我记得是在1991年的时候，黄绍璋先生，也就是黄二爷，在天津住过一段时间，我跟黄二爷一块儿合作过，也请教过他。张春华先生是评剧界的老艺人，也是以唱小花脸为主，文武兼擅，我认识他那会儿，他就应该有60来岁了，当年也傍过洪影先生，洪影先生是评剧红派小生的创始人，也傍过筱俊亭①先生。在唱《对花枪》的时候，好像张先生还演过程咬金。黄先生和张先生这两位先生不一样，黄先生又高又壮，大高个；张先生又瘦又小，小脸颊。

唱戏的时候，张先生说他岁数大了，唱不动了，他唱小花脸，唱《唐知县审

---

① 筱俊亭（1921—2013），原名张俊亭，1921年生于中国天津。著名评剧表演艺术家，筱派创始人，国家非物质文化遗产代表性传承人。

诰命》的时候，那看着真是挺累的。牛得草①先生拍的豫剧电影《七品芝麻官》，就来自《唐知县审诰命》这出戏。评戏里也有这一出，黄先生唱过，张先生也唱过，这两位都跟我说过这出戏，张先生说得要更细致一点儿。张春华先生给我细抠过《唐知县审诰命》这出戏，但这个戏比较累，张先生在台上不犀利，公堂审诰命的时候，上桌子、蹿椅子，各种的亮式。黄先生说不能这么唱，黄先生属于大丑，风格不一样，他说，这弄得跟五三花脸似的，这哪能行？当然谈艺术说艺术，每个演员对戏的理解和表达方式不一样，没有什么对与不对。尤其过去唱戏，《玉堂春》②也好，不论多俗的戏，每个演员都各有各的表现手法。同一场戏，你唱八句，可能我就只唱两句，你能翻跟头，我可能就一屁股坐下，这个没有对错之分。因为当年有句老话说："戏乃戏也，何必认真。"我们要讲究，但是没有必要钻牛角尖，我们也没有必须应该怎样演的规矩。只要观众爱，只要讲理，其实就是对的。

《杜十娘》里边这个孙富的角色难演，难在哪儿呢？比如说《酒楼》这场戏，这是孙富的重头戏，他要见李甲。怎么能把一个陌生人说成知己，而且还要让他心甘情愿地把这个美人倒卖给我，这个事情是很难的。这么难、那么难，我也得让它成，所以说不容易。

上酒楼之前，孙富和李甲俩人先见面，这场中我演的孙富是一个小花脸的扮相，其他大的院团里，有的演员是小生的扮相，也就是俊扮，俊扮的扮相要在鼻梁子这里勾一个小白块，就是为了展现孙富的儒雅。但是我跟很多老艺人沟通的时候，老先生们都不让，说，台上怎么能有俩小生？你又不是唱《珍珠衫》③。唱《珍珠衫》可以有两个小生，符合人物设定。《酒楼》这场戏只要能区分开孙富和李甲就行了，为了让它好看而弄俩小生，那不应该，小花脸就得是小花脸。更何况孙富有自己的脸谱，勾小花脸，这个"勾"要勾画得干净、雅致、眼窝尖，这才能说明他比较坏。

① 牛得草（1933—1998），原名牛俊国，河南省开封市人。豫剧丑角大师，国家一级演员。代表作品有《卷席筒》《唐知县审诰命》等。
② 《玉堂春》不仅是京剧旦角的开蒙戏，还是中国戏曲中流传最广的剧目之一。故事源于冯梦龙编订的《警世通言》卷二十四《玉堂春落难逢夫》。
③ 《珍珠衫》改编自冯梦龙《喻世明言》中的《蒋兴哥重会珍珠衫》，故事内容与"潘金莲和西门庆"相仿，主人公蒋兴哥在面对婚姻中的"第三者"时，表现出十分理智的态度，值得今人借鉴。

孙富穿绿色的花道袍，系个绦子，脚上穿夫子履，披斗篷、戴风帽，表示风雪阻舟。但还有一个很纠结的地方，就是孙富还拿了把扇子。我跟老先生说，这就不讲理了，下大雪，披着斗篷、戴着风帽，斗篷边上还得匝着裘皮，这一看就是冬天，孙富竟然还拿把扇子，这天儿是冷还是热？老先生说，那不行，就得拿扇子。这种时候，就得跳出这个人物来，还有技巧需要关注。所以有的时候，台上的东西一句话两句话也解释不清楚，这个上场的孙富不是普通小花脸，他是大丑，包括见了李甲之后，温文尔雅，拿扇子的手要把小指翘出来，眉梢、眼角、表情动作、眼神都得讲究，这些是自己看不会的，一定得有先生跟你说。

到了酒楼，孙富解开斗篷、摘了风帽，搭在椅子上。俩人一坐下，孙富的举止动作就尽量往小生的感觉去靠，这样才会显得这个人有钱、见过世面。坐下来喝酒，要喝三回，头回喝酒很认真，一直喝到知道了昨晚唱歌的是杜十娘，那么这个酒就不能再这么喝了，为什么呢？他心里有事儿了，所以在喝酒的时候，左手挡脸，右手把酒往地上泼，他这是要骗李甲，劝着李甲喝酒，把李甲灌醉。聊来聊去，终于聊到要劝李甲倒卖杜十娘的时候，孙富有一大段念白，这是一般的小花脸不愿意演的，因为这段念白不好说，都是文言词，不像别的词，都是人白话，说多少都无所谓。

我有年头不唱这场戏了，词都快忘了，念白大概是这样的："弟想令尊大人家教甚严，平时既怪兄冶游非礼之事，岂能容纳不节之妇进府？况且您的高亲贵友，谁不迎合尊大人之意？纵有那不识时务者前去进言，令尊不允，他也就不进而退。那时兄进不能和悦双亲，退不能答复十娘。久居在外，流连山水，亦非长久之计。一日银钱花尽，兄你进退两难！岂不连累十娘受那风霜之苦？自古道妇人家水性无常，何况她是烟花女子，更是少真多假。兄你留十娘多居苏杭，一人在外，你想南方风流才子甚多，倘有窃玉偷香之辈将十娘骗走，久日相处，将兄弃舍，兄岂不落个人财两空？况且父子天伦也，父子恩义不可绝。兄若因为妻而触父，因继而离家，一时落得父母不以为子，同袍不以为兄，同窗不以为友。兄台那时间只落得上天无路，入地无门，有家难奔，有国难投，岂不是不忠不孝、不仁不义？

大丈夫当以何立于天地之间？不可不量其情谊。仁兄你要再思再想啊！"

随着乐队伴奏的锣声下去，李甲在旁边坐着，听呆了，这时孙富才端起酒杯来，踏踏实实地喝一口，喝完之后把酒杯放下，把道袍撩起来，露出绿鞋子，跷着二郎腿，拿着扇子，看着李甲。当年每次唱到这里，我都知道，那句"再思再想"只要一唱起来，肯定会是满堂彩。然后我再拿酒杯喝酒，观众肯定会乐，为什么呢？前面成心装孙子不喝酒，一杯一杯往地上倒，到这时候，使完坏了，终于喝酒了。然后等着李甲唱完了溜板——所谓"溜板"，就是他唱完了丢给我，我接着再唱——接下来也就没有什么特别大的词了。然后再转过场来，就到了杜十娘《撇宝》这一场。在这一场中，孙富按规矩来说，没有大的彩①，但是好演员不一样，他要配合其他人。这场戏的主场是在杜十娘和李甲的表演中，孙富的任务其实就是挨骂，按照评戏的天津县派来说，就叫"唱大口"，所谓"大口"，就是大口落子②的简称。《杜十娘》有两派唱法最受欢迎，一派是中国评剧院的白派唱法，代表人物是小白玉双先生，还有一派就是天津的大口落子派。除此之外还有鲜派，这种唱法的调门非常高，激昂慷慨。杜十娘大段骂孙富的对白，配合着这种高亢的唱腔，杜十娘、李甲和孙富三个人这么一场戏，唱得底下的观众都热情得不行。

最后杜十娘投江死了，孙富有两种处理方法。一是孙富来之前让两个小厮拿着一千两银子，杜十娘一死，李甲说："孙兄，你把你的银子抬回去吧。"有的演孙富的演员接的是："出手之物就不要了。"但是我唱的时候，每次我都让小厮们把银子抢回来，而且我不等李甲问我。因为当时我在后台也聊到了这段戏，我认为孙富不把银子拿回来是没有道理的，孙富是个商人，而且是一个爱钱爱色、道德有问题的人，他不可能白把钱给你，凭什么出手之物就不要了？所以我认为"出手之物就不要了"是不讲理的一种演法，就是为了省事儿，要不然还得让那两个伙计再上台一次，两个人都穿着黑道袍、戴着罗帽，表演一下去把银子要回

---

① 戏剧术语，意为"亮点"。

② 河北传统民间舞蹈之一，距今有两百多年历史，属于秧歌类。内容多表现男女爱情和日常生活，主要流传于沧州，常在正月十五前后演出，有辞旧迎新、庆祝丰收之寓意。其中的"唐山落子"后发展成现在的评剧。

来的戏码。我认为表演不能怕麻烦，戏虽然是假的，但道理得是真的，所以我每次唱到这儿的时候，只要杜十娘投江一死，李甲一哭，不等李甲让我把银子拿回来，我当场就变脸，扭头就喊："来呀！把银子给我抢回来！"这才符合人物的性格。

《撒宝》之后就是柳遇春做梦的戏了，这段戏叫作《托兆》，就是杜十娘的鬼魂来了，跟柳遇春说："我谢谢您，您拿着那小盒吧……"在这之前，还应该有一场《见判官》的戏。在评剧舞台上，经常会有鬼魂出现，一般来说，人死了之后得见判官，诉说自己的委屈，接下来才能去报仇。杜十娘的鬼魂见柳遇春的时候，孙富就可以歇一会儿了，但孙富的戏还没完，他最后还得出来演一段《活捉》。

《活捉》演的就是鬼魂来了，把仇人捉走了，以怨报怨，以仇报仇。但后来整理新剧本的时候，一般都不唱这一段了，目的是要一个悲剧的结尾，尤其是专业的大院团，杜十娘一死，整出戏就结束了。但是在我学和我唱的老剧本中，必须有《活捉》这一场，因为老观众想要看这一场，你再怎么跟他解释也没用，他们会告诉你，他们已经看了一百遍《杜十娘》了，每次都要看《活捉》，谁也劝不了他们。

但是从艺术角度出发，活捉孙富是挺好的一个段落。演《托兆》的时候，演孙富的演员可以先到后台歇一会儿，把前面穿的戏服都脱了，道袍什么的都摘了，到《活捉》这一场戏，孙富要换一件短衣，就是一种小的道袍，还有的演员就直接穿一件茶衣，茶衣是什么样的呢？就是有的戏里酒保会穿的那种蓝色对襟的茶衣。到这一场，孙富把棒槌襟也摘了，头上只勒网子，系个甩发，擦掉刚才涂在脸上的红色胭脂（也就是干红），之后在脸上的"白豆腐块"边上抹一点儿黑色。在脸上抹黑，就说明这个人要死了，京剧大家赵麟童[1]先生唱《未央宫》里的韩信时，前面印堂的大蜡扦抹的是红色，后来他进未央宫要死的时候，就要涂成黑色，这是一种舞台上的表现形式，以示濒死之态。

这一折不好表演，好多小花脸就怕演这个，为什么呢？因为既得唱又得翻，

---

[1] 京剧老生。幼年师从黄胜芳，9岁登台演出《追韩信》。其表演集各家之长，宗麒而不拘泥于麒，大胆创新，从而形成了独特的表演风格。

还得甩发，没有好体格根本就撑不下来。这一段戏，我应该算是得到张春华先生的亲授了，前边的《酒楼》和《撇宝》，都是黄先生黄四爷跟我说的，最后的《活捉》是张先生亲授我的。张先生对我说："我把这段戏教给你吧，我自己也不唱了，为什么呢？我的岁数太大了，演不动了，我准备改唱老生了。"我问他："您要改唱扫边①老生吗？"张先生说："不是，扫边的'份儿'上不去。""份儿"就是演出费的意思。张先生说，他想演二路老生，活儿比较轻省，挣得也不少。我对张先生的印象特别深，他后来把唱小花脸的一整套东西都传授给了我，包括适合文丑和小花脸用的各种髯口②。

《活捉》这一场戏，我后来在相声舞台上也没少唱："孙富乜呆呆独守灯光，心思思意念念杜氏美娘。貌似花身如柳飞燕落长。沉鱼美，闭月容，压倒群芳。瓜洲渡，逢李甲，好话对他讲，打动他全仗着巧舌如簧。为美人使巧技，花银子千两。是指望巫山神女会会楚襄王。谁料想她不愿，将我骂嚷，抱宝箱投入长江。思想起一缕芳魂心头失望，思想起美貌佳人叫我很难当。耳听得桥楼上鼓打三更响，昏昏沉沉梦黄粱。"

这是段二六板③的唱词，但是有的时候多唱两句或少唱两句都没准儿。上场的时候还有一件值得说一下的事儿，就是叫板。前面的戏都完事儿了，场面上还要缓一下，告诉观众，《活捉》这场重头戏要来了。这个叫板不一样，有的是搭调，小书童搀着生病的孙富，孙富唱："书童，是你搀我来，呀啊啊啊啊……"把这甩发放在前面，挡着脸，扶着书童，踩着鼓点，走到台口，把甩发甩上去，露着脸。现在的脸上跟刚才不一样了，因为抹了香油了，为了显得他出汗，再唱几句二六板，转到桌子后边。

后来杜十娘的鬼魂上来，有一个地方给我的印象特别深，张先生一再嘱咐我说"孙富开门来，孙富开门来"这一段要特别注意。往常人从梦中惊醒，"噢噢……"

---

① 指早年京剧班社中扮演不重要的三四路角色的演员，因其在舞台上通常站在边角位置而得名。
② 戏曲中各角色所戴的各类假须的统称，是人的两腮和颌下部分生长的胡须的象征物，又叫作"口面"。
③ 二六即十二。也是京剧西皮调名。

叫两声就行了，唯独这一段，张先生特意跟我说，这个叫板必须是"唉呀来……"。我问为什么，他说："我也不知道，我小时候怎么学的，我就怎么教你。"张先生那时候已经60多岁了，所以这个叫板到现在估计快有一百年的历史了，究竟是什么原因，没人知道，反正张先生就一再嘱咐我，必须按照"唉呀来"的方式来唱。

戏台上有很多这样的老规矩，从这儿开始，杜十娘就要活捉孙富，气氛就怎么热闹怎么来了。

07

—歪批—

复仇有传统，
出来混迟早要还的

Guo Theory

我的水平反正也就这样，只不过是赶上了个好年头，遇见了一些老先生，学了一些传统戏，知道了一些技巧。我只不过是把它记下来，抛砖引玉。我也愿意把我知道的东西都留下来，希望咱们中国的传统艺术能得到更多人的重视，因为这些东西，真是珍贵无比。

到了杜十娘活捉孙富的时候，后台的人已经都卸完妆了，就剩下杜十娘跟孙富这两人还上着扮相，因为最后一场就这俩人上台。

当年唱这场戏的时候，还闹过一个笑话。有一次，我出去给影视剧帮忙，带回来一块烟饼，烟饼大伙儿现在都知道，拍电影和拍电视剧的时候，这是不可缺少的东西，把它点着之后，能冒出大量的烟。所以我就想，评剧舞台上是不是也能用得上这东西，比如闹鬼闹神的时候，来这么点儿烟，烘托一下气氛。因为那会儿我有时候跟小班唱，小班它不像大型的院团，专业的喷雾工具和各种道具都齐全，小班没有这些东西，满盘的时候，台底下也就坐二三百的观众，哪儿有烟雾器？什么都没有，而且演出的场地都是小剧场。我把这块烟饼带回来，想的是很好的，整块烟饼不能一次都用了，因为烟饼很大，比月饼好像还大一圈，我就掰了一块，提前找一小碗，在碗里边搁上烟饼，还在旁边搁了一打火机。台上有椅子，有桌子，孙富在台上是要坐到桌子后面睡觉的，我就把这烟饼搁在桌子底下了。孙富唱完最后一句"昏昏沉沉一梦中"，就睡着了，场面上乐队起三更，杜十娘的鬼魂就上场了，她走到孙富的门口还得唱几句。我这会儿就一直在桌子后边坐那儿睡觉，我觉得这是个机会，我就点了一回烟饼。

现在想都觉得可乐，我这睡觉呢，杜十娘在前面唱，我在桌子底下偷偷摸摸地拿打火机，就把这烟饼点着了。杜十娘来一敲门，顺着我这桌子底下就往外边冒起了白烟，舞台效果真好看，但是我就忘了一件事儿，烟饼越着越旺，这个玩意儿它呛嗓子，这一呛嗓子要了命了，我跟唱杜十娘的这位演员，我们俩一句话都说不出来了，又咳嗽又流眼泪。本来杜十娘要进门，她得先叫门，她一叫："孙富开门来！"孙富得回："昏昏沉沉一梦中，耳边忽听得有人声。"然后唱："用手开开门双扇。"一开门，杜十娘进来了，两人一碰面，有一个跪在地上发绺子①，就是甩发，然后杜十娘还有大段的快板得唱。

写到这里要插一句题外话，现在这出戏新的整理本也使用了几十年了，里边杜十娘骂孙富"孙富你狠心……"的这一段，其实是最后活捉的时候唱，但是由于整理本没有活捉孙富这场戏了，就把最后那段快板挪到了现在《撇宝》的唱词里，这个咱们留下一笔资料，您得记住这一点。这里应该唱一垛板②，唱完之后杜十娘跟孙富要对话，杜十娘说："我现在就捉你。"孙富得说："我也未分十大恶呀，我不是坏人。"说完之后，两人就来回追，有圆场，杜十娘得有水袖，孙富过来过去两边吊毛，就抢呗，发绺子，两人再追起来，然后孙富得蹿上桌子，在桌子上躺好了，杜十娘踩在椅子上掐他的脖子，最后一句，写出来是"贼"，杜十娘得唱："贼啊。"最后这一掐，孙富一吐舌头，往外一耸拉甩发，就死了。

场面定在这儿，乐队就得打尾声，然后幕就合上了，这就唱完了这整出戏。结果我把这烟饼点着，烟一起来，我和唱杜十娘的演员，我俩算完了。她这一叫门，就没发出声音，我刚搭了一句茬儿，也咳嗽了，两人接下来就硬着头皮圆场

① 戏曲演员为表现剧中人物的惊慌、焦急、愤怒、绝望等情绪，或为表现披头散发、衣冠不整、丢盔弃甲、蓬头垢面等形象时，连续甩动长发。

② 京剧唱腔的一种，铿锵有力，唱词运用垛句、垛字来加强气氛，表现紧张的场面、激愤的人物情绪等。《斩黄袍》《定军山》等京剧中，就有字字紧连的垛唱。

吧，把唱词全码了，她追着我，俩人一跑，到最后一上桌子，一撂，就打尾声了。后台乐坏了，足足少了十分钟的戏，就因为一个烟饼，我抖了个机灵，闹成这样，现在想起来，可乐极了！

这个就是杜十娘活捉孙富的戏。《活捉》这种戏其实在评剧里边还是有一些的，有的年深日久也不唱了，但是离得最近的，比如《活捉南三复》，还有《活捉张三郎》，这些至今还是经常唱的。《活捉南三复》取材于《聊斋志异》里的一个故事，叫《窦氏》，说这晋阳有一个有钱的商人，叫南三复，无意中看到了女主角窦女，南三复花言巧语把人家窦女骗到手里，说我这么喜欢你，那么喜欢你。后来窦女有孕了，南三复却喜新厌旧，跟另外一个大户人家的女儿定亲了。人家窦女上南三复家里来找他，他也不认窦女。到后来，南三复结婚了，没想到花轿一过门，那花轿里坐着的是窦女的鬼魂。夜里边圆洞房，龙凤呈祥，发现这新娘子是死鬼窦女，最后始乱终弃的南三复也遭到报应了，就这么一个故事。这是花旦跟小生的对戏，当年我的印象很深，有一次演到花轿一过门，前面花轿里边坐的新娘子，也就是演窦女的演员，她戴个脸子，脸子就是拿布做的面具，面具耷拉着红舌头，把前排的观众吓了一跳，因为太恐怖了。

20世纪90年代，我们上河北省文安县和雄县附近演出，因为当时人家村里有座什么庙在办庙会。当地的观众都已经说了，点名要看《活捉南三复》这场戏。但是我们当时的当家小生，他不会唱南三复，大伙儿在后台商量，这怎么办？最后他们说，德纲，不然你来顶一下吧，我就钻锅①演了一回小生南三复。包括京剧在内的大部分戏种，都细分为生、旦、净、丑这几个行当，这个大伙儿都知道。但实际上，在评戏里边是不分生、旦、净、丑的，它最早应该只分为男活儿和女活儿。比如说唱花脸的没来，那今儿花脸这活儿怎么办？那就让唱老生的演员捎带着唱一下。说今儿短个老旦，也是你来，短个小花脸，也是你来，短个小生，也是你来。为什么呢？因为地方戏它不可能像大型的国有院团似的，分得这么细，

---

① 戏剧行话，指演员为扮演自己不会的角色而临时学习。

小剧团得吃饭，不能说今天我们短一个人，我们今儿就不唱戏了，不唱戏我们吃什么？一切都要为了生存着想，所以评剧的行当就分为男活儿和女活儿。你唱男活儿，所有的男角你就都得会。当时我们小剧团里这几个唱男活儿的演员里面，其他几个的岁数都挺大的了。老头儿们说，我们这岁数，扮上小生也不好看啊，只有德纲还年轻，那就德纲来吧。但我也没来过这个，你说老生、花脸和小花脸，那些个不叫事儿，偶尔老旦我也能唱，唯独小生，那时候我有点儿抵触，但不行，抵触你也得唱，不唱剧团吃什么呀？

就这么着，我就临时钻锅，唱过一回小生。唱词就是怎么方便怎么来，以水词①为主，总算是把它唱下来了。当地老乡居然还挺高兴，因为这出戏，老乡们光知道名字，但以前都没看过，反正老乡们挺满意的。我印象很深，这出戏的老本里边有一场，南三复第一次跟窦女睡觉，睡完觉他从二帐子里边出来，台词里有一句话叫："哼，不过如此。"我们有个老艺人叫荣华，荣华老师如今已经去世，他说，这个词不行，这个词得改，不好听，侮辱妇女。所以就改成了："唉呀，这乃绝色女子。"其实从整出戏来讲，这句台词怎么说都没多大关系，因为《活捉南三复》本来就是出梁子戏②，没有完全标准的词，它不像《活捉张三郎》那样是有准谱的。

所谓的《活捉张三郎》，就是《乌龙院》《宋江杀惜》，是京剧大师周信芳③先生的代表作，当然很多人也唱过，但是周信芳先生的麒派演绎得特别好。《水浒传》里，宋江当押司的时候，跟这个阎惜姣相好，把她养在乌龙院里边，结果阎惜姣跟宋江的弟子张文远两人私通，有一天梁山上的晁盖让赤发鬼刘唐来给宋江下书，让宋江去山上聚义，做他们的第二个首领，宋江打发刘唐走，但把那封邀他造反

---

① 戏剧行话，指的是起填充、押韵等作用的废话、套话、生造词，通常没有实际意义。

② 演员根据故事梗概自由发挥，编一些唱词，再配以相应的曲牌，因而表演带有极大的随意性。与之对应的是"谱子戏"，要求演员和伴奏等必须按谱子来，不能随意演唱演奏。

③ 周信芳（1895—1975），名士楚，字信芳，艺名麒麟童，浙江慈城（今浙江省慈溪市）人。京剧表演艺术家，"麒派"创始人。

的信放到招文袋①里边，回到乌龙院。阎惜姣不爱宋江，一看宋江来就生气，两人发生了口角，早晨起来，宋江走了，把这封信落下了。阎惜姣一看这信开心了，哎呀，你宋江这是要造反哪！有关这出戏的剧情，我也不用太细致说了。这出戏最早应该也是我们评剧班的祖师爷——成兆才先生写的。

评剧的宋江跟京剧的宋江不一样，乡土气息可能更浓一些，评剧的宋江我唱过，京剧的宋江我也唱过。另外，我还唱过评剧的张文远，也就是张三。《闹院》这折里边，宋江撩开帐子，看阎惜姣睡觉，一听就是典型的评剧唱词了："闷坐在乌龙院，心中惆怅，宋三爷撩起床帐看姣娘，只见她手托香腮靠秀枕，正在蒙眬梦一场。黑沉沉乌云似墨染，黄澄澄一对金环起金光，颤巍巍翠花儿左右插两朵，娇嫩嫩桃花粉面赛海棠……"反正大概是这个意思，有时候多几句，有时候少几句。等到后边翻脸时，他由肩板转快二六，我们叫"翻瓢子"。所谓的翻瓢子，就是把以前的事儿再唱一遍，就比如在杨家将的戏里，佘太君只要一上场，就要把自己家的事儿再来一遍，我大郎儿保宋王怎么着，我二郎儿保的南京宫，三郎儿被马踏入泥，等等。宋江这儿的"翻瓢子"，就是阎婆惜（也就是阎惜姣）骂了他，宋江生气了，做了一个肩摆的动作，相当丁京剧的倒摆。

阎婆惜对宋江说丁绝情话，然后是多头开二六，宋江不由得大火撞胸膛。咱实话实说，这段唱词其实格调不是很高，显得宋江的档次有点儿偏低，你看他骂："生前每天良丧，水性杨花不久长。想当初你一家来到郓城县，住在西关老君堂。不幸你父把命丧，你母在大街求棺泪汪汪。我出银十两把你父葬，你母把你许我配鸳鸯。我为你修下乌龙院，南北二楼东西房，满斗金珠哪个置，谁给你买的绸缎好衣裳。我宋江为你堂前施孝道，我为你结发夫妻不同床。我为你亲友不走断来往，我为你三六九日不站堂。我诸事全抛不忘你，谁想到你对我这等情凉。你不想我宋江待你有恩惠，你自思自想自问天道。"反正你一听宋江的这唱词，估计也觉得这确实不怨人家阎惜姣，宋江的岁数又大，一天到晚说话也不好听，反

---

① 古代一种挂在腰带上装文件或财物的小袋子。

正这段唱词是典型的乡土气息比较浓郁。宋江这个我唱过，张三的我也唱过，但是这个戏我唱得不多，因为会唱这个的旦角不多。评戏班专门让一个花旦来唱这个，也不太现实，所以唱得很少。

那会儿在梆子班里，我也学过《活捉张三郎》。虽然学过，但我唱过一回，就不爱唱了，为什么？因为梆子的这个戏麻烦，梆子的张三郎有技巧：第一，他有甩发；第二，他脚底下这鞋要求不许提上后跟，而要踩着这跟。那这个就有问题了，为什么？您想，在台上又得折腾又得跑，人家追你，你还得翻，但是还不许你提上鞋，这就不容易了。

老戏院里为什么这么规定呢？说是因为张三已经睡觉了，这时候外边有人敲门，是阎婆惜的鬼魂来了，张三下地，来不及把鞋提上，就趿拉着鞋出来了，所以这鞋跟不能提上。这倒是合理，但给演员添了很大的麻烦，趿拉着鞋出来，还得见阎惜姣，俩人还得做戏。包括到后边，阎惜姣要活捉张三，张三要绕着桌子走，还得倒着走，你鞋后面不提上跟，这劲儿就费大了。一边走还得一边唱，到现在我还记得这几个唱句："自从宋江杀了你，为何不找有仇的？冤有头来债有主，你捉我三郎为怎的？"唱这么四句，绕着桌子跑完之后还得再甩发，这个太麻烦了，弄不好就丢人现眼了。好在这出戏，梆子班唱得也少。

当然了，京剧才是最讲究的。我前两天正好是在美国和加拿大巡演，坐飞机上有时候迷糊一觉睡醒了，也没事儿干，就看看戏，看看大师周信芳先生拍的老电影，真好，那确实是表演艺术家。中国人老说南方的戏不如北方的戏细致，我觉得这个说法有待商榷，周信芳先生拍的戏就非常不错，戏里那些个小动作、小节骨眼儿，都是真的。戏里边的刘唐，是王正屏①先生演的，刘唐见着宋江说，大哥您好，如何如何，他很热情。宋江没想起来，因为那个表情，人家还提醒他，你看是不是没想起来？宋江说，我没有，我就那个表情。光这个地方，我就来回看了好几回，拍得确实极有大家之风。

---

① 王正屏（1928—1999），浙江杭州人，著名京剧演员，攻净角。因扮"李逵"极为传神，被誉为"江南活李逵"。

一连写了好几篇，净是有关唱戏的主题。我的水平反正也就这样，只不过是赶上了个好年头，遇见了一些老先生，学了一些传统戏，知道了一些技巧。我只不过是把它记下来，抛砖引玉。我也愿意把我知道的东西都留下来，希望咱们中国的传统艺术能得到更多人的重视，因为这些东西，真是珍贵无比。

08

一 歪 批 一

梨园风流：民国一个俏小生，
名妓都要倒贴钱

Guo Theory

好家伙，天津卫大街上乱套了！看热闹的人里头女的比男的都多，大伙儿都说咱们得看看去，那个大明星魏联升 ① 今天要被游街示众了！

好多人跟我聊天，问我："听你唱戏，什么戏都唱，京剧、评剧、梆子，你最爱哪个呢？"

这个问题难住我了，我没有最爱哪个一说，我都爱。因为你要是不干这行，那其实你并不能够像艺人那样，去完整地热爱一门艺术。钻进来之后，你才会觉得，这里边真就跟进了大海一样，博大精深。而且越学就越胆小，越唱戏就越觉得自己水平不够。在学习的那些年，我也同时了解了好些个跟戏曲有关的事情，很多奇闻异事要是拿出来，我觉得比编剧写的那些电影和电视剧还要热闹。现实生活中发生的一些事情，你会觉得匪夷所思，但真拿笔写出来，人家可能觉得你是瞎编的，但确实是真实发生的。我之前也记录了一些、整理了一些，事情有大有小，有戏班里边发生的灵异事件，有闯江湖的时候出的一些儿女情长。反正不管怎么说，

---

① 魏联升（1881—1922），艺名小元元红。12 岁拜师学艺，专攻老生。他在河北梆子老派唱腔的基础上，集众家之长，又结合河北地方语言的特点，创造了河北梆子新流派"元派"。

就是应了那句话了：江湖子弟，拿得起来，也要放得下。

今天闲来没事儿，给各位写篇闲话。写一写戏班里发生的一段爱恨情仇，也可以说是戏曲界的一个凶杀案。就这个故事，改编成电影或者电视剧，也挺好的。

从哪儿说起呢？这个人的名字叫魏联升，河北大城县人，父亲叫魏五。魏五当年带着魏联升，爷儿俩逃荒到安次县，这个安次县也就是现在咱们北京边上的一个地方，叫廊坊，今天廊坊还有个安次区。后来魏联升唱戏红了之后，好多资料上都介绍他是安次人，其实不准确，他的根儿是河北大城县，是跟父亲逃荒到安次的。魏联升出生于光绪七年（1881年），小名叫德宝。爷儿俩逃荒到安次以后，父亲魏五平时就干点儿农活儿什么的维生。魏联升12岁那年，也就是光绪十八年（1892年），安次来了一戏班，资料记载说是永清县永盛合梆子班。那会儿梆子班确实是很兴盛的，老百姓都爱看，而且梆子激昂慷慨，咱们有句话说燕赵之地自古多慷慨悲歌之士，河北梆子所表现出来的确实是这个感觉。

村里来唱戏的了，搭台忙活，这12岁的小德宝就跟着看，越看越爱看。人家戏班唱完了，得走了，小德宝不干了，他找他父亲说，我想学戏，我想跟人家一块儿唱梆子。这太好了，那时候魏家很穷，供孩子上学这个费用也挺高，而且最重要的一点，他父亲魏五也喜欢看戏。魏五问小德宝，这唱戏反正是挺苦的，你受得了这罪吗？教戏的师父，你学不好的话，还会打你，连打带骂。小德宝说，我能受这个苦，我愿意去。于是魏五就领着小德宝去后台，找人家班里边管事儿的说，我们家这孩子今年12岁了，想学戏。班主跟他们爷儿俩聊了会儿，看了看这孩子的条件，长得挺好看的，说那行吧，给你找一个师父吧，后台的师父很多，班主就把小德宝领到一个师父跟前。师父叫纪发，艺名叫一千红，在梆子班里，不管是河北梆子，还是山西梆子，那会儿的艺名里边带"红"字的，一般都是唱老生的，带"黑"字的，就是唱花脸的。所以听这名就知道，师父是一个唱老生的先生。小德宝对一千红说，先生，我跟您学戏，您教我吧！一千红也痛快，说，学呗。都说好了，小德宝就在戏班子里留下来了。

一千红教小德宝的头一出戏叫《梦打严嵩》，做梦打严嵩。有关打严嵩的戏其实有几出，今年我在天津的中国大戏院，唱了三出打严嵩，《海瑞打严嵩》《杨继盛打严嵩》和《邹应龙打严嵩》。这仨活儿不一样，海瑞是戴白胡子，杨继盛是戴灰颜色的胡子，邹应龙是戴黑色的胡子。严嵩是大奸臣，人人都愿意打他。这出《梦打严嵩》其实现在基本上可以说是失传了，它讲的是杨继盛跟严嵩斗争的这么一个故事。梆子班唱的这个也叫《大修表》，就说这个继盛晚上修表，写给皇上看的本章，转天来准备去弹劾，写完本章累了，他睡着了，做梦的时候阳气盛了，元神出窍，在梦里边跟严嵩的元神打了一架，这叫"梦打严嵩"，现在这出戏基本没人知道了。

因为《梦打严嵩》这出戏不大，小德宝一学就会了。天下爹娘爱好的，老师就喜欢这个，唱吧。学会之后，过了些日子，有一个机会，小德宝就登台表演了，结果一上台，观众就特别爱他，因为这孩子聪明，嗓子也好。行了，这就踏踏实实地学戏吧。不久，师父又给小德宝起了一个小艺名，叫什么呢？因为他师父叫一千红，得了，那他就是"小一千红"。打这儿起，小一千红跟着师父，学戏长能耐。

学戏可不容易，老话说过去学戏，科班这七八年，就是七年大狱。每天得起早贪黑，不能偷懒，还得讨好师父，自己还得走脑子，所以不容易。长话短说，一晃六年过去了，小一千红越唱越好，嗓子也喊出来了，身段也顺溜了，做戏也走脑子，扮相还好看。这会儿他终于有个大名了，不能再叫小名了，喊"德宝"就不像话了，他的大名叫什么呢？叫魏联升，挺好。学完了戏，你得搭班，你得出去唱戏，得活着呀。去哪儿呢？当时最好的地儿，无外乎北京跟天津，魏联升就奔天津卫去了。北门里有一个金声园戏班，他就到那儿搭班去了，到了那儿自我介绍一番，我师父是谁是谁，我上这儿搭班来了，就留下来了。结果他这一唱，观众就爱看，真好。没多长时间，人家东北来约角，又把他请去了，在东北跑了一圈，在外边又长了很多的经验，再回到天津之后，就更火了。

魏联升回到天津后，还碰见了几个不错的同台演员，其中最有名的一位，叫何达子[1]，何达子是其艺名，本名叫何景云，他唱得也好，在对梆子唱腔的改革方面颇有建树，是一个很厉害的艺人。当年的京剧大王谭鑫培[2]先生，那是给西太后唱过戏的人，到天津来看何达子的戏，看完之后就说，我的诸葛亮唱不过何达子，您就知道何达子有多厉害了。我在20世纪80年代的时候搭梆子班，印象特别深，有一天我在台上没事儿，下来在戏班的院子里边聊天。有一个老先生对我说，我教你几句何达子的唱腔，唱的就是《桑园会》（又名《秋胡戏妻》），何达子的唱法跟现在不一样，老先生给我学了几句，真好听，抑扬婉转，后来我再也没听过有这么唱的了。你想这都百十来年了，那个唱腔流传下来，还让人记忆犹新，您就知道何达子当年多厉害。

除了何达子，还有艺名叫小茶壶的一位先生，这几位跟魏联升都在同一个班里边唱戏，大家取长补短，互相研究。大伙儿都夸魏联升现在唱得有自己的风格，不酸不垮，这就是戏班里边最高级的表扬了，很厉害。魏联升这一大红，总得有一个适合自己的艺名啊，想来想去叫什么呢？他贴了一张海报，告诉大家，魏联升给自个儿起的艺名叫"元元红"。在他之前，梆子戏里边有一位郭宝臣先生，郭宝臣被称为蒲州梆子祖师爷，唱山西梆子，人家叫元元红，魏联升也给自己取名叫元元红。

后来，戏班里边为了区分这俩元元红，就管郭宝臣叫老元元红，管魏联升叫小元元红，魏联升总算是把名字定下来了。打这儿开始，小元元红魏联升就红遍天下，也就摸不得了，我们讲话说叫"沾着死、碰着亡"，只要有魏联升在，那门票准能卖完，轰动天下。光绪三十三年，上海剧场来人请魏老板到上海去唱戏。上海的剧场叫春桂园，这是1907年，魏联升去了，到了上海就红了，当地的观众和报纸，送他八个字——秦腔泰斗，天下第一。这个"秦腔"，其实在当时指的

---

[1] 何达子（1870—?），河北武强人，著名河北梆子演员。

[2] 谭鑫培（1847—1917），原名金福，字望重。湖北黄陂（今武汉市黄陂区）人，出生于武汉江夏（今武汉市武昌区）大东门外谭左湾九夫村。京剧演员，攻老生，亦曾演武生。堂号英秀，故又被人称作英秀。有伶界大王之赞誉。其父谭志道，主攻老旦兼老生，谭鑫培为其独子。1905年，谭鑫培在丰泰照相馆拍摄的黑白默片《定军山》，被公认为中国第一部电影。

就是河北梆子，不是咱们现在听的陕西那个秦腔。魏联升轰动了上海滩。上海那是什么地方？十里洋场，纸醉金迷，这一红，全国都知道了。红了不要紧，有一个人就特别想见见魏联升，谁呢？上海滩的一个名妓，叫雪荫轩，一听这名字就是个花名。她听说打天津来上海唱戏的这人叫魏联升，台上太好了，而且这个人长得也精神，要多漂亮有多漂亮，年轻小伙子，是个奶油小生，反正大家都夸他、都捧他。这一捧不要紧，雪荫轩说，那我见见他吧。于是，上海滩的名妓雪荫轩派人去送信，说想见见魏老板，请吃个饭。

这会儿，魏联升还是比较谨慎的，不敢去，为什么？因为人生地不熟，上海滩深不可测，你知道人家背后都是什么人？又何况他只是个唱戏的，还是好好唱戏吧，跟名妓打交道，万一有个马高镫短[1]，有什么事儿说不清楚，于是魏联升拒绝了雪荫轩的邀请。一次不见，两次不见，雪荫轩邀请了魏联升好几次，说想跟他认识认识，魏联升都不见。雪荫轩也真是有能耐，魏联升你不是不来吗，行了，我想个办法吧。雪荫轩想了一个什么办法呢，她找了一大帮地痞流氓，等晚上魏联升演出结束了，从园子出来，回住所的路上，一大帮流氓冲过来，直接把魏联升给绑架了，送到了雪荫轩那里。

当年老上海的报纸报道了这个事儿，说雪荫轩"倒贴万元，以身嫁之（魏联升）"。总之，魏联升被绑架那天晚上发生了什么，大家都不知道，反正最后人家雪荫轩给了魏联升一万块钱，表示要跟他好。好家伙，你想这八个字搁到今天，那也了不得，哪个说相声的，演完之后，回家道上来一主儿给弄走了，还给你好些钱，非要跟你一块儿睡觉，你搁到什么时候，这也是一个极大的桃色新闻。魏联升还没有回天津，这个消息就已经传遍了。尤其在天津，人人都在说，咱们这儿有一个魏联升，魏老板，唱戏的，你认识吗？认识，很好，他在上海红得都不行了，第一名妓雪荫轩竟然把他绑架了，就为了跟他好。人的名，树的影，等这位魏联升再回了天津，那就已经红得摸不得了，他这一上场，台底下的太太和阔小姐们，

---

① 歇后语，完整的说法是"马高镫短，上下两难"。

往台上扔戒指、扔钱、扔珠宝，反正扔什么的都有，就是爱你，爱得都不行不行的了。

名气这个玩意儿，是福兮祸所倚，你觉得这是挺露脸的事儿，但是这会儿就已经暗藏杀机了。怎么说呢？其实就算放到现在，这也是好说不好听的事情。在台底下看魏联升唱戏的这些太太小姐里边，有一个惹祸的根苗。当时在天津的鼓楼东，住着一个做生意的盐商，这人姓姚，叫姚序东，还有一种说法，说他叫姚金镛，我估计跟写书那位大侠没有什么关系，反正就是一个姓姚的。他家里有钱，盐商嘛，而且妻妾成群，姚序东最宠爱的一个小妾是八姨太，叫海银桂。海银桂原来也是个青楼的女子，后来被这位姚大爷给买回来了，爱得都不行了，因为她可爱，漂亮，懂事儿。但是您想，姚序东有八房姨太太，也就不免会有第九房。所以到后来，海银桂也有失宠的时候。据传说，海银桂失宠之后曾说过，当年姚序东对她那么好，如今这就不爱她了，他就爱别人，她想死的心都有了。家里边有老妈子什么的，就劝她说，别价啊，活着多好，您要闷得慌，我们就带您出去看个戏吧。

于是海银桂就到了元升园，看魏联升唱戏，这一看就爱上了魏联升。魏联升在台上的能耐也好，嗓子也好，做戏认真，长得也精神，而且据传说，在上海的时候，第一名妓雪荫轩还"倒贴万元，以身嫁之"，这个魏联升真是太棒了。海银桂本来就是比较寂寞的，这一爱上魏联升，要了命了，回来就跟身边的人商量怎么办。想个什么办法能够跟魏联升好在一起呢？有俩人给她帮忙，一个是她贴身的奶妈，另一个是家里边的厨子，叫李升。当然这个过程也挺复杂，咱们是讲故事，又不是说评书，要说评书的话，光是这个奶妈跟李升怎么帮他俩人牵线，我就能说三五天，当故事讲的话，我就简单一写吧，反正最后海银桂终于成功地跟魏联升好上了。

海银桂和魏联升就在天津的南门外租了一间房，没事儿俩人就在那儿见面，到那儿住去。这个玩意儿，它也没有不透风的墙，尤其是那个年头，大户人家要出了这种事儿，那可是大事儿。这位本家大爷姚序东，一回不知道，两回不知道，时间长了就瞒不住他了。于是姚序东买通了官面①，让人家跟踪魏联升，一逮就逮着了，本来天津卫这点儿地儿也不大，直接就把魏联升拘禁起来了。姚序东说，光拘禁还不行，还要游街示众。

当时街面上有那种小报，还有画报杂志。今天您可以搜搜去，当年的画报上还有这一段，我见过那个画像，画了魏联升，也画了海银桂，姚序东等于把这两位捉奸在床，那怎么办呢？游街示众。这一天是宣统三年（也就是1911年）六月二十三日，魏联升被拉出来游街示众。游街示众这件事儿其实挺侮辱人格的，拉着人家大街小巷地走，让你们都瞧瞧这奸夫淫妇。可要是不这样，人家姚序东也不解恨。

好家伙，天津卫大街上乱套了！看热闹的人里头女的比男的都多，大伙儿都说咱们得看看去，那个大明星魏联升今天要被游街示众了！

---

① 指公家，官场，政界。

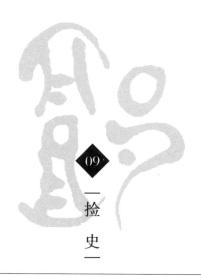

09

——捡 史——

人生如戏：风雪夜常有，
而归人不常有

Guo Theory

魏联升的为人如何，他的事情该怎么说，那是另一回事儿。时至今日我们要承认，先生的艺术非常精湛，出类拔萃。他的河北梆子的声腔、演唱和技巧，100多年来一直在影响行业的导向。时至今日，很多演员的唱法和表现还是继承了小元元红魏联升先生。

小元元红魏联升在上海唱戏红了，回天津之后就惹了祸，他跟大盐商姚序东的第八房姨太太海银桂有染，结果被当局拘禁并游街示众。

宣统三年六月二十三日，魏联升在天津卫大街小巷游街，据当年的资料记载，围绕着这次游街示众，发生了很多好玩儿的事儿。当年有一个特别红的歌伎，叫赵紫卿，她听说魏联升游街，马上要从楼下经过，就从楼上往下跑，赶紧去看，没想到一脚踩空了，从楼上滚下来，差点儿摔死。当魏联升被游街的时候，突然路边有一个女人失声痛哭，还有人记录下当时她的原话，她边哭边喊说："宝贝啊，折腾你都不像样了，我得给你想办法啊……"哭着哭着都背过气去了，街上的人都回头看她。看到此，就知道魏联升当时在人民群众当中的影响。游街示众是非常侮辱人格的，但是姚序东坚持要这么做，并出巨资贿赂了当局。最后当局判了魏联升苦役十年，这个也挺狠的，相当于十年有期徒刑。海银桂被判了160天，期满之后，姚序东把她送到济良所①，不准她再嫁人了。厨子李升被判了12年。所有人都很感慨，一代名伶小元元红魏联升，就因为一桩桃色新闻被判10年。人一辈子能有几个十年？

没过多久，天津边上的京郊一带大旱缺雨，百姓受苦。地方上的乡绅和有钱人家觉得应当组织赈灾。有个叫独流的地方，乡绅们出头组织赈灾义演，决定请一位唱戏的好角来，把大伙儿的积极性调动起来，组织大家踊跃捐钱。这里边有一个特别有钱的富商，资料没有记载他叫什么名字，只知道姓张，叫张二爷。张二爷说："这个事儿我愿意做，勿以善小而不为，为地方上干点儿好事儿是应该的，我愿意捐一个大头。你们看差多少钱，大头我来捐。可有一样，关于募捐义演唱戏，我就爱听小元元红魏联升，得把他找来，让他唱戏，反正这捐款差多少都是我的。"大伙儿非常为难，因为大家都知道魏联升已经出事儿了，现在正在牢房里押着呢，于是大家就想办法联络当局，保释魏联升出狱。

就在大家都在想办法的时候，有一个被称为"辫帅"的人，叫张勋②，也就是大家都知道的"张勋复辟"的那个张勋。张勋当时就在天津，有一个剃头的师傅老乔，经常去给张大帅的四姨太弄头发。大家就想，是不是花点儿钱，就能通过四姨太跟张大帅说上话？四姨太看大家送了这么多钱给自己，就拿着乡绅们写的帖子找到了张勋。张勋对河北梆子的艺人印象很好，因为他有一个姨太叫王克琴，就是唱河北梆子的。再加上四姨太跟张勋说，这是一件很好的事儿，是为了慈善和赈灾云云，三说五说之后，张勋就在名片上填上了自己的名字，派人送到了衙门口。名片到了，魏联升就被保释出来了。

魏联升之后也就没事儿了，又可以恢复舞台生涯，继续唱戏了。可他之后又无意中惹了祸。1913年2月，魏联升和朋友赵春甫一起去抽大烟，这在当时是合法的，两人去的是河东区的一家烟馆。赌场、烟馆和妓院里的坏人比较多，魏联

---

① 旧时的一种慈善机构，收容救济被拐骗、受虐待而无处投奔依靠的妇女。
② 张勋（1854—1923），原名张和，字少轩、绍轩，号松寿老人，江西省奉新县人，北洋军阀势力之一。张勋为向覆亡的清朝表忠心，禁止部下剪辫子，因此被称为"辫帅"。1917年以调停"府院之争"为名率兵入北京，与康有为拥溥仪复辟，以失败告终。

升在这儿碰到了两个流氓，他们一个叫苏元善，一个叫刘二。魏联升与流氓因为一些口角打起来了，魏联升脾气火暴，拿起一把刀就把刘二扎伤了，见血的刑事案件就需要打官司，魏联升又因此入了狱。当局要求，只有拿六千大洋才能为魏联升赎身。那个年代，没什么人拿得出六千大洋，很多人都觉得小元元红完了，但故事的戏剧性就在这里。

在这之前，魏联升娶过一个媳妇，叫何翠宝。何翠宝是唱武生的，是位女武生，现在女武生不多见了，但当年在评戏班和京剧班里，有很多女武生。何翠宝与魏联升曾经结过婚，但因为种种原因又离婚了。何翠宝是女中豪杰，听说魏联升被逮起来之后，心里很难受，她觉得不管怎么说，夫妻一场，但六千大洋应该去哪儿弄呢？她很为难。最后她想了一个主意，就是卖身。谁愿意给何翠宝拿六千大洋来，她就跟谁走，就是谁的人了。结果山东真有一个人出了六千大洋，是一位唱梆子的艺人，叫紫灵芝，本名叫董茂卿，他是唱刀马旦的，也唱花旦，能力很大，是山东戏曲界的一个头面人物。紫灵芝拿出六千大洋来给了何翠宝后，何翠宝回头就拿着六千大洋把魏联升赎出来了。这件事儿也真是感天地泣鬼神，直到今天说起来，都让人觉得热血澎湃。这件事儿不是每个人都做得出来的。

话分两头，何翠宝收了紫灵芝的钱，就只能跟着紫灵芝走了。这边魏联升就被放出来了，魏联升这一出来，万念俱灰，一是因为打击太大，另外一个原因就是脸上过不去。尤其是何翠宝卖身把自己救出来这件事儿，让魏联升心里觉得不是滋味。魏联升这时候有一个媳妇，还有个闺女，他就不在天津唱戏了，打算去东三省黑吉辽发展。但到了这时候，魏联升先生的身体状况已经不是特别好了，有一只眼睛基本上是失明了，全靠媳妇和闺女在旁边照顾着。他当时在哈尔滨有了个新舞台，在那儿唱戏的时候，台上得单独加几盏灯，否则他看不见。

不管怎么说，虽然魏联升的身体状况不如原来了，精神状态也不好了，但"人的名，树的影"，魏联升再唱戏，又轰动了，哈尔滨人也都爱看他唱戏。当时哈尔滨也有一位名妓，名叫三荷花，三荷花被当地的恶霸姚锡九霸占着。姚锡九是山东黄县人，在原籍读过两年书，后来到哈尔滨发展，做小买卖，存了点儿钱。

他积极地钻营，慢慢就跟黑社会的各种恶势力拉上了关系。

姚锡九这个主儿，在当地那是正经专业的大恶霸，坏得都不能再坏了。修建松花江铁路桥的时候，姚锡九是负责人，等到大桥快竣工的时候，他犯坏，让手下的爪牙把闭水管抽了出来，当时水下还有工人呢，工人全淹死了，之后他拿这个说事儿，因为死者会有抚恤金，一个死者的抚恤金是六百块，他把这个钱全据为己有，于是发财了。包括到后来修老巴夺烟厂那儿的 T 字路的时候，拉黄土的工人，也被他活埋了六七个。这个人心又黑，手又辣，又坏。工人给姚锡九干活儿，干完了活儿，派出两个工人代表上姚锡九家去拿工资，姚锡九给了人家钱，结果这俩人刚出门，他后面就打发人跟上去，把拿钱的这俩工人代表给扎死，把刚发的工资又抢了回来，就没有那么坏的人了。除了是个恶霸之外，姚锡九还是个汉奸，他花了很多钱，到日本的特务机关里买了个什么身份，给日伪政权出谋划策，而且主动献金百万，用来杀害中国人。姚锡九还给监狱送了好几百副脚镣子，有十八斤的，有十五斤的，还送了两辆大囚车，上面都刻着姚锡九的名字。反正这个人无恶不作，就是这么一个主儿。三荷花就长期被姚锡九霸占着，姚锡九家里边的大媳妇和姨太太，据说也没个准数，太多了。

魏联升到哈尔滨来唱戏，三荷花就说，她早就听说过这个名字，得好好看看，大家都说他唱得好，于是三荷花就去看魏联升唱戏。您想，三荷花是名妓啊，看戏的时候肯定得捯饬得花花朵朵的，坐在园子里边，好多人对她指指点点，人哪，都爱传个闲话，传来传去就演变成了，三荷花肯定跟魏联升关系不错，因为魏联升他也好这个呀，想当初上海那雪荫轩、天津的海银桂，跟他都不错，这个三荷花也跑不了。你也传我也传，人们的好奇心理都很严重，而且逢上这种事儿，假的也爱听，听了就愿意当真，张三听完跟李四说的时候，愿意把听来的话说得更完美一些，哪里不圆全他还能给你补上，所以越传越邪乎，传来传去，就传到了姚锡九的耳朵里。姚锡九心狠手辣，杀人如麻，他就想，我不能跟天津那个姚序东学，姚序东说关他个十年八年，那管什么用？我姚锡九要是弄你，就得往死路上逼你！

姚锡九就跟手底下的人说，去打听打听吧，这魏联升好什么。这一问哪，发现魏联升好抽大烟。那行呗，找俩人来，化装成卖烟土的，通过戏班的朋友去认识一下魏联升，跟魏联升说，以后您要是抽大烟，就来找我们，我们给您便宜，而且我们的烟这么好那么好。其实刚开始的时候，魏联升跟他们还不熟，要不说姚锡九坏呢，他不一上来就直接表露目的，他先给你一个过程，这俩人没事儿就来找魏联升，有的时候是送大烟，有的时候是路过聊几句。天长日久，魏联升也拿这俩人当朋友了。这一晃就到了1922年，夏天都快过去了，这一天，魏联升的媳妇带着闺女回关里。所谓的关里关外，是以山海关为标准。魏联升的媳妇和闺女回关里探亲戚去了，留他一人在哈尔滨唱戏，这一天的戏，前面是赵松樵①先生的京剧《路遥知马力》，后边就是魏联升的梆子《蝴蝶杯》。《路遥知马力》到现在舞台上还唱，但也就是齐派的演员唱。我有个干儿子，也是我徒弟，叫陶云圣，也叫陶阳，他也唱这出戏，这出戏不是什么传统戏，其实就是过去老先生们根据"路遥知马力，日久见人心"这句话改的这么一出戏，衍生出了这么一个故事来。

有人可能要问，怎么梆子跟京剧一块儿演？那会儿这很正常。风搅雪，两下锅，观众爱看，什么都有啊。演员集中在一块儿，有的时候前面评戏，后面梆子要不京剧，这都没准儿。甚至有的时候在一出戏里边，你唱梆子，我唱京剧，也很正常，当时舞台上还是繁花似锦的，这都不叫事儿。所以这一天，前面是赵松樵赵先生表演。赵先生是京剧的大家，文武双全，我很佩服赵松樵先生，赵先生晚年在天津，八九十岁了还上台表演，小老头儿，个儿不高，能耐大，没有他不能演的戏。这天赵松樵先生在头一场，后边就是小元元红的《蝴蝶杯》。《蝴蝶杯》还没开始，那俩卖大烟的人来了，戏班里的人跟魏联升说，有人找您。魏联升一看，我认识这俩人，于是就把这俩人领到旁边那个屋里了，结果刚坐下，这两位就把匕首掏出来了，哐哐几刀，扎在了魏联升的两肋上，魏联升倒下了，这两人出门就走了。过了一会儿，同班里有一个唱戏的叫马德成，马先生打这儿路过，一瞧这屋里边，好家伙，这人躺在血水里边了！哎哟，坏了，赶紧来吧！大伙儿都过来了，一看，

---

① 著名京剧表演艺术家。6岁学戏，9岁登台献艺，响名九龄童。他并无专师，而是广采博纳，表演独树一帜，文武双全，有"活颜良"之称。

出事儿了，但是来晚了，人已经死了。

这怎么办呢？这真是谁也想不到的事情，刚才说来两个人串门，一会儿的工夫这人就死了，那台上还等着他唱戏呢。台上的这出《蝴蝶杯》，最后是由董巨川先生替演下来的。天津过去有一唱猴戏的，艺名小胜春，那个猴他都演活了，小胜春先生的父亲就是董巨川，他当时刚好在现场。

魏联升就这么死了，死尸不离寸地，因为这是晚上。转过天来，白天了，当地警察来了，穿着警服、大马靴，进门就拍照。后来才知道，拍照的这几个警察，也不是真警察，都是姚锡九派来的人，看看魏联升是不是真的死了，还得拍下照片去给姚锡九看。这事儿就闹大了，著名演员，被人杀了还了得吗？这一下就轰动了，天津、北京都知道了。

而且唱梆子的这些个艺人也不干了，人命关天，谁知道是因为什么？当时有一位艺名叫响九霄的田际云①先生，他替魏联升打抱不平，带着大批的艺人到处喊冤，但是那个年头也没有办法，根本就没人管这事儿，你喊你的冤枉，没有人拾这茬儿。最后只好把死尸从哈尔滨运回天津，埋在哪儿了呢？天津有个大红桥，在大红桥北边的屠宰局后面，就把魏联升埋在那儿了，当然只是知道埋在那儿附近，现在估计遗体已经没有了，找不着了。我小的时候上学，天天从这块走，因为我们家住大红桥的南边，他被埋在桥的北边，就隔着一座桥。那会儿我就老听人说这地儿埋着魏联升，但没人知道具体是埋在哪儿了。

一直等到1948年，哈尔滨解放，大恶霸姚锡九才被枪毙。魏联升魏先生，小元元红，含冤二十六年，这是梨园的一段桃色公案。当然，魏联升的为人如何，他的事情该怎么说，那是另一回事儿。时至今日我们要承认，先生的艺术非常精湛，出类拔萃。他的河北梆子的声腔、演唱和技巧，一百多年来一直在影响行业的导向。时至今日，很多演员的唱法和表现还是继承了小元元红魏联升先生。

---

① 名瑞麟，艺名响（想）九霄。直隶高阳（今属河北）人。京剧花旦。

10 ｜捡史｜

大宋名伎的精彩

朋友圈中竟然有他

Guo Theory

历史有点儿像个说相声的，逮谁跟谁闹，净干不挨着的事儿。

《郭论》不知不觉已经写了九篇，我是想起什么就写什么，我也是无知者无畏，幼而失学，也没怎么念过书，但是艺人的下面还藏了一颗文人的心，愿意跟大伙儿念叨念叨中国传统文化、历史（包括野史），真的假的，闲白一下我心里挺痛快的，挺好。

这些日子，正好赶上德云社去北美的巡演，其实我一直在外边，演员可不就是这样呗，四海飘零，哪儿都去，也没有什么节假日，人家过节都休息，到我们这儿没有休息一说，就剩下工作了。但是挺好，人可不就得有点儿事儿干，老先生讲话，你待着不也得吃饭嘛，是吧？

我在美国的洛杉矶演出，洛杉矶还行，天儿挺暖和的。结果加拿大挺凉，这两天我在温哥华，好家伙，天也阴，还下雨。温哥华当地的朋友还不错，安排我们去吃点儿中国饭，老吃牛排受不了。这没办法，饮食习惯是打一落生，你的基因里边就带着的东西，是永远改不了的。昨天到那家小饭店，人家看见我还说："哎哟，您来了！您想吃点儿什么？"我说："你炒一白菜就行，我也没有别的追求，炒一白菜，弄一豆腐汤，弄点儿这个就行。"那天在旧金山吃饭也是，饭店老板说："在国外看见您几位可不容易，想吃点儿什么啊？"我想了半天，问："你有酱豆腐吗？"我就想拿着馒头片儿抹酱豆腐吃，人家把后厨都翻遍了，也没有酱豆腐。人的禀性是难改的。

今儿给大家写点儿什么呢？其实刚才我想了半天，说相声、说书和唱戏，这些我很熟，但是又怕您各位不太爱看，所以不能写得太多，咱们就写点儿其他的吧。今儿我突然想起一个人来，我觉得这个挺好，就给各位写写看，挺有意思。这人一说大伙儿都知道，因为在台上我老提，我在节目里边老提这么几个人——玉堂春、杜十娘、董小宛和李师师①，有的人觉得这几个的身份不行，实话实说，身份这东西很难用几句话就能讲清楚，你比如说，唐、宋、元、明、清，有多少个大身份的人，到现在提名字也都没人知道，历史把他们全都忘记了，但是一些个小人物，甚至说不入流的人，他们做了一些事情，倒是能够名垂千古。

今天我们要写的这个人就是李师师。李师师是北宋的名伎，这个名伎的"伎"是单立人加一个支，跟女字旁的"妓"的意思不一样。李师师这个人其实特别简单，就是"卖艺""清高""美女"，这仨标签贴在她身上。李师师也不姓李，她本姓王，她爸爸是汴京城里的一个染匠，给衣服和布染色的染匠，姓王，叫王寅。李师师的母亲生完了李师师，当时就死了，估计那会儿的医疗条件可能不是特别好，孩子一落生，母亲就死了，那这闺女怎么办呢，这么小，还没有奶吃呢，她爸爸不容易，弄点儿豆浆喂这孩子。这孩子有一个特点，从生下来之后，也不哭，也不笑，大伙儿都说这有点儿奇怪。当时人们有一个习俗，就是孩子出生之后长得差不多了，要送到庙里去待一待，用我们相声里的话说，是为了孩子好养活，小男孩儿还得被送到庙里去当和尚，到了十岁八岁了，再从庙里出来，"出来"还要走个形式，要从庙的墙头上翻出来，这叫"跳墙和尚"，也就是还俗的意思。

---

① 北宋末年青楼歌姬，汴京（今河南开封）人。在众多野史和笔记小说中，李师师是艳冠汴京的名伎，备受文人雅士、公子王孙的青睐。

这个王染匠把闺女送到了宝光寺，你看她不会哭也不会笑，但是一到了宝光寺，进了这个庙门，哟，小姑娘立刻就乐了，乐得都不行了！这时候旁边来了一和尚，和尚看着小姑娘，就问她："你笑什么笑？你知道这是哪儿吗？你来过吗？"这句话问完了，这孩子又哭了，哇哇大哭。和尚赶紧过来给孩子摸顶，又念经，慢慢地这小孩儿才不哭了。她爸爸就说："哎呀！我这孩子跟佛有缘哪，就在这儿住着吧！"

于是，李师师就在庙里待了一段时间。那会儿来说，人们对和尚、对佛家的尊称，都是"师父"，看见大和尚，都说大师父怎么怎么着，所以就借了一个"师"字，因为是个姑娘，所以就俩字叠在一起，叫了"师师"，所以李师师那会儿的名字是王师师。

李师师这孩子就算命挺硬的，一出生就死了娘，到4岁的时候爹又死了。李师师这个爹，当时是犯了点儿事儿，被关在监狱里边，后来就死在里头了。可怜了，剩下一小姑娘，也没人管，后来来了个人，把师师收养了，这个人就是后来陪伴李师师半生的李妈妈。李妈妈是当时的合法娼妓机构里的一位工作人员，当时这个地儿叫什么呢？叫"教坊"，也就是现在咱们所说的"烟花院"，或者叫"风化场所"。最早的教坊，是皇家贵族的排演机构，后来才加上这些个伤风败俗的经营项目的。反正就是这位李妈妈收养了师师，收养过来之后，说你别叫王师师了，以后你就是我李妈妈的闺女了，就叫李师师吧。从这起，王师师改叫李师师，就跟着李妈妈了。

跟着什么人就学什么人，是吧？要是跟着说相声的，你只能学说相声，你说这家祖传十二辈都说相声，最后培养出一个科学家来，这个难度系数稍微大一点儿。人家买这孩子也是为了挣钱。你瞧这小孩儿长得好看，白白净净，漂漂亮亮，大眼睛双眼皮，好好培养吧。自身的素质、天赋和条件，再加上李妈妈对她这些年的调教，李师师长大之后，确实成了冰肌雪骨的一个美人，哪儿都好，没有不好的地方。

这一好不要紧，就碰见了李师师人生中非常重要的一个人，谁呀？宋徽宗^①，赵佶。赵佶这个人，反正我在说书的时候，尤其是说《水浒传》的时候，没少提他。为什么呢？你要不说他，就提不到梁山一百零八将。宋徽宗这人写字写得很好，画画也画得很棒，他写的那字，叫"瘦金体"，与众不同，我是很爱看的，但我写不好，那个笔锋很难弄得像他那么美。写字、画画、踢球和弹琴，没有宋徽宗不会的，这么说吧，他除了不能当皇上，什么都能干。但是历史是好开玩笑的，历史有点儿像个说相声的，逮谁跟谁闹，净干不挨着的事儿。赵佶明明直眉瞪眼地就奔着艺术家去的，结果让他当了皇上，历史上评价他："独不可为人君也。"什么意思？就是他唯独不能当皇上，他去干什么都能是好样的，到哪个剧团都能是头牌的演员，但是偏偏让他当皇上了。历史这一开玩笑，天下就乱了套了。

宋徽宗在政治上具体表现如何，那是另一个故事。咱们单说他跟李师师的这段交情，一个是皇上，一个是民间的名伎，这俩人怎么能碰到一块儿呢？这里边一定是有穿针引线的人。当时宋徽宗身边有个大太监，叫张迪。张迪跟宋徽宗说："您这一天到晚的，跟宫里边，国事很忙，我看您都累得慌。"宋徽宗说："那怎么办？我不得不为国事操劳啊，你看有什么好办法吗？"张迪说："那当然有办法了，我带您出宫玩儿去吧，去哪儿？咱们去镇安坊！"这镇安坊，就是李师师所待的那个地儿。皇上一听，很开心，太监张迪是我忠心耿耿的好宝宝，那咱们去吧！

皇上要偷偷摸摸地出去，这绝对不能只有俩人，随行的还有护卫、太监、助理、经纪人……反正得是一大帮人吧。怎么着皇上出宫的排场，也不能比一个二级相声演员次啊！但是快到镇安坊的时候，就只剩下张迪一人跟着皇上了，皇上估计也是觉得有点儿害臊，离镇安坊不远了，就跟随行的人说："好了，你们哥儿几个跟这儿歇会儿吧，寡人我前去串个门，看看我的小学同学。张迪，走，跟我去吧！"张迪就带着宋徽宗去了镇安坊。其实张迪在进宫前，也就是净身之前，在汴京城

<hr>

① 即赵佶（1082—1135），宋朝第八位皇帝，退位后自称太上皇。极有艺术和文学天赋，善书画，自创书法"瘦金体"，花鸟画自成"院体"。

是一个很有名的嫖客，几乎把汴京城玩儿遍了，所以他对这些场所轻车熟路。过去有句话叫"帮嫖看赌"，意思是，嫖和赌这两件事儿，要是没有人带着，自己绝对成功不了，一定得有这里边的行家领着你进去玩儿，恰恰张迪就是这里边的行家。张迪带着皇上去镇安坊，里面的门路他都明白，跟谁都认识。来到镇安坊，先把这李妈妈叫出来，说我给你带来一大客户，好家伙，这位可厉害了，有多少多少钱，有多少多少地，如何如何，反正就是吹呗，然后拿出一大笔钱来给李妈妈，还拿出很多从皇宫里带出来的礼物。李妈妈乐坏了，热情地招呼道："快把贵客请进来吧！"于是就把宋徽宗接进来了。

宋徽宗坐进镇安坊，李妈妈先安排他吃水果，好多野史上记载说，宋徽宗吃的那枣，就像鸡蛋那么大，现在咱们对这么大的枣不觉新鲜了，在当年可不容易，总之珍馐美味先摆上桌，让宋徽宗吃会儿、聊会儿，再给他引到一个小房间。这小房间一进来，徽宗非常满意，为什么呢？房间装饰得特别雅致，"雅致"这个词可不容易，它不是说你有多少钱就能做到，它是一个品位的问题。20多年前，我有一次去河北省演出，县里有一位首富，非得让我上他家串门去，一进他们家，我差点儿没乐出来，为什么呢？他真是有钱，但他实在不知道怎么装房子，结果他那屋里边，连卧室带哪里，整个墙面上镶的全都是白瓷砖，我心里说：这主儿有这么些钱，结果天天住澡堂子，这就是品位问题。你看念书人的书斋就不一样，房子不在大小，这里摆个盆景，那里放点儿什么书，再挂幅什么样的画，弄几块秦砖汉瓦，它就不一样，它是品位，这其实是文化的体现。宋徽宗是什么人？是文人、画家、书法家、音乐家，所以说他在这个屋里，觉得气场相融，一下就有好感了，特别开心。于是宋徽宗又在这儿坐了老半天，不过他心里估计也嘀咕，怎么李师师还没来？

坐了半天，这李妈妈又来了，说："您跟我来吧！"又给宋徽宗领到了后边，那里又有一间屋子，宋徽宗又在那屋子里坐下了，干吗呢？吃夜宵，什么小龙虾、烤串儿，反正不管是什么吧，夜宵全摆上了，徽宗也吃不下去，因为他来这儿不是为了吃饭的，他是奔着人来的，你给我弄这个有什么意思？可是你不能着急，你看这排场，估计那人也挺好，耐心等会儿吧，吃吧。好不容易把夜宵都吃完了，漱漱口，剔剔牙，水果又端上来了。吃完水果，宋徽宗说，差不多了吧李大妈？可以把人叫出来，让我看看了吧？结果这李大妈把毛巾拿出来了，说："您哪，泡个澡吧，您得先洗澡！"徽宗气死了，说："我出来时刚洗完澡，我可干净了你知道吗？"李大妈说："您别价，我们师师这孩子呀，洁癖，太爱干净了，您好歹涮涮吧！"话说到这份儿上，那就洗呗，李妈妈就把宋徽宗领到后边又洗了个澡。

宋徽宗洗完了澡，从里边出来，这才终于看见李师师。李师师一出来，宋徽宗没想到她是这样的一个人，怎么样呢？师师也是刚洗完澡，穿着一身素衣服，不是你想象中的那种青楼的头牌名妓，一出来穿金戴银，抹一脸粉，脑袋上戴着八朵花，脑门还放俩枣，那样就不显好了。李师师穿一身素衣，头发还没干透，就随随便便地在脑袋后边这么一抓，别了一根簪子。列位您记住了，只有倾国倾城的姿色，才敢这样素颜见人，脸上打底攒腻子，抹了二斤粉、三斤胭脂，那不叫能耐。这就跟吃饭似的，开水白菜，还有比这简单的吗？这碗里边就是半棵白菜，你吃吧，这个味道比海参鲍鱼强得多，但是前提是什么？你得真有这个底子，这个很重要。

李妈妈一瞧师师来了，赶紧安排两人坐下，给李师师介绍说，来的这位是跨国大企业的赵大官人，家里有多少多少钱，很厉害，穷的光剩钱了，闺女你好好服侍着，好好聊天吧！说完老太太就出去了，李师师也没有搭茬儿，也没有一上来就说，哟呵，客爷您来了，您赶紧坐吧，您挺好的，家里不错呀，您怎么怎么着……如果李师师那么说，那就完了，那一看就是三毛钱包一年的主儿。李师师一转身，从墙上把琴拿过来，要弹琴。她这一弹琴，皇上来兴致了，因为宋徽宗是弹琴的专家，立马耐心坐在这儿看起来。我也不会弹琴，我也不知道琴怎么弹，反正李师师大概是弹了一支挺好听的小曲。弹完之后，徽宗点点头，哎呀，太好听了，大姐姐您再弹一支吧，大姐姐就又弹了一支。李师师连弹了三支曲子，天就亮了。宋徽宗站起来了，对李师师说："谢谢你精彩的表演，我回去了，我还得上朝！"

天亮了，皇上得上班去了，就走了。这一天是大观三年（1109年）八月十七日，中秋节后的第二天。

　　这一次皇上在镇安坊花了多少钱呢？根资料记载，花了白银二十镒。这个"镒"是当年的一个计量单位，二十镒等于四百八十两银子。如果用大米做换算的衡量物的话，一两银子相当于现在大概一千元人民币。也就是说，这一晚上皇上花了近五十万，还不算从皇宫里带来的那些礼物，什么名人字画、金银器皿。这五十万里包含三顿夜宵，三顿夜宵里边有一顿是水果，还泡了个澡，听了三支曲子。宋徽宗回去了，这汴京城里可是流言四起，全城人都知道了，了不得喽，皇上来喽，皇上去看李师师啦，皇上爱李师师都爱得不行了，花了无数的钱，如何如何……这个玩意儿，它一传就能传出去，而且人们还都愿意信这种话。

　　这就跟有段时间我、于谦老师和几乎整个德云社都玩儿核桃一样。戏班和曲艺界的人，对文玩这东西一直是情有独钟的，也就是我们这行的人，玩儿个串儿啊，盘个手把件儿啊，核桃啊，手里老得玩儿点儿东西。这两年核桃差了，因为净是嫁接的了，就不值钱了。核桃好就好在，它一定要少。那种文玩核桃，不是咱们吃的那种核桃，多少钱买一斤，回来咣咣一砸，坐在那儿一吃。文玩核桃分为很多种，什么狮子头的、三棱的、公子帽的，还有什么大鸡心的，各种形状都有，它值钱是值在数量少上。你比如说，在河北省或者北京边上的哪里，这一片山上，可能就只有那一棵树，它长出的所有核桃里，得挑两个完全一样的文玩核桃，可能今年这一片山上，只有这一对核桃合标准。所以为什么它贵？就贵在这儿。有的人不理解，核桃就是三块钱一斤，到我们那儿恨不得十块钱一麻袋，那真的不一样。你想，整个河北省这六个县，只有这一片山，只有这一棵树，一年就出一对核桃，他不卖贵点儿，怎么够那挑选的费用呢？我们都玩儿核桃，所以经常听卖核桃的人说："唉呀！我们昨天卖出一对核桃，赚了三十万，被郭德纲买走了，还有四十万的一对，被于谦买走了。"其实这都是谣传，我们没花过这个冤枉钱，我再爱，也没爱到这个程度。但是这个话传出去，人们就愿意信，而且给你说得越来越细致。张三传给李四，李四跟王五说，都说自己亲眼看见于谦来买核桃了，提着个箱子，箱子里都是钱，每张钱的号都是连着的，于谦那是刚抢完银行出来的，人们都愿意听这种话。

汴京城都知道皇上去镇安坊了，这下可热闹了，消息传来传去，终于传到李妈妈耳朵里，李妈妈都吓死了，怎么了呢？她的接待工作是否做得不好？人家皇上来了，她不知道那是皇上啊，这还了得吗？欺君之罪呀，咱们这是要被灭门的，李妈妈哭得都不行了。李妈妈这一哭不要紧，突显出了李师师的冷静，李师师说："妈妈你别哭，要杀皇上也得杀我，为什么呢？因为皇上当天那个状态。他并没有发火，所以，妈妈你听我一句话，他还得来！"列位，这叫什么？这叫头牌的情商！

11 —捻史—

李师师：宋徽宗

智擒奸夫周邦彦

Guo Theory

"佳人有意村夫俏，红粉无心浪子村。"这句话是什么意思呢？佳人有意村夫俏，意思就是这个女的她要是爱你，哪怕你是村里的农民，她也觉得你很俏皮。但这女孩儿要不爱你，就算你是一个风流浪子或者一个秀才，你长得再好再精致，她也觉得你不行！

宋徽宗跑到镇安坊去看李师师，花了好些个钱，光是吃了三顿夜宵、泡个澡、听了三支小曲，就花了五十万！汴京城顿时流言四起，但是李师师心里踏实，为什么呢？因为宋徽宗他还得来。

一眨眼的工夫，就到了正月，汴京城下雪了。这天皇上吃完饭在宫里待着，也不知哪个娘娘闲着没事儿，拿了把琴过来，在皇上这儿弹琴。我印象中应该是在晚上七八点这个时间，甭管弹的是琴还是什么大鼓吧，总之弹着弹着，皇上心里边突然咯噔一下，吩咐大太监张迪说，你去给李师师送一把琴，因为去镇安坊找李师师的时候，皇上是张迪带着去的。这把琴在当时来说，就得有一千多年的历史了，是皇宫里边珍藏的一把琴，皇上就让张迪拿着琴给李师师送去了。

张迪到了那儿说："李姐，皇上让我给你送琴来了。"李师师心里乐了，就知道皇上还得来。果不其然，这一眨眼就到了开春。3月的时候，宋徽宗真的来了。他这一次来就大张旗鼓地带着兵和护卫，还有什么御林军和太监，全都带来了。

皇上到这儿之后，整个镇安坊从里到外就戒严了，因为他提前打过招呼说要来，李妈妈把整个房子，屋里屋外，全归置了一遍，金碧辉煌，就跟皇宫一样。这回皇帝再来的时候，李师师就不敢跟上回似的了。皇上上回来的时候，李师师很清高，一副爱搭不理的样子。这回不行了，她规规矩矩地跪在地上接驾。

皇上说："来来，快起来啊！"这个李妈妈已经吓得都没人样了，净剩哆嗦了。皇上还挺客气的，说："不要紧，咱又不是外人。"皇上进来之后，李师师还挺聪明的，就跟他说："因为皇上您要过来，我们重新装修了一遍这楼，现在还差一块匾，要不您给题个字吧。"宋徽宗拿起笔来，就用瘦金体给写了"醉杏楼"三个大字。其实进来之后，皇上并不是很开心，为什么呢？因为在这里吃的饭跟皇宫里一样了。皇上上自己这里来，李妈妈害怕自己这饭不灵，怕皇上吃不惯小龙虾和撸串儿，所以花重金请了皇宫里边的御厨。

皇上往那儿一坐，不但吃的跟宫里一样，连房子装修的风格也很像皇宫，这顿饭没吃完宋徽宗就走了。因为皇上要的可不是这些，他要的是上回来的那样，那个屋子要雅致，要有品位，是谁让他们往墙上贴那些金叶子？是谁让他们把这个凳子都包上黄布的？我要想吃御膳，我在家就吃了，还要特地跑你这儿来吃？我不要这些东西。所以宋徽宗非常不开心，走了。

当然，宋徽宗即使就这样走了，也并没有断了他对李师师的爱，之后还陆陆续续地给李师师送东西，比如说名家的画，还招了全国的画家来给李师师画肖像，又送来几十只金壶玉盏、上百斤极品的茶叶，那茶叶都是地方上进贡来的，宋徽宗都拿来给李师师喝，还有什么点心和好玩儿的东西。反正这一年从春天到秋天，他们之间的关系非常好，但谁也不知道具体发生了些什么，这之后，徽宗有将近十年的时间没来见李师师。有人说是他不重情，列位，他是皇上，政务又繁忙，就算他再重情，他也不能跟中学生似的，天天跟女朋友一块儿骑自行车上学去，对吧？而且这十年之间，徽宗身边发生了很多事情。首先，他起用了蔡京[1]，蔡京

---

[1] 蔡京（1047—1126），字元长，北宋兴化军仙游（今属福建）人，四次为相。17年在任期间，大肆搜刮民脂民膏，挥金如土，大兴土木，币制混乱，民怨四起，人称"六贼"之首。

做了很多压榨百姓、搜刮民脂民膏的事情。其次，他修建了很多大型的建筑群，给自己盖皇宫，弄这个弄那个，花钱无数。在这段时间里，还有一个人考上了进士，当了大臣，他的名字叫秦桧，就是后来跟岳飞闹得很不愉快的那位。总之，那么一眨眼的工夫，十年的时间就过去了。

直到1120年的时候，皇上又来看李师师了，还带着一大盒子奇珍异宝送给师师。你看，我送给你的这些，你连见都没见过吧！这个叫祖母绿，是朕让人上哥伦比亚给你弄来的，给你弄成个戒指戴着，这个那个的，反正都是皇宫里的好东西呗。转天又送来了文房四宝，什么都有，单是给李妈妈奖励的铜钱，就上亿的价值了。哎哟，了不得了，皇上爱李师师爱得都不行了。这个时候，张迪这个大太监他也聪明，知道皇上的心思，就对皇上说："皇上，我有几句忠心话要跟您说。"皇上说："有啥事儿你直接说吧。"张迪就说："皇上，您老夜里偷偷摸摸出去不行，为什么呢？因为您是皇上，白天不能出去，就只能夜里去，去之前得换上夜行衣，穿一身黑色的衣服，还得把脸蒙上。"宋徽宗出宫去见李师师，具体是什么打扮咱不知道，反正我估计皇上去这地儿玩儿，肯定也不是露脸的事情，反正张迪的意思是，皇上您老是这么乔装打扮，也不是个事儿。

结果皇上说："不要紧，我不怕辛苦，我愿意折腾。"于是张迪就给皇上出主意："我想了一个更好的办法。咱们新建了华阳宫（就是后来改名叫艮岳的那个地方），华阳宫离宫的东边，有块方圆两三里的地。地的这头是离宫，那头就是镇安坊。我可以在这儿给您修条地道，您每天可以从暗道走出皇宫，出了地道口，就到李师师那边了。"哎哟，这可把皇上高兴坏了，立即说："张迪你确实待朕挺好，是朕忠心耿耿的心腹，那就赏赐你100个美女吧！不行，你是个太监，也别赏了，就白给你吧！"

主意打定，那就开始干吧，不就是皇上一句话的事情吗？张迪他们还假惺惺地写了个奏章说，皇上啊，现在外边的御林军站岗很不容易，咱们挖条地道，盖点儿房子，让兵们有地方休息。皇上还得装模作样地批一下，准奏。行了，开始盖吧！没多久，地道就盖成了，皇上可以随时顺着地道去见李师师了。皇上经常来见李师师了，李师师开心吗？列位，李师师好像不是很开心，为什么呢？因为李师师这会儿已经有一个非常喜欢的人了，名字叫周邦彦[1]。周邦彦跟宋徽宗在中国文学史上的造诣是相等的，但要按岁数来说，周邦彦那时候已经50多岁了，岁数已经不小了。我们小时候说谁四五十岁了，好像就已经是大得不行了的大人了，30来岁就必须把胡子留出来。

周邦彦50来岁了，李师师居然还爱他，我估计李师师也是个大叔控。自古才子爱佳人，两人相好，也是应了这么一句话："佳人有意村夫俏，红粉无心浪子村。"这句话是什么意思呢？佳人有意村夫俏，意思就是这个女的她要是爱你，哪怕你是村里的农民，她也觉得你很俏皮。但这女孩儿要不爱你，就算你是一个风流浪子或者一个秀才，你长得再好再精致，她也觉得你不行！

所以这整句话的意思就是，周邦彦的岁数再大，李师师还是爱他，这就非常难得了，为什么呢？人首先是动物，我爱你，你爱我，一对眼就喜欢上对方，那就齐了，别的都是旁人的事情。周邦彦经常找师师聊天、喝酒、吟诗作对，周邦彦写完词，李师师就唱，两人很是开心高兴。但现在有了这地道以后，就不方便了。早先皇上也不是那么容易就能来李师师这儿，你想啊，他得换上夜行衣，趁晚上带人偷偷摸摸地过来，只能是偶一为之。现在有地道了，好，他一天来三趟，想来就来。两里地而已，也没多远，宋徽宗吃完晚饭就顺着地道溜达走过来了。宋徽宗一来，周邦彦就不能再来了，因为同行是冤家，碰见了该怎么解释呢？师师也没法说，来，请两位各自介绍一下，这个是我男朋友，这个也是我男朋友，来吧，咱仨好好过日子，这也太不像话了。周邦彦不能再去看李师师，他很生气。据说每天晚上皇上都来找李师师，有的时候李师师跟皇上喝酒聊天，周邦彦就披着个棉大衣站在墙外边，拿拐棍在外边跺地，一跺能跺一宿，说片汤话、骂闲街，反正就是表达心里边的不满。

皇上是真喜欢李师师，为了李师师，他都快把国库搬空了。1120年到1125

① 周邦彦（1056—1121），字美成，号清真居士，钱塘（今浙江杭州）人。北宋著名词人，在诗词歌赋方面有极高的造诣。曾供职大晟府（当时的音乐管理机构）。

年之间，就这短短的几年，光给李师师的赏赐就不下万两黄金，相当于上亿人民币。可因为去不了李师师那里，周邦彦都恨死了，一直到这一年的秋天，终于等到了一个机会，徽宗病了。可能是为国事操劳，也可能是心里边也有火，反正宋徽宗是病了，来不了李师师这儿了。皇上来不了，可把周邦彦美死了。周大爷又能见到李师师了，他可开心了："亲爱的，我终于能看见你了。这些日子皇上在这儿，我也不方便来。"师师也说："谁说不是呢？皇上要来咱也没法拦着呀，是不是？来，咱们喝酒聊天，开心一下。"

皇上这时在宫中是积极配合治疗，为的就是能赶紧好起来，去见李师师。心中有了这个信念，大概六天的时间，皇上的病就好了。但他当初跟李师师说过："我这回可病得够呛，得歇十天才能来。"人家那边李师师和周邦彦正准备在一起待十天，没想到第六天皇上就能挣扎着下地了，夜里就要去瞧瞧他亲爱的师师。临出皇宫的时候，皇上还顺手拿了一个大橙子，橙子是江南进贡的，那会儿的运输条件有限，进贡上来之后，去了烂掉的，也没剩多少好的了，就跟当年从镇江往北京城给乾隆贡鲥鱼似的，因为那鱼出水就死，所以无论进贡多少鱼到北京，挑来挑去可能也就剩个三条五条的。

皇上择了一个最大的橙子，抄着地道就来李师师这边了。结果宋徽宗来的时候很不巧，周邦彦也在，这就要了命了。换作以前，皇上会派人提前打一声招呼，但他现在就跟串门一样，从这屋奔到那屋，打这地道就过来了，根本没必要也不会特意打声招呼。所以，当皇上出来的时候，李师师跟周邦彦俩人正在屋里说话呢，李师师说："这两天跟你在一起聊天，我很开心。"周邦彦说："我也很开心。"李师师又问："最近有什么新的小曲吗？"周邦彦就回答说："没有啊，正憋着给你写个小曲，但一时半会儿写不出词来啊，这怎么办是好？"

皇上进大门了，李妈妈就跟疯了一样冲进来："周大爷你惹祸了，你就等死吧，皇上来了，你根本没地儿躲呀！"李师师赶紧出门迎接皇上去了，这周大爷该怎么办呢？多亏他脑子转得快，一转身钻到床底下去了。周邦彦刚钻进床底下，宋徽宗就开门进来了。皇上进来之后，师师其实很尴尬："哎哟，皇上您可来了，您不说十天才来吗？"皇上说："为了你，就算死我也得来啊，等不了十天。才六天我觉得我已经完全恢复了，身体状况非常好，所以我就看你来了。来，快坐下，咱们一起吃橙子。"

皇上一边说着，一边把这橙子掏出来，接着又掏出一把刀来切橙子。他掏出的这把刀是并州刀，并州就是现在的山西太原。当年并州的刀和剪子是最好的，皇上就用并州的刀切橙子，然后又拿一小碟装了点儿吴盐。吴盐就是江淮一带出的一种散的盐面儿，这个盐质量高，而且还不那么咸。皇上把这大橙子切开了，切完之后，师师拿她那手指头捻了点儿盐，撒在橙子上边。当年的人吃水果愿意有点儿调料，当然现在也保留了这种传统，吃菠萝之前拿盐水泡一下，尤其到广西那儿吃水果，撒辣椒面儿。还有的水果，要蘸点儿酸梅粉，确实也挺好吃的。

皇上和李师师两人就吃起橙子来了。"来，给你吃一个。""哎哟，你也吃一个吧！"好家伙，这一晚上，他俩吃橙子，床底下的周邦彦只能吃醋了，不过当天晚上皇上并没有住下来。为什么呢？因为天快亮了的时候，师师一直劝他说："皇上，国家大事也很重要，您的身体还没有完全恢复，您是不是早点儿回去休息啊……"就类似这样的意思，最后皇上总算是回去了。把皇上送走了之后，李师师赶紧回来，因为这床底下还藏着一个呢。她把这个周邦彦揪出来之后，周邦彦提起笔就写了一首词，叫《少年游》，词云："并刀如水，吴盐胜雪，纤手破新橙。锦幄初温，兽烟不断，相对坐调笙。低声问：向谁行宿？城上已三更。马滑霜浓，不如休去，直是少人行。"

"并刀如水"里的并刀，就是咱们刚才说的并州的刀，并刀如水，意思就是这刀子特别快，切什么都只要"唰"一下子。"吴盐胜雪"，就是说吴地出的那个散盐，白得像雪一样。"纤手破新橙"，指的就是李师师的手很纤细，用她那纤细的指头掰大橙子。等于周邦彦用笔把那天晚上床上边这俩人聊天、弹琴、吃橙子的情景完全记录下来了。哎哟，你看皇上刚才多讨厌是吧？但他给了我一个很好的创意，让我文思泉涌，写出了这首词，师师，你也来听听吧。

师师很爱这首词，到处去唱，无论哪里有聚会，开心或者不开心的时候，她都要唱这一段。天下人几乎都知道有这么一个小曲牌，有这么一段小唱。只有皇上不知道，但是早晚他得知道，他要是不知道就不成世界了。终于有一天，徽宗跟李师师在一起的时候，问李师师："最近有什么新作品吗？搞一段来唱一唱，让我听一听好不好？"李师师就说："好，我给您唱这段。"于是就开始唱了，我估计她可能是因为喝了酒的缘故，唱得可开心哪，连唱带比画，特别高兴。别人听的时候是当曲子来听的，但是一句老话说得好：聪明不过帝王，伶俐不过江湖！帝王不聪明，怎么当得上帝王，对不对？伶俐不过江湖，为了生存而跑江湖的人，脑瓜都转得快，这很重要。宋徽宗聪明，一听这词就感觉不对啊，难道当时那屋里边有监控吗，不然怎么会知道"并刀如水，吴盐胜雪，纤手破新橙"的事儿？这一定是在跟前看着的人啊！

于是，宋徽宗听完一遍之后，叫师师再来一遍，刚好师师就爱唱这个，皇上也爱听，她就再唱一遍吧，就这样连续唱了好几遍，李师师越唱越开心。而皇上听出什么来了呢？这曲子背后定有奸夫！但皇上表面上不动声色，一直鼓掌叫好，还问师师这首词的作者是哪一位高人。李师师当时也不知道是怎么了，就直接告诉皇上说："这是我一朋友周邦彦写的。"

李师师这一句话，可算是给周邦彦惹了大祸，皇上说："噢，周邦彦，行，我记住这个名字了。"在李师师这儿吃完饭喝完酒回来，宋徽宗就把蔡京叫来了，没有别的事儿，就是一个字——查！查周邦彦。蔡京是皇上心腹，宋徽宗把蔡京叫到跟前之后，就跟他说："你给我查，有一个叫周邦彦的人，他是干什么的。"人的名，树的影，一说这周邦彦，大家都知道，皇上要是说，你给我查查，有个叫王小二的，那蔡京可能没地儿给皇上找去，天下有的是叫王小二的，但叫周邦彦的没几个，关键周邦彦还是个出类拔萃的人物，一查就查出来了，周邦彦是开封的盐税使。

在开封当地，周邦彦是负责税务方面的一个工作人员，官也不大，是一个小身份的人。皇上就说："原来他是干这个的呀，那再给我查查，他怎么能跟李师师搅和到一块儿呢？"皇上直接过问一个税务工作人员的情况，这事儿并不多见。

蔡京就赶紧去查，这一查，发现周邦彦在工作方面是一个积极分子，工作认真负责，每天头一个上班，最后一个走，来了还给大伙儿打水，扫办公室，不多说，不少道，过马路走人行横道线，不随地吐痰，"您好""谢谢""再见"这些礼貌用语也都会说，反正挺好的一个人，基本上挑不出什么毛病。于是，蔡京带着这些个大臣一块儿开会研究，该怎么办好这件事儿。研究到最后，终于明白了，其实就是皇上看着周邦彦别扭，那就简单了，虽然说皇上想要弄死一个周邦彦不算大事儿，但因为这点儿事情就弄死他，不像话，最后就判了周邦彦一什么罪名呢？就说他工作拖沓，给他定了一个流放的罪名。周邦彦你不是才高八斗吗？你不是有能力吗？李师师不是爱你吗？好，你就别在这儿待着了，三天之后，你就离开首都，再也别想回京城了。

12 ―捡 史―

李师师：缘起缘灭缘终尽，
花开花落花归尘

Guo Theory

　　施耐庵先生好像对女人多多少少有些偏见，他把女人不是写得跟老爷们儿似的，就是写成淫妇。但是《水浒传》从头到尾对李师师都是很尊重的……字里行间都透出"尊重"二字。

　　周邦彦在李师师的床底下写了一首词，虽然说创作条件有点儿艰苦，但是这首词本身还是不错的。您想，这首词从宋朝一直流传到现在，可见它的文学性很强，而且这首词背后的故事也很可观，但也是因为这首词，周邦彦算是给自己招惹上了大麻烦。

　　李师师一唱，皇上就听出来这词里有问题。宋徽宗跟周邦彦俩人的关系是剪不断，理还乱，互相吃醋。这回皇上吃醋，这事儿就更麻烦了。皇上说，不行，李师师是我的，虽然说我不能天天都瞧见她，那也不能让她跟写词的在一起，要找出是谁写的词。皇上要找出周邦彦，那还不容易吗？随便一问就问出来了。于是皇上就吩咐蔡京去查他。刚开始蔡京还没弄明白，后来才知道皇上是要办周邦彦。这还不简单吗？蔡京就定了一个工作拖沓的理由，把周邦彦流放出去了，不让他在京城待着，以后再也见不着李师师了，反正基本就是这个意思。

　　周邦彦三天后离京，谁最难过呢？当然是李师师最难过了。心爱的人，我的周大叔，你说你怎么惹祸了，是怨你还是怨我呀？是怨你的才华太出众，还是怨我不该唱这歌，更不该把你名字说出来？但事已至此，说什么都没用了。三天之后周邦彦离开京城之前，李师师到长亭去送他。咱们知道好多历史故事，一般都是这样的场景，就是所谓的长亭饯行嘛。不管是被发配的犯人，还是出城公干的、做买卖的，一般情况下，亲朋好友都会在城外找一个地方，当然有个亭子最好，没有的话在马路边也成，带点儿酒菜，跟你聊一聊，尽尽自己的心意。大家都这样，这也拦不住，于是李师师就去了。

李师师这一去不要紧，她刚走没多久，皇上就来找她了，而且在镇安坊一直等着她。其实皇上的心里也很难受，他到了镇安坊，坐在李师师的屋里边就问："师师上哪儿去了？"李妈妈就回答说："师师出去送朋友了。"皇上又问："送哪个朋友啊？"李妈妈就答："送那个小周。"皇上一听说是小周呢，心里就有数了，今天是周邦彦被流放的日子，师师送他去了。皇上就饶有心事地坐在屋里边，咱们可以想象皇上当时的心情，指不定多难受呢。他一直等到天黑，李师师才回来。

皇上一瞧师师回来之后的样子，就跟刚去上过坟似的，那脸哭得乱七八糟的，眼圈是黑的，头发是乱的。两人坐在一起，相对无言，当然也没法说话。皇上想了又想，终于问了这么一句话："帅帅，你今天送周邦彦的时候，他没给你写一段新词吗？"这就是故意找茬儿打架的节奏。李师师倒也真敢告诉皇上，周邦彦确实给她写了首新词，叫《兰陵王》。这首词一直流传到现在，内容是："柳阴直，烟里丝丝弄碧。隋堤上、曾见几番，拂水飘绵送行色。登临望故国，谁识京华倦客？长亭路，年去岁来，应折柔条过千尺。……"这首词总共有三段，咱就不多说了，反正描绘的就是这样的状态吧，十里长亭，此一去山高路远，也不知道什么时候能再看见你，俩人坐在这儿，就是你爱我，我爱你。周邦彦临走还给李师师写这样煽情的诗词，李师师的心情能好吗？回来之后，再被皇上这样一念叨，李师师的心里更加郁闷了。当然皇上的心里边也不是滋味儿，一直酸溜溜的。

事情虽然闹成这样，但不可否认的是，周邦彦的词写得确实挺好。皇上听完这首词，又看了看李师师，心里很是感慨："周邦彦啊周邦彦，你确实值得拥有。"

皇上也不知道是从哪儿看到这广告词,反正大概就是这样五味杂陈,各种心情糅在一块儿。说起来,宋徽宗也算是很大气,为什么这么说呢?他想了又想,然后告诉师师说:"得了,看在周邦彦的词写得这么好,有才气,你又这么喜欢他的分儿上,还是叫他回来吧,不用流放了。"李师师咕咚就跪下了:"太谢谢皇上了。"事情发展到这个地步,皇上心里其实并不满意,但还是应了那句话,我再爱你又如何,你心里边最重要的人是周邦彦,而不是我。后来宋徽宗还真把周邦彦叫回来了,但是周邦彦没活多长时间。因为他晚年确实为蔡京他们所不容,后来一直在京城外边做地方官,到顺昌做过官,也就是现在的安徽阜阳,也到处州做过官,也就是今天的浙江丽水,反正一直混迹于这些离京较远的地方。宣和三年,也就是 1121 年,周邦彦死在现在的河南商丘,享年 66 岁,我们伟大的可爱的周邦彦先生,就这样永远地离开了我们。

据说周邦彦去世的时候,李师师并没有哭,为什么呢?所谓哀莫大于心死,到这会儿再哭已经没什么意义了。但是从这之后,皇上也来得少了。其中一个原因当然是他和李师师私人之间的事情,他折腾累了,还有一个更重要的原因,就是天下大乱了,他要为国事操心,不停地跟金、宋两国周旋。

1125 年的腊月的某一天,皇上又来看李师师,我估计他是送年画来的。总之快过年了,带了好些个东西过来。具体带了些什么,一些个野史和资料书上也都有记载。反正正值年下,送些大米啊,送两桶油啊,送两箱苹果、半扇猪,还送了点儿羊肉什么的吧。不管送了些什么,总之皇上送的那玩意儿档次差不了。但是,皇上坐在那里之后,整个人的情绪就有点儿问题,师师也感觉得出来,皇上肯定有心事,看得出来他很上火。临走的时候,宋徽宗好像也是一副很感慨的样子,跟师师说,师师你多保重,要注意身体,多喝水,每天早点儿睡觉,别熬夜,我今儿走了,很有可能以后就来不了了,因为朝廷里边事儿多,挺忙的,总之你照顾好自己就行了,好了,我先走了。说完这一番话,皇上就走了。

他是腊月初上师师这儿来的,到腊月二十三,也就是糖瓜祭灶的时候,突然传来一个大消息,说皇上退休了,不干了,把皇位让给了自己的儿子,因为他觉得自己岁数大了，也差不多不想干了。实际上，这一年宋徽宗不过43岁，那他为什么不干了呢？因为天下乱，眼下这摊子比较麻烦，不好收拾，得了，还是别受这罪了，让儿子来吧，就把这个皇位禅让出去了。

宋徽宗的儿子听完这消息之后，哭得都不行了，心说这个爹怎么这么坑人呢，哪儿的事儿啊？您倒是先言语一声啊，这突然就让我当皇上了，人家还没做好准备呢，心里确实挺难受的。宋徽宗不做皇上了，那做什么去了呢？他给自己加封的是"教主道君太上皇帝"，就是到太乙宫当道教的首领。宋徽宗就说："天下已经没我什么事儿了，我也不准备过问了，现在我就好好地去念经，修身养性，我要去当神仙了。"他儿子没办法，这皇上他不当也得当了。所以1126年，也就是转过年来，宋徽宗的儿子登基坐殿，改国号为"靖康"。

"靖康"俩字挺好，《满江红》里边就有"靖康耻，犹未雪"这样一句。靖康它其实是一个挺吉祥的意思，愿天下太平，一切都很好。但是愿望终归是愿望，哪能你想怎样就怎样？这就跟拜年似的："您好啊！日进斗金，黄金万两！"大家都这么说，但过了春节该上班还得上班去。

1126年的闰十一月，天下大乱，金国的大兵已经杀到了开封。到了这会儿，说什么也没用了，于是群臣跟皇上也就是小赵桓商量说，现在兵临城下，将至壕边，天下万民都很苦，尤其是守城的兵丁，而且现在天很凉，皇上您看能不能拿点儿钱，给士兵做点儿棉衣裳什么的？要说这皇上也挺讨厌的："没钱哪！我哪儿有钱？国库空虚，你们就去跟士兵们说，叫他们忍一忍吧！"可那是能忍的事儿吗？就这一点来说，这小皇帝还不如李师师。这一年的年中，河北告急的时候，李师师就把自己的小金库拿出来捐了，她把家里的钱拿出来归置好，找到有关部门，说她留下这些钱没用，还是国家要紧，所以她准备把这些钱都捐出来，给士兵们做点儿棉衣服。这就应了那句话：国家兴亡，匹夫有责。

小皇上跟李师师一比，一眼就看出两人的高下来了。国难当头的时候，别看她只是个歌伎，她心里想的仍旧是国家。可是小皇上心里想的是钱，就那会儿来说，小皇上连一个名伎都不如。这会儿，宋徽宗已经去当老道了，李师师又找到当初那个大太监张迪说："张迪我跟你商量点儿事儿。"张迪就问道："您想跟说我什么呢？"李师师就说："现在国家这个状态，我也不想在尘世上混了，因为人生一点儿意义都没有，我也想出家。皇上现在不是教主道君太上皇帝，在太乙宫当道教的首领吗？我也想出家当一个女道士，你看行不行？"张迪觉得这确实是一个好办法，因为全天下人都知道李师师跟皇上好过，你说她现在这个状态，就算让她嫁人，她能嫁给谁呀？如果她愿意出家，确实是一个非常好的选择，于是他就跟李师师说："那我跟皇上说一声去。"张迪回去跟宋徽宗一说，宋徽宗也觉得这是个不错的办法，不出家的话让她干吗去啊？于是就同意了。就这样，李师师就在城北的慈云观出家了，从此以后青灯古佛，了此一生。

靖康元年闰十一月二十五，汴京城沦陷。有句话说得好：宁为太平犬，莫作离乱人。若是这天下太平，就算你当条狗，都会觉得很幸福，这一到了兵荒马乱的时候，人活得实在是太艰难了。金国的主帅进了城，当然他们是来打仗的，进城来能干好事儿吗？只能是烧杀抢掠呗。但是金国主帅在临走的时候，金太宗①给他提了一个要求，说："你们打仗的时候如果攻破了汴京，就去找一个叫李师师的人，把她给我带来。天下人都夸她好看，说她漂亮得都不行了，我得瞧瞧她到底有多好看。如果找不着的话，你们就死在外头，不要回来了！"所以说金国主帅心里也一直惦记着这个事儿，心说只要进了城，我就得去找李师师。

但实际上李师师并不好找，你想啊，那个年头没有这么严谨的户籍制度，也没有什么DNA、指纹，什么都没有。而且天下这一乱，你知道谁活谁死谁跑了，是不是？但李师师终归是个名人，他们转来转去，搜来搜去，你问我，我问你，到最后功夫不负有心人，在慈云观找到了李师师。好家伙，师师你在这儿窝着呢，我们正找你呢，跟我们走吧，就把李师师给抓来了。抓来之后，金国主帅一瞧李师师，顿时说："我的天，真是天姿国色！"你别看李师师当了道姑，她就是好看，怪不得连皇上都爱她。金国主帅就跟李师师说："你知道我找你干吗吗？是我们

---

①　即完颜晟（1075—1135），女真名完颜吴乞买，金太祖完颜阿骨打之弟。1123年即位，为金朝的第二任皇帝。

金太宗看上你了，我们的主子喜欢你，他很爱你，你跟我走吧，保证以后你吃香的喝辣的，还请你以后多关照我……"

李师师一不慌，二不忙，说道："行啊，其他的不重要，但你得先给我找一间房子，我现在的穿着打扮，梳着这头，一看就是一个道姑。你们要我过去，我总得换换衣服，梳洗打扮，准备一些应用之物吧？""哦好好好……"看到李师师很配合，主帅就赶紧给她准备了一间房子、好衣服、好首饰，所需之物都给她准备齐了。李师师换衣裳洗了个澡，又重新化了化妆，化得非常好看，非常美艳，把衣服也全部穿好了，簪环首饰都戴上，捯饬完了之后，就出来见金国主帅。

金国主帅旁边还站着张邦昌[①]。张邦昌是大汉奸。没想到的是，柔情似水的李师师出来之后一眼就看见了张邦昌，二话不说，过去先"啪"地给了张邦昌一个大耳贴子，大声骂他："国家兴亡，匹夫有责！没想到你是这么一个恶毒的小人！你居然做了汉奸……"在这种情况下，没人敢拿李师师怎么着，张邦昌挨一嘴巴就挨一嘴巴吧。完事儿之后李师师还笑着说："你们金国的太宗打算要我是吗？好，不过我要告诉你们，他要得晚了，因为我马上就要死了。"说着话，李师师就一把从脑袋上把金簪拔下来，准备直接插进自己的嗓子眼儿自杀。但是插的时候，手劲儿太大了，把这金簪折成了两半。李师师也真是烈性女子，她直接把这断成两半的金簪拿起来，往嘴里边这一送，吞下去了，这就是吞金自杀。吭当，死尸倒地，在场所有人都吓傻了。他们根本想不到会发生这样的事情。那么多的大老爷们儿，一个个都投降做汉奸，而一个这么被人看不起的歌伎，这么一个小人物，为了国家，最后能够在敌人的面前自尽，多了不起啊！

所以从那会儿开始，一直到现在，有很多有关李师师的故事在民间流传。咱就说最常见的，您就翻翻《水浒传》。在《水浒传》里边，施耐庵先生写了好多女人，母夜叉孙二娘、母大虫顾大嫂、一丈青扈三娘，这是梁山上的三位女英雄。您就瞧这母大虫顾大嫂，您看哪个女人会叫母大虫这么难听的外号，对不对？一听就

①　张邦昌（1081—1127），字子能，北宋末年大臣。进士出身，宋时历任尚书右丞、左丞、中书侍郎等职。被金兵围困时，力主议和。"靖康之变"中，金国扶持其为大楚皇帝。

知道这女的跟老虎似的。母夜叉孙二娘更甭说了，还吃人肉包子。一丈青扈三娘，就跟老爷们儿似的。这仨女人完全是按照男人的形象来写的。当然了，《水浒传》里也提到了几个梁山下边的女人，比如说阎惜姣，再有翠屏山石秀杀嫂，还有安道全嫖院，等等。

其实后来我们曾分析过，包括好多专家也说过，施耐庵先生好像对女人多多少少有些偏见，他把女人不是写得跟老爷们儿似的，就是写成淫妇。但是《水浒传》从头到尾对李师师都是很尊重的，无论是话里话外，还是其他的很多事情，都把李师师写得非常仁义、道德。虽然施的笔墨不多，但是你看得出来，施耐庵对李师师，字里行间都透出"尊重"二字。

哪怕到了今天，我们提到李师师，也会非常感慨。就像我们经常说的那句话："读懂了风花雪月，走不出沧海桑田。"

13

—捡史—

明清狠事儿：这才是人狠

话不多的至高境界（上）

Guo Theory

从春秋到明末，"气节"这俩字最重要的用处就是正道统，辨华夷，无数仁人志士，舍生取义，杀身成仁，以身殉国，以身殉道，振奋世俗民心。

故事本身是仁者见仁，智者见智的，关键是我的水平实在有限，我也没怎么上过学，跟人家一聊天，各个都是大学文凭，或者是出国留学的博士前、博士后、博士左和博士右什么的。我什么博也不是，所以说跟大家聊天的时候老心虚，大家也就姑妄言之，姑妄听之，别跟我较真。

这些日子我的演出多一些。今年上半年其实一直没怎么演，因为去年演得太多了，去年是德云社成立20周年大庆，四五千人以上的大型商演，我们前后一共演出了111场。而小剧场演出，整个德云社差不多演了3000场。我说不能这么演，要这么演的话，就算咱们再敬业，也累死了，所以今年放慢了脚步，也推掉了很多商演，包括电视节目什么的，今年我是能不做就不做。所以说好多节目，不管是喜剧类，还是其他什么节目，所有的演员孩子，连我在内，能休息就休息，也充实一下自己，所以今年就没怎么演出和录像。但现在到了年底，陆陆续续的事情都找上门来了，以前答应过别人的工作也得去做，不演不行，你要想说相声，就必须上舞台，就像军人必须上战场一样。

这几天我都在上海。算起来，我在上海也演了有十多年了，这地儿还挺好演。头一年，第一次在上海商演的时候，我们的演出从没干过这行，要不试试吧，结果一开票，偌大的体育馆，一下子票全部卖光了，而且还要加场，加了一场又加第二场，一直连着演了三四场，所以说我觉得上海这地方挺好。这两天跟主办方在一起，琢磨着想吃点儿什么，其实我现在也不以吃饭为目的了，顶多就想吃点儿上海的特色小吃，甭管是葱油面，还是生煎，好歹吃点儿就行！

于是昨天，主办方安排我们去吃了螃蟹宴，小笼包和蟹粉都还挺好吃的。就是最后上了一汤圆把我惊着了，也是我孤陋寡闻，世面见得太少。最后上的这汤圆，我以为是豆沙或者黑芝麻馅的甜品，没想到我咬开一看，竟然是螃蟹馅的！我长这么大从没吃过螃蟹馅的汤圆，看着倒是挺新鲜的。

昨天吃饭的时候，大家闲聊天。一个朋友带着孩子来的，孩子挺喜欢研究什么天文地理、历史语文的，对这些挺有兴趣。吃完螃蟹，他就问了我一问题，说："中国文字博大精深，有一个词翻过来念跟正着念意思就不一样，您能给我解释一下吗？"我就说："你别问太难的，太难的我是真不知道。"然后我就问他想问什么词，他就说："我就想问问您，这个'节气'跟'气节'有什么区别吗？"他问完这个问题，我就乐了，跟前还有好些个人，都乐得不行。我说："孩子，你说的这两个词，根本不是一回事儿。二十四节气说的是气候，这是咱们中国古代劳动人民的智慧结晶，是生活经验的积累。因为咱们中国是农业社会，种地要了解太阳的运行规律，所以说你必须知道太阳是怎么运行的，二十四节气就是一个标准。"大伙儿其实也都知道，春夏秋冬分四季，春季有立春、雨水、惊蛰、春分、清明和谷雨；夏季就是立夏、小满、芒种、夏至、小暑和大暑；秋季就是立秋、处暑、白露、秋分、寒露和霜降；冬季则是立冬、小雪、大雪、冬至、小寒和大寒。

但是吃饭回来之后，我自己还是惦记着这个事儿，我心里想，孩子们的想法还挺好玩儿的，居然能把"气节"和"节气"这两个词联想到一起去。

你要是问一个外国人，他绝对说不出来，为什么两个一样的字在咱们这儿调换一下位置，就是截然不同的意义。我今天正好想起来这件事儿，就想跟你们大伙儿分享一下这个话题。节气我就不用多写了，刚才都写完了，大伙儿多少有些了解就行，节气就是一个中国传统文化里边记载着太阳运行情况的补充历法。

但是调一过儿，"气节"这个词的意思就不一样了，气节一般都是说风骨气节。从春秋到明末，"气节"这俩字最重要的用处就是正道统，辨华夷，无数仁人志士，舍生取义，杀身成仁，以身殉国，以身殉道，振奋世俗民心。当然，要是玩儿命地解释的话，其实也挺复杂，我的水平有限，也不敢跟大伙儿掉书袋地去谈论这些事情。但是这些年我说书的时候，或者我在查看史书的时候，不管是正史还是野史，其实提到了好多人，他们的故事都跟气节挺有关系的。

比如说有一位有气节的志士，叫方孝孺，前两天我修改剧本的时候，正好就涉及这一位。我会唱一出京剧，戏名叫《碧血丹心》，说的是燕王扫北，建文逃难，方孝孺草诏敲牙的故事。这是一出南派的传统京剧，北边好像很少有唱这个戏的，昆曲里倒是也有《草诏敲牙》这一出，说的也是方孝孺。我们南派京剧唱这出戏，前边唱的是建文帝，一直到唱完高拨子①，走下台之后演员把脸洗了，清水脸②打个小眉子，打个小眼角，或者不打也行，就这样素着，然后穿白戴孝，就要上台唱方孝孺了。

方孝孺是明朝建文帝最亲近的一个大臣，建文帝是他的知遇之君，方孝孺对建文帝也真是忠心不贰。燕王朱棣要夺取皇权，清君侧，开篇我就写了这个故事，所有的清君侧只有朱棣取得了圆满成功。朱棣夺得皇位之后，要找一个人起草他的登基诏书，但这个人不能随便找，一定要找一个权高势重、广得民心，各方面的能力水平都强的，方孝孺就是最佳人选。你要当皇上了，在门口找个炸油条的

---

① 戏曲腔调，源于徽调中的拨子腔，并融合了其他南方腔调。其特点是继承了梆子腔的高亢，但旋律和情调中带有悲愤、苍凉。

② 指妇女未施粉黛的脸。《儿女英雄传》有云："（小媳妇子）清水脸儿，嘴上点一点儿棉花胭脂。"

给写一个诏书，那多不像话，那炸油条的顶多能写"又酥又脆"四个字。所以朱棣就找到了方孝孺，但这方孝孺一心忠于建文帝，他倒是写了，可只写了四个字——燕贼篡位。这就厉害了，方孝孺就是因为这四个字死的，他家里边的亲戚朋友跟着他一块儿，好像一共死了好几百人，也有说好几千人的。

其实朱棣身边还有一个特别厉害的谋士，就是黑衣宰相姚广孝。在朱棣来南京之前，姚广孝就叮嘱朱棣："你到了南京成功夺权之后，千万别杀方孝孺。"为什么呢？因为要是杀了方孝孺，天下读书的种子就绝了。当时朱棣也答应姚广孝了。南京陷落之后，朱棣成了明成祖，也就是历史上的永乐大帝。文武群臣都来朝拜新皇帝，只有方孝孺闭门不出，天天跟家里边穿白戴孝，哭建文帝。明成祖就吩咐人，找方孝孺过来，要跟他说事儿。方孝孺还真来了，但这位大爷穿着一身白，见着朱棣就哭，就连朱棣也被感动了，说："先生，你不要这样，我不是造反，我只是效法周公辅成王。"方孝孺就反问朱棣："那你说成王安在？"这里的"成王"，其实指的就是建文帝。成祖说："成王已经自焚了。"方孝孺又说："那为什么不立成王的儿子为皇帝呢？"成祖说："国赖长君。"方孝孺又问："那怎么不立成王的弟弟呢？"燕王就挺心烦的了，说："此朕家事。"然后就把笔给了方孝孺，让他快写自己的登基诏书，还说："此事非先生不可。"方孝孺投笔于地，一边哭一边骂，说："死即死耳，诏不可草！"意思就是我可以死，但要让我给你写这诏书，门都没有！

这个场合，这么些人都瞧着呢，明成祖也确实难受，就问方孝孺："即死，独不顾九族乎？"意思就是，你死了无所谓，难道你就不管家里人吗？没想到方大爷大声说："便十族奈我何？"他的意思很明确了，你不说九族吗，杀我十族我也不写！朱棣气急败坏，就把方孝孺的嘴角割开，几乎一直撕到耳根子，并且搜捕方孝孺所有的亲戚朋友，十族就是连学生带邻居都算上了，一起押解进京。你方孝孺说诛十族都不怕，好，朱棣就当着方孝孺的面，一个一个地杀，杀一个问一次方孝孺是否回心转意，但是方大爷咬住了牙，强忍悲痛，一直到他的弟弟方孝友被押过来的时候，方孝孺的内心确实挺感慨的，按史书中的记载是，方孝孺当场泪如雨下，他没想到自己的弟弟倒是很从容，哥儿俩互相鼓励了一下，最后，方孝孺也被押到南京城聚宝门外被剐了，他遇难的时候才四十多岁。

很多人都说过"靖难受祸惨烈者，亦莫若孝孺。无论知与不知，无不义而悲之"这样的话，清代的学者们也不例外。老南京人也都说，明朝的午朝门外丹墀上，有一块血迹石，那就是方孝孺的血溅上去的，据说那石头的颜色鲜红欲滴，仔细一闻还有血腥味儿。当然这是不可能的，只不过是大伙儿觉得这位方先生太厉害了，古往今来要讲气节的话，这方孝孺可称得上是头一位。方孝孺的媳妇和孩子们也全都受他牵连，据说一共有873人！再加上被抓起来入监狱和充军流放的，少说得有几千人。方孝孺死了之后，到了阴曹地府，见到建文帝的时候，也能拍着胸脯说："我能面见您，真的很厉害！"

当然了，方孝孺在这个位置上，有气节也是应该的。有的人因为身份和状态不同，没有做出这样的选择，而有的人的做法却能让人刮目相看，这个人就是文震亨①，也叫文启美，苏州人氏。可能有的人不知道这个人是谁，但是提到他的曾祖父大家可能就都知道了。明朝有一大书画家叫文徵明，文震亨就是文徵明的曾孙，字启美，也就是所谓的启美先生。这文震亨在崇祯年间做过官，不但做过中书舍人，也做过武英殿的给事，还曾经供职于南明。他写过一本书，记载了弘光帝在南京继统的过程，但是后来遭到好多大臣的排挤，最后不得不辞官退隐。南明也挺好玩儿的，大臣们每天连饭都吃不饱，但一天到晚的也没正行，等有机会咱们再分享一下南明的故事。

因为文震亨是文徵明的后代，所以他家里边藏了很多的诗书绘画，他还善于园林设计。文震亨出过一本书，这本书的名字现在还有待商榷，据说有两种念法，一个说是《长（cháng）物志》，一个说是叫《长（zhǎng）物志》。这个"长"字其实就是长短的长，"物"就是动物的物。《长物志》，有人说这个"长物"

---

① 明朝著名画家，文徵明曾孙。书画咸有家风，山水韵格兼胜。明朝灭亡后，绝食而死，享年61岁。

指的是剩余之物、多余的身外之物。因为这12卷书里边，全是关于花木、禽鱼、书画、几榻、器具、衣饰、舟车和蔬菜水果什么的，这是文人雅士的雅兴、雅玩和雅趣。因为这些个东西不入主流，算是歪财，所以有人说这应该念 cháng。当然也有人说念 zhǎng。解释不一样，我水平有限，也不敢说具体念哪个，但是我把这两种说法都搁在这儿。文震亨就是这么一个主儿，第一，他真是高富帅；第二，他是一个正经的玩家。就是这些个玩物，没有人家不懂的，没有人家不精的，他就是这么一个了不起的人物。

顺治二年（1645年），按照南明立法来说就是弘光元年，清军攻占苏州，这位文大爷蔽居在阳澄湖。后来清军推行剃发令[①]，"剃发令"大伙儿都知道，就是要求所有人都得把头剃了，不剃就活不了。为什么这么说呢？当时那个剃头挑子的上面，现在挂手巾的地儿，其实最早的时候是用来挂圣旨的，就是"留头不留发，留发不留头"这一道圣旨。清初的头发不好看，就是所谓的金钱鼠尾[②]，而不是后来大家在香港电视剧里看到的那种清朝长辫子，演员留起来还挺帅的，甚至有的时候还能打分头。最早的时候，清朝要求把明朝时的龙发包巾全剃了，剃到最后，只剩下后脑勺上面一撮金钱鼠尾，很小，可能就比一块钱硬币大一点儿。就留这么点儿玩意儿，甩一小尾巴下来，那能好看吗？所以说那会儿好多人就因为这个，觉得很难受，但是你要是不这么剃头，就得被杀。在这样的情况下，这位文大爷，这位风流才子，这位大作家，因为这件事情自投于河。他居然跳河自杀，反正要他剃头，他就不活了，后来他家里人把他救了起来，救起来之后，他又绝食了六天。文震亨确实挺了不起！

有人说，气节无关乎文人武人。实际上，我们能隐约瞧出来，文震亨那么热爱生活的一个人，为了气节，最后竟然能够绝食六天，可见剃发令这玩意儿确实

---

① 清初，清政府下令汉族、蒙古族等全国各民族改剃满族发型的政策，不从者斩。
② 清朝标准发式，发辫比小拇指还细，像老鼠的尾巴一样，而且必须能穿过铜钱中的方孔。现在影视剧中的"阴阳头"其实是清末才慢慢出现的。

让人不好受。

提到气节，还有一位也是不得不提的，这位也很厉害，就是杨涟①杨大洪。明朝的时候，杨涟这主儿死得很惨烈。他是湖北人，也算是个东林党人。天启五年的时候，大明天下被魏忠贤控制。那会儿魏忠贤非常厉害，多少文臣武将都以管魏忠贤叫爷爷为荣。你别看魏忠贤是个太监，实际上至少有一万人跟他说过"我是您孙子"。

在这种情况下，杨涟竟然弹劾魏忠贤，还列出了二十四条大罪，就说魏忠贤怎么怎么坏、怎么怎么欺君祸国。魏忠贤要办他简单至极，最后就说他受贿。那么杨涟受贿了多少钱呢？魏忠贤说他受贿了十万两。但无论怎么打，杨涟都拒不认罪。史书上有记载说，每五天打一回杨涟，打到不能再打了的时候，就先让杨涟休息，歇几天再打。最后打到什么程度？把杨涟的下巴颏都打掉了，但杨涟还是一个字没招。

魏忠贤手下有一走狗，叫许显纯，他拿利针编成的刷子去刷这位杨大人的身体，这个很厉害，把杨涟刷得体无完肤。史料上有这么句话记录了杨涟当时的情景，说他皮肉"碎裂如丝"！咱想一想，杨涟被脱一光膀子摁在那儿，大刷子在他身上刷，把这皮肉撕下来，这玩意儿估计就跟当年岳飞那个披麻拷差不多。披麻拷也很惨烈，就是把类似沥青的东西涂在身上，然后贴上麻袋往下撕，连皮带肉一起撕下来！只有人才能做到这么狠，老虎都不会，老虎吃人是一口先咬死，不让你受苦，然后再慢慢再吃。但人要给别人上刑的时候，他能想尽一切办法，反正就是要让你招供，但是杨大人就是不招。

可就算杨涟不招，魏忠贤他们也有办法，他们是怎么杀杨涟的呢？因为不能留证据，所以不能拿刀杀，也不能拿剑杀，还不能有明显的皮外伤。许显纯损大了，他拿铜锤砸杨涟的胸口，把杨涟的肋骨都砸折了，但杨涟也没死。这个杨涟的特异功能太厉害了，一般来说，这样打，谁都得被打死，但杨涟就是不死。于是许

---

① 杨涟（1572—1625），字文孺，号大洪，湖广应山（今属湖北广水）人。明朝末年著名谏臣，"东林六君子"之一。

显纯又拿着布袋压杨涟的身体，这招儿在监狱里边经常用，专门用来对付像杨涟这种不听话的犯人。

今天晚上咱们就用布袋压杨涟，无论如何一定要把他弄死！

14

—捡史—

明清狼事儿：这才是人狼
话不多的至高境界（下）

Guo Theory

三百年来养士朝，如何文武尽皆逃？纲常留在卑田院，乞丐羞存命一条。

明朝天启五年，明朝监狱里边发生了一起大谋杀案，许显纯要杀杨涟杨大人，他想了一个什么办法呢？布袋压身。找一个布袋，里边装上土，趁犯人睡觉的时候把这东西压在犯人身上。

晚上睡觉的时候你刚躺下，监狱里边就来人了，说："怎么样？你冷不冷？要不给你盖上点儿什么吧？"然后就把布袋拿过来，压在你身上。一般来说，天没亮这个人就窒息而死了。据说这方法基本上每次都能成功。这一招儿是用在什么时候的呢？就是审不出口供的时候，既然犯人不愿意招，那我们就弄死你。他们就给杨大人压上一个布袋。但没想到这杨涟的命实在是太大了，晚上给他盖上布袋，结果到早上的时候，他老人家又坐起来了。

问又问不出口供来，弄又弄不死，真让人着急。那该怎么办？许显纯这个人也真不是人。要不有时候老说——"天底下最不是人的就是人"，特指那些丧心病狂的人。许显纯想了一个办法，就是拿大铁钉子，钉进杨大人的耳朵里。这个

111

咱光想想都觉得难受，他竟然能做出这个事儿来。在这种情况下，杨涟也知道自己活不了了，就开始写血书。我们在传统戏里边经常看到，咬破中指，拿血当墨，杨涟也是咬破了手指，直接用手指这么写。其实还有另外一种说法，就是先把手指咬破了，再把血挤在左手的手心里边，然后用右手蘸着血来写。反正这些都是挺惨烈的画面。

杨大人写完了他最后的血书，血书中写道："仁义一生，死于诏狱，难言不得死所。何憾于天，何怨于人？惟我身任副宪，曾受顾命，曾子云：'托孤寄命，临大节而不可夺。'持此一念，终可以见先帝于在天，对二祖十宗，与皇天后土，天下万世矣。大笑大笑还大笑，刀砍东风，于我何哉？"这几句话可厉害，一直留传到今天，我们依然能感觉出来，如果把这点儿纸扔到地上，那也得咣咣乱响！

到了天启五年七月的一天夜里，许显纯拿一根大铁钉子，钉进了杨大人的头部，那就甭说了，连神仙也受不了这样的折磨，杨涟当场死亡，死的时候才 54 岁。要说 54 岁正当年，但是受到这样的酷刑，任你是铁汉也没办法了。所谓的"我自横刀向天笑，去留肝胆两昆仑"，说的应该就是杨涟这样的气节，这也是臣节。当然了，也不见得一定得是做官的才能有这样的气节，我那天无意中瞧见一本清代野史闲书，其中说了一个弹琴的人，把我乐坏了，你说他也没有什么特别显赫的身份，也不是位极人臣或者如何了不起，但是他做的这些事情挺有意思的。

北京有个地方叫琉璃厂①，不知哪位看官去过，可能北京人都比较熟悉，就是位于北京南城的那个琉璃厂，那地方我很熟，因为 20 世纪 90 年代的时候琉璃厂有茶馆，我那会儿就在茶馆里说书、说相声，但那会儿还不挣钱。90 年代的时候，一个观众花两块钱，就能进去坐在那儿听书。当然人家也喝茶，茶卖得很贵，这就是掌柜的生意经，喝茶可能要花一百八，但是我们那时候说书挣两块钱，已经算是很好了。琉璃厂又分东琉璃厂和西琉璃厂，分别在街两边，现在那里已经是旅游胜地了。但是那会儿还行，人还不多，买什么文玩字画、纸笔墨砚，一般都

---

① 元朝时，此地开设官窑，烧制琉璃瓦，故此得名。明朝时，此地属于城区，修建外城后，琉璃厂迁至城外，但"琉璃厂"的名字得以保留，流传至今。

要上琉璃厂去逛一逛！我们今儿说的就是这琉璃厂。

曾经有这么一个主儿，叫张春圃，他是琴公，就是会弹琴。人很实在，书上说"其为人憨直"。听到"憨直"这个词，你就知道他傻乎乎的，反正不怎么八面玲珑的这么一人，大致就是这么一个状态。"以弹琴为士大夫所赏"，就是说他很有能耐，能弹琴，而且还不是咱们后来说的弹吉他、三弦、琵琶，而是弹古琴。因为过去的文人，包括孔圣人都说了，念书人都得会弹琴。当然我是不会弹的，我也不敢说自己是念书人，我只是喜欢看人弹琴，也喜欢听人弹琴。因为嘴要是利索，这手就不利索，你手要利索，嘴就不利索，这没办法，手和嘴很协调的很难得。

这位张春圃就会弹琴，而且越弹越有名，人人都知道琉璃厂有一个叫张春圃的，琴弹得特别好。这天有人来请他了，是谁呢？就是西太后。慈禧太后说要学琴，闻张春圃其名，诏他入宫授琴焉。就是说，慈禧已经听说过他的知名度了，在琉璃厂一带有这么一位很了不起的琴师，就叫他入宫。据张春圃自己说，他到了紫禁城之后，弹琴的地儿好像是在寝宫，但你要让他说具体是什么地方，他也未必说得明白，反正似是寝殿吧，只能说这个正屋有七大间，慈禧住在西头的一间，离西厢房很近，他就在这里弹琴。

但是，张春圃入宫之前就跟太监说了："叫我弹琴可以，但是有规矩，我不能跪着弹。"这就很厉害了，一般人去见太后，去见文武群臣，或者见个王爷，都得跪着，怎么可能不跪着弹琴呢？可张春圃提出来，我就是不能跪着，跪着我弹不了，我得坐着弹琴，因为我坐着弹琴才能出音儿。这一说，慈禧太后也答应了，那就弹吧。弹琴之前，还让张春圃挑琴，从太官的库房拿出这么七八架琴来，都搁在这儿，张春圃拿起来，这个拨拉拨拉，不好，那个拨拉拨拉，不行。按说皇宫内院的琴应该是很不错的了，但是张春圃认为不行，他觉得宫里的琴就是好看，装饰很美丽，但是材质不行。张春圃一说这话，旁边那个屋里的西太后就说："可将我平日所用者付彼弹之。"看来慈禧平常真的喜欢弹琴，直接把她平时弹的这架琴拿来给张春圃弹。

张春圃往那儿一坐，一落指，便"觉声甚清越"，就是拿手一拨拉就知道好不好。张春圃试过琴之后连声赞叹："好琴，就是好，就这个琴好。"西太后说："那你既然说琴好，就弹吧。"张春圃就开始踏踏实实弹琴。据他所说，在弹的过程当中，似闻隐隐有赞美声，就是说在他弹琴的过程中，旁边的西太后就玩儿命地喊好。但那个喊好，跟你上德云社听相声不一样，西太后不能那么喊，那就不像话了。一曲完了之后，西太后就跟张春圃说："歇会儿吧。"就让他先休息一会儿。

休息的时间，发生了一个小插曲，张春圃跟这儿坐着，沏了点儿茶水，跟太监聊了会儿天。一会儿的工夫，来了这么几个人，全都是女人，穿着打扮好像是乳娘的样子，还带着一小孩儿，这孩子十多岁的样子，穿的衣服特别讲究，看这个状态就不是一般人。这孩子来了之后，就拿手瞎摸乱砸，跟着闹。张春圃就跟小孩儿说："你别胡来，这个是老佛爷的东西，你不能动。"孩子就拿眼瞪着他，旁边有一个女人说："你知道他是谁吗？连老佛爷都事事依着他，你竟然敢拦他，你是不打算要脑袋了吗？"原文还有一句话："更一妇人以目止之，遂不言。"意思是旁边有一个女的拿眼瞪张春圃，示意他别搭茬儿，这孩子不是一般人。皇宫里边的孩子，不可能是门口卖菜大姐的儿子，对吧？

但是从皇宫里出来之后，张春圃就说了，"宁死不敢入矣"！为什么呢？在那里，他不能踏踏实实地弹琴，而且还关乎性命，指不定说错哪句话，就够呛了，他还是不去了，给多少钱都不去。慈禧当时诏他进宫的时候，有太监就告诉他："好好用心侍奉，将来给你弄个官，只要能在内务府当差，不患不富贵。""不患"的意思就是不怕，就是说小富小贵肯定没问题，从这日之后，你就能过上小康生活了。但是张春圃在宫里见了那个小孩儿之后，就再也不愿意进宫了，回来之后有跟他关系不错的朋友问他："你怎么不去皇宫里弹琴了呢？"他就说了这么一句话："此等龌龊富贵，吾不羡也。"就是说，这确实是有钱赚的活儿，但是这种富贵太龌龊，我不羡慕，更不愿意去。

但张春圃的名望太大了，连肃王也找他，王爷说："你弹得不错，要不上我这儿来，咱们按月给你发工资。"就把张春圃给诏到肃王爷的王府里去了，按月三十金。一个月给你这么些钱，你还要干吗？做什么买卖能挣这么些钱呢？但是张春圃总觉得在王爷府里很束缚，不自由，心里老想着，我怎么能够离开这儿呢？是不是我别干了才好呢？终于有一天，张春圃逮着机会了，那天刚好下雨，原文说是"一日暮雨"，就是黄昏的时候，五六点钟，开始下雨了，张春圃跟王爷说："我得走了，得赶紧回家去。"王爷想留他，于是说道："尔勿归肆，即宿府中可也。"意思就是，你别回去了，你那房子不也是外面租的吗？你就住到王府里边算了。张春圃还是说不行，坚持要走。王爷再三再四地留他，到最后张春圃竟然说："肆主不知，将以我为宿娼也。"这句话说得可有点儿过分了。意思就是，我必须走，我要是不回去，房东该以为我出去嫖娼去了。

咱实话实说，这位张春圃确实是有点儿气节，有点儿个性，但他实在是太不会说话了，把王爷气得赶紧让他走了。原文说的是"逐之出。从此不复召"，意思就是，轰他走，打这儿起再也不让他来了。张春圃倒挺开心，觉得自己终于熬出来了。这位张春圃据说最后是贫困至死，但也有人赞美他，说他"不慕富贵，不趋势利，贤于士大夫远矣"。当然这就是仁者见仁智者见智的事情了，但是在同类型的人里面，就是弹琴好的这些人里边，这个张春圃算是跟气节沾边的了。

好多人一提起气节，其实都跟气节相反，有利的时候，他跟你讲道德；不利的时候，就讲实事。能完全抛弃这些个世俗利益的，才叫气节。有的时候，哪怕是一个乞丐，如果沾上"气节"俩字，你也会觉得他挺伟大。我记得有这么一个事儿，1645年，清兵打到南京的时候，文武群臣全跑光了。好些文臣武将在这之前曾经宣誓，咬牙切齿地说要怎么效忠朝廷，等到最后清兵一来，为了保全性命、保全富贵，一个个能跑的都跑了。

但就在南京有个叫百川桥的地方，这儿有个要饭的乞丐，他拿起笔在桥边上写了四句话：三百年来养士朝，如何文武尽皆逃？纲常留在卑田院，乞丐羞存命一条。

"三百年来养士朝"，就是说江山社稷几百年，皇上拿钱养着这些文臣武将。"如何文武尽皆逃"，怎么到这会儿，你们这些文臣武将全跑了呢？"纲常留在卑田院"，这个"卑田院"，其实最早的时候是庙之类的机构，是做慈善的地方，但是后来就被引申成了类似收容所的地方，"纲常留在卑田院"，就是说你们朝廷上面已经看不见气节，看不见纲常了，但是在我们乞丐住的地方，还有纲常留着。"乞丐羞存命一条"，虽然我是个乞丐，但我已经不愿意这样窝囊地活着了。

写完这四句话之后，这个乞丐就翻身跳到河里边淹死了。没有人知道这个乞丐叫什么，他甚至连个名字都没留下，但是这四句话留存了千百年。朝里边这些大臣，这些一天到晚满嘴的仁义道德的人，应当觉得羞愧，因为他们竟不如一个要饭的！

当然了，我这也是姑妄言之，你们姑妄听之。也有人问我说，说相声的人有没有气节？列位，说相声的人，谈不到气节，但是得有良心。我们好好说相声，对得起观众每一张票的票钱，实实在在地拿观众当我们的衣食父母，这就是我们相声艺人的气节。

15
—论 俗—

铁打的定场，
流水的诗

Guo Theory

床前明月光，疑是地上霜。举头望明月，我叫郭德纲。

说相声的人，有时候嘴损一点儿，但是这也是个技术活儿。

比如我们有时候会跟台底下的观众说："这不，捧我们的各位看官们，各位爷们，你们都是花了钱的。所以不管怎么着，我得先捧你们几句，你们别看在场的人不多，但什么样的人都有。其中有一位大爷，他家里的太太不太规矩，跟别人有染，这人到底是谁呢？我不能说，我一说，他该打我了。您各位别着急，他也待不住，这就要走了。等他走了之后，我就给大家指一下，究竟他是谁！"

各位读者想一下，说这些话就损透了，你想这个时候，台底下的观众谁还敢走啊？谁走了，谁就是那个大爷，所以大家就踏踏实实地跟这儿听相声吧！这是技术手段，当然目的就是赚钱。尤其是地上演出 ①，不像剧场和茶馆什么的，观众是买票入场，地上演出是只要观众一乐，相声艺人就开始下去要钱了。说三分钟

———————————————

① 指过去的相声艺人在街头卖艺。

或者五分钟的相声，反正只要是看见你乐了，就去管你要钱。

我们有一段传统相声叫《黄鹤楼》，现在要说这《黄鹤楼》，先得上来俩人，老先生也好，演员也好，用我们行业内部的话说，这俩人要先追柳。所谓追柳，就是我唱上句，你接下句，俩人比赛，这个唱一段，那个就接下一段，这个再唱一段，那个又接一段，一接就能接个十几二十几出戏。这些个规矩，都是最早在地上演出的时候形成的，当时，一看到有观众过来，相声艺人就得赶紧说："你看我们俩给您唱个戏，我唱一个，你接一个，我唱你接。"这一唱一接，一接一唱，到最后就胡唱了，卖冰棍也好，卖耗子药也好，反正就是胡唱。这一胡唱，观众就笑了，观众笑了，我们就要开始收钱了。

把钱敛上来之后，就说："行了，这回我们不瞎唱了，这回咱哥儿俩得正经唱一段《黄鹤楼》了。"所以，实际上这是两个独立的曲目。但是你到了舞台上，要是前面用戏曲的追唱载入《黄鹤楼》是不合适的，因为前面这部分的《黄鹤楼》，要体现的是演员、剧中人不会唱戏，是胡来、是逞能的这种效果。"我要给您唱个戏"，实际上他一句都不会，要拿前面那个接，他可能会唱十多出戏呢。事实上好多戏演员都会，为什么到最后他要装成外行的样子呢？这自然是不应该的，原因是，当年在地上唱的，和真正的《黄鹤楼》，这根本就是两段戏，收钱那段已经过去了，后面才有了新的《黄鹤楼》。当然我们这行还有老先生依然这么演，咱也不敢说人家不对，但是咱现在从另一个角度出发，只能说这样的演法不是特别合适。这是过去地上演出的规矩，是专门为了要钱的演法。

还有些什么呢？比如说口技，还有数来宝[①]，等等，这都是相声艺人辅助的技术手段。还有"说学逗唱"的"唱"，就是唱太平歌词[②]。最早的时候，就是按照追柳的方式这么处理的，先给观众唱上两句，然后再让观众站在那儿听相声，不过这倒是相声演员必须会的，因为这是基本功的体现。唱太平歌词得用手拿着两

---

① 曲艺表演形式之一，流行于北方各地，通常是一人或两人以用竹板或系着铜铃的牛髀骨打拍的形式进行表演。最初是沿街说唱，即兴创作，后逐渐进入固定场所演出，内容亦产生了一定变化。

② 演唱形式为"干板数唱"，即一边数唱，一边用左手持两块竹板打节奏，右手则时而以手势辅助。太平歌词是相声演员的基本功。

块竹板，我们的行话叫玉子。说相声的给自己脸上贴金，说这两块玉子是西太后给的。这一听就是瞎说了，但是确实说起来挺好听的。包括很多行业的祖师爷都是找一个神仙，或者找一个历史上露脸的人来担任，目的就是给这行增添点儿光彩。所以说别小瞧我们唱太平歌词的这两块竹板，这可是西太后赏给我们的。实际上，西太后哪有那么大闲心，连这些事儿都管？

也有人跟我抬杠说："不对，照这么个说法，京剧不是唱吗？评剧不是唱吗？唱歌不是唱吗？为什么不能归在'说学逗唱'的'唱'里边？"事实上，这些"唱"应该归为"学"，这是学唱。京剧是不是有专业的院团，评剧是不是有专业的院团，唱歌的是不是也有专业的团体，所有学习音乐的是不是都有专业的团体？唯独太平歌词没有，你看北京市哪里有太平歌词艺术中心？没有。太平歌词是相声艺人必须会的专业演唱，所以太平歌词才是"说学逗唱"里的"唱"，其他的"唱"都是"说学逗唱"的"学"。这一点毋庸置疑，就算打到天边也是这么个道理。

在"说"这一方面，单口相声有小段的和大段的。小段的，就是二三十分钟的。大段的相声，我们也有一说法，叫腕子活儿，吵起来能说个十天八天的。但是一般来说，长篇单口相声都是没头没尾的，这一点跟过去的相声都是在地上演出也有很大的关系。我就站在街上跟您说这一会儿的工夫，您也就这会儿有时间听一听。等我说完之后，您把钱给我，我就走了，明天可能就不会再到这条街上来说相声了。

所以我们说单口相声不必有头有尾，它不像说书，说书人在书馆里，一说也许得说仨月！这仨月说完了，才能换下一个书馆，所以他们说的故事必须有头有尾。单口相声就在马路上说，要什么有头有尾？这一段说完，就算你们都乐了，也要下回见，等下回再见到我的时候，可能就是后年了。说过去的单口相声净是没头没尾的，这是由当年这种独特的艺术表现形式造成的，也是没有办法的。

其他的还有定场诗。我有时候录单口相声，或者在剧场表演单口相声，观众老爱起哄。每次观众都会大喊："再说一个！再说一个！"其实单口相声很少有好几个定场诗的。我是因为从7岁就开始学评书，才对这种一个人表演的东西更加熟悉一些。评书里也有定场诗，而且还有一块醒木。为什么评书要定场诗呢？

定场诗起到的是一个压沿的作用。过去的书馆没多大，客满了也就几十个人，一场能容纳100人以上的，那就叫大书馆了。观众坐在下边喝茶的、说话的、吵架的、吃东西的，干吗的都有。这说书先生来得早了，也是在台上面坐着，喝茶、抽烟，一看时间，该说书了，拿起醒木一敲桌子，这就开始了。但是一开始说书，台底下的人还是很乱，于是老先生们就研究出了定场诗这么一个法子。

我小的时候说书，先生就告诉我："如果摔了木头底下还闹腾，你可千万别大声喊。"好多演员一看观众这么大声音，他心里着急，他也涨声音，可就算演员再涨声音，也闹不过底下100多号人，底下的人比你的调门还高，你就什么都干不了了。那该怎么办？你就别说话。老先生们通常就一摔木头，光张嘴不出声，你也不知道他嘴里叨咕的是什么。有时候他们说的就是定场诗，但最后俩字或仨字，你也听不太清楚他说的是什么。从心理学上说，观众就会渐渐好奇起来，台上说的是什么呀？别说话别说话，咱们听听他说的是什么，一下子，场子就安静下来了。

这是一个技巧，也是心理学的方法，包括你摔醒木，也是同样的道理。比如说这一句"太平待诏归来日，朕与将军解战袍"，一般来说都是说到"朕与将军"这个地方，就拍一下木头，然后接着说"解战袍"。木头这一下应该拍在哪儿是有说道的。如果是在话里头拍的话，就是在"朕与将军"这儿摔一下，接着说"解战袍"。这种摔法，属于关里的摔法。过去中国是以山海关为界，分为关里、关外，说书的规矩也是这样定的，关外，就是摔在外头，说完"朕与将军解战袍"之后，再摔一下木头。当然这只是一个说法，具体因为什么才这么弄，年深日久的，老先生也没传下来具体的原因，咱们就把这个习惯记录下来就好了。

我刚才说的那句定场诗，其实是明朝嘉靖皇帝的御制诗，人家的原文是"朕与先生解战袍"。这首诗的全文是："大将南征胆气豪，腰横秋水雁翎刀。风吹鼍鼓山河动，电闪旌旗日月高。天上麒麟原有种，穴中蝼蚁岂能逃。太平待诏归来日，朕与先生解战袍。"因为我们说惯了"朕与将军解战袍"，所以就从俗吧。

还有一首我经常说的定场诗，也是常连安先生常说的："曲木为直终必弯，养狼当犬看家难。墨染鸳鸯黑不久，粉洗乌鸦白不鲜。蜜饯黄连终须苦，强摘瓜果不能甜。好事总得善人做，哪有凡人成神仙。"这首挺有意思的，我也经常说起这首诗来。

还有文学性比较强的定场诗，比如："八月中秋白露，路上行人凄凉，小桥流水桂花香，日夜千思万想，心中不得宁静，清晨早念文章，十年寒苦在书房，方显才高志广。"这种就是字头咬字尾的形式。"八月中秋白露"，"露"字底下是"路"，对应第二句的第一个字，"路上行人凄凉"，"凉"字底下是个"小"字，第三句就是"小桥流水桂花香"，"香"字底下是"日"，第四句头一个字也是"日"，"日夜千思万想"，"想"字底下是个"心"，接着就是"心中不得宁静"，然后"静"字接着后边，"清晨早念文章"。字头咬字尾，如此反复，这种效果看起来确实是挺好的，很有文学性。当然了，这些年我最爱用的定场诗是哪一首呢？我一写各位读者就都知道了：

床前明月光，疑是地上霜。举头望明月，我叫郭德纲。

16

一
歪
批
一

西游记的故事

从何而来之唐僧身世

Guo Theory

人之父母，皆得供养。嗟我亡考，一无所向。孤子为僧，复仇江上。母氏归宁，父魂飘荡。斩贼献俘，不胜悲怆。江风萧萧，江水荡漾。涤牲在俎，置酒于盎。府君有灵，来兹昭降。哀哉尚飨。

这些日子我的事情还挺多的，一到了年底，各种演出和节目不断，包括大年初一要上映的我自己导演的《祖宗十九代》那部电影，我每天都忙得热火朝天，一天到晚都没闲着。也是，今年上半年的时候我净待着了，所以下半年就开始忙碌了。这也挺好的，人哪，就是得忙一点儿，有点儿事儿干才行，千万不能闲着，因为一闲着就爱生事儿。

在《郭论》的开头，我对外宣传要给各位读者写写雅俗、写写历史、写写名著，前两个都写过了，就剩下名著了。有人问我："对古今中外哪一部名著最熟悉？"我回答："我所知道的最有名的名著就是《郭德纲相声选》了。"大家听我这么说，都乐了，就跟我说："那您就跟我们聊聊《西游记》得了，我们在您的单口相声里边曾经听到过，感觉您对《西游记》的理解跟别人不一样。"

这下可难住我了。人家有专业研究《西游记》的专家，专门到处去跟人讲这本书如何如何。过去我们说书的老先生就有专说《西游记》的，那会儿说《西游记》，还会顺便卖个糖什么的，就是说书说得差不多的时候，说书的人把衣服前面装东西的口袋扣子一解开，把里边的佛手、陈香饼，还有各种药糖都拿出来卖。等你买完了糖之后，老先生再接着说书。但是现在说《西游记》的人是越来越少了，因为《西游记》的故事大家都耳熟能详，不管多大岁数的人，只要跟他一提《西游记》，他就知道是唐僧带着几个徒弟去西天取经的故事。而且各大电视台也都拍摄过《西游记》的影视剧，甚至连国外都在拍，什么美国、日本、越南和泰国等国家，都拍过《西游记》。当然了，他们拍那《西游记》也是什么样的都有，这倒是说明了全世界人民都很喜欢《西游记》。

我确实是单有这么一套《西游记》，但跟别人的不太一样，各位读者如果有空到网上去搜索，能搜到我曾经说过的一段录音，就是《西游记》里的一个片段。当年我之所以会说《西游记》，是因为《西游记》既好说，又不好说。好说是因为人家原故事所提供的东西特别好，但难也难在这儿。你说你要是照书里写的那样来说，人家干吗非得听你说？所以每一个说书的艺人，他的东西得跟别人的不一样。就是因为这样，我当年弄了一个自己的《西游记》，其实也是在人家的基础上做了一些调整，因为每一个人说书的时候，表现手法都是不一样的。

我那会儿说书的时候，茶馆的老板是真捧我，特意在门口挂了个牌子，牌子上还写了"郭西游"这个名字。后来我老拿这事儿开玩笑，我说："老太太们到门口来看到这个名字，都以为这里是排队买锅的，这锅还能吸油。"当然这些话是闹着玩儿的。我在《郭论》节目里也没办法把我那时候说过的《西游记》从头到尾全说一遍。要是全说一遍，估计一年的时间也不一定够。咱们是《郭论》，就得论一论跟书有关的一些东西，让大伙儿听一听我的一些见解，当然了，我的这些见解，肯定是比不上各位的。如果真要聊的话，我就聊一聊跟《西游记》原著的细节上略有差异的另一个版本的《西游记》。

我不知道哪位读者看过元杂剧，元杂剧中也有 个《西游记》，是元末明初一个叫杨景贤①的杂剧名家写的。杨先生能力挺大，博采民间诸家之长，弄出了这么一个《西游记》的杂剧版。杨先生写的这个杂剧版的《西游记》，跟咱们现在所知的吴承恩先生的《西游记》，故事是差不多的，只是细节上有些不太一样。另外，他老人家也有些很大胆奔放的地方，让人叹为观止。

杂剧《西游记》的作者杨景贤，一说叫杨景言，号汝斋先生，他是蒙古族人，随着姐夫流落到钱塘。所以说各位读者要是上网查资料，可能会查到有人说他是钱塘人，还有说他之所以姓杨，也是因为从了他姐夫的姓，他的生卒年月也没有一个准确的时间。据资料来看，他应该是生在1333年左右，那会儿是元顺帝妥懂帖睦尔继位之时。在那个年代，剧作家社会地位低下，所以杨先生的生平事迹以及创作活动，还有什么好人好事之类的，也没有详尽的记载，但是有些资料里边还是提到过他的。另外还有一说是，杨景贤出生在永乐初年，也就是明朝的时候，得宠于朱明。通过这两种说法就能推断出，杨景贤是元末明初的一位戏曲家，史书上还说他好戏谑，善琵琶，凭着乐府出人头地。史书上的杨景贤就是这么一个主儿，但更具体的情况就没有太多的介绍了。

《西游记》是吴承恩先生的作品，这个大家都知道，但实际上这个故事并不是从吴承恩先生起才有的，《西游记》的故事雏形形成得特别早，有各种版本，民间讲故事的也好，写民间文学的也好，还有各种故事会，等等，总之就是民间艺术领域里边，有很多关于《西游记》的故事。但是吴先生很厉害的一点，就是他集诸家之长，写出了这么一部最终流传于世的《西游记》。

而杨先生的杂剧《西游记》，就是另外一回事儿了。他所有故事的处理方法，都和吴承恩的《西游记》不太一样，但还是挺好玩儿的。我看过杨先生版的《西游记》的杂剧，所以我可以大概地和大家聊一聊，杨景贤写的这个《西游记》跟吴承恩的有什么区别。杨景贤写的这个《西游记》，开头一上来是观世音菩萨出场，而且说得还挺细致的，我观世音，在南海普陀洛伽山上的七珍八宝寺里的一处紫

---

① 原名暹，字景贤（或景言），号汝斋。元末明初杂剧作家，蒙古族人，生卒年不详。作有杂剧十八种，流传至今的有《刘行首》《西游记》。

竹游檀林居住。您看，住在哪个庙、具体在什么地方，全都说得很清楚。又说这个西天竺佛如来有大藏金经5000来卷，须得找人来取。于是就找一个西天的尊者，叫毗庐伽尊者，让他托化于淮阴海州弘农县的陈光蕊家里边当儿子，长大之后让他出家为僧，然后前往西天取经。

在吴承恩那个版本的《西游记》里边，陈光蕊这个角色倒也是这么用的。玄奘长大后出家为僧，是先从他爸爸开始说起。唐僧他爸爸陈光蕊，先是当了一个洪州知府的官，娶的媳妇是殷氏，据说这殷氏乃大将殷开山之女。不知是否有哪位读者听过评书，《隋唐演义》里边就有个大将军叫殷开山，他就是唐僧的姥爷。唐僧她爸她妈要准备上任去，就是去当洪州知府这个官，他们准备先在百花店上找一条合适的船，从江口这儿开始走，中途歇个这么一两天，再雇船奔洪州去。从这里，一个神话故事就开始了。

陈光蕊晚上在江边买了一尾金色的鲤鱼。这卖鱼的跟他说："您看这鱼多好，这鱼通体金色，真的是很漂亮。"陈光蕊看了，也说这鱼不错。这会儿，他的媳妇殷氏，也就是殷开山的闺女，怀孕八个月了，陈光蕊想买条鲤鱼给她熬点儿汤喝，产后她也能下奶。到现在民间还是有这么个说法，说喝鲤鱼汤、喝羊棒骨头汤，还有说喝那个牛鼻子炖的汤，都能给产妇下奶。我也没喝过，就知道有这么几个说法。总之，陈光蕊看到这里刚好有一条金色的鲤鱼，他也没多想，就买下来了。没想到的是，这鱼买到手之后，一直冲他眨眼睛，这就听起来神奇了。所以人家这个故事的设计也巧妙，鲤鱼大家都见过，甭管河鱼还是海鱼，就从没见过鱼眼珠子会动的，也没有说鱼晚上睡觉是要闭上眼睛的，鱼都是睁着眼睡觉的，但是这条金色鲤鱼居然眨眼睛了。

陈光蕊当时就吓了一跳，因为他曾经听到过一个传说，"鱼眨眼必龙也"，就是说鱼要是能眨眼，那它就根本不是鱼，而是一条龙，非常厉害。陈光蕊当时心里面就想，我还是别吃它了，于是把它丢回到江里边去了，他就做了这么一件好事儿。紧跟着陈光蕊不是要找船嘛，就找来了一个划船的主儿，名叫刘洪。这刘洪可不是什么好人，吴承恩和杨景贤这两个版本的《西游记》里，这一点是一样的。在吴承恩的版本里，也是陈光蕊找到了水贼，实际上刘洪在江上是以打劫为主要工作的，是个专业在水路上劫财的土匪。到了船上之后，刘洪找到一机会，就把唐僧他父亲陈光蕊推到江里边去了，然后就跟这个殷氏说："我很爱你，我喜欢你，你漂亮，你看你多好，白白胖胖的……"

殷氏说："胖是因为我怀孕了。"刘洪就说："就算你怀孕了，我也爱你，你就跟我过日子吧。"殷氏说："你要是想让我跟你的话，就得依我两件事儿！首先要等我生完孩子。不仅如此，而且还要等这孩子三年孝满。因为这孩子的爹死了，他至少得守孝三年。等孩子3岁之后，我才能跟你做夫妻。"这刘洪说："那好啊。"要不说刘洪也是一没脑子的，要换一有脑子的人，肯定不会答应殷氏的要求。

关于陈光蕊被推到江里这件事儿，两个版本的说法都差不多。不过，陈光蕊放走的那条金色鲤鱼，确实不是普通的鱼，而是为了去赴分龙宴被逮住的南海小龙。据传说，分龙宴就是龙族每年都有的这么一场大聚会，龙族的成员全都聚在一起吃饭。还有一个说法就是，借分龙宴这个机会，龙门要升高，然后鲤鱼要跳龙门才能成为龙，跳不过去就还是鱼，所以叫分龙宴。因为这南海小龙在飞龙宴上喝多了，所以醉倒在沙滩上，变成了金色鲤鱼，这才被人家逮走卖了，没想到最后让陈光蕊给买着了。南海小龙被陈光蕊放回江里之后，酒醒了，很感激陈光蕊对自己的救命之恩。与此同时，观音菩萨也传了一道法旨，说陈光蕊今日有难，吩咐巡海夜叉、沿江水神紧紧防护。所以这会儿一瞧陈光蕊被推到水里了，他们就赶紧救护，之后在水晶宫殿养了陈光蕊十八年，等到十八年之后，才让陈光蕊夫妻父子团圆。

唐僧来到这个世界上之前，就是西方的毗庐伽尊者。毗庐伽尊者后来落水了，龙王就说圣僧罗汉掉水里了，吩咐众水卒腾云驾雾，把这个小孩儿弄起来了。为什么唐僧会落水呢？因为殷氏生下了孩子之后，刘洪坚决不要这个小孩儿。原本刘洪答应过殷氏，等她生完孩子守孝三年后再跟她做夫妻，但现在孩子刚出生，他就等不了了，要求她把孩子扔掉。所以陈光蕊爷儿俩都掉到水里边了，陈光蕊是被养在水晶宫，小唐僧则是被水卒救起来了。

水中龙王把小孩儿从水里救出来之后，就直接送到金山寺跟前了。金山寺里住着一个老方丈，叫丹霞禅师①，是庐山五祖的弟子。他夜里做梦有伽蓝②相报，就是梦里有神仙来告诉他说，明天早上起来，你这里会来个了不起的人，是西天的毗庐伽尊者，你赶紧撞钟焚香迎接。但是第二天早上，丹霞禅师一直没有等到人，只有一个渔民从河边捡了一个东西，是什么呢？一只匣子。小唐僧出生之后，刘洪坚持要把他扔掉，唐僧的母亲最后没有办法，就把他放进匣子里，大概就是一个大漆盒，里边装了两股金钗，还有一封血书，为将来母子相认时用，她还把孩子的一根脚趾给咬破了。要从这个角度出发，实际上在整个《西游记》里边，唯一吃过唐僧肉的就是唐僧他妈，头一口唐僧肉就是被她吃掉的，所以按道理来说，我觉得他妈应该会长生不老。

渔民把这只装孩子的匣子抱过来说："长老，您看看吧。"原文写道，抱来的这孩子"寒光闪烁，异香馥人"，意思就是这孩子抱在手里的时候，金光灿烂，而且一闻这味儿，喷香，看得这老和尚直吧唧嘴，真是太好闻了，太香了。再一看匣子里边，还有金钗两股、血书一封，上面写着："此子之父，乃海州弘农人也，姓陈名萼，字光蕊，官拜洪州知府。携家之任，买舟得江上刘洪者，将夫推堕水中，冒名作洪州知府。有夫遗腹之子，就任所生。得满月，贼人逼迫，投之于江。金钗二股，血书一封，仁者怜而救之。此子贞观三年十月十五日子时建生，别无名字，唤作江流。"

为什么唐僧小名叫江流儿？原因就在这里。他妈抱着他到河边，让这孩子顺着江水漂流而下，江流儿就是这么个意思。一看到血书上写的这些话，丹霞长老先是一愣，这上面写着江流儿是十五日被投到江里的，今天已经是十六日了，现在可是冬天最冷的时候，就这种时候，在江上漂一晚上，没被冻死就不

---

① 丹霞禅师（739—824），籍贯不详。唐代著名禅师，法号天然，因曾在南阳丹霞山修行，故被称为丹霞禅师或丹霞天然。

② 伽蓝神是佛教寺院守护神的通称。

错了，这个小孩儿他足足漂了一天都没死，于是老和尚说："一夜至此，岂非异人乎？必伽蓝所报者是也。"他心里就确定了，这小江流儿就是昨晚神仙托梦时所说的那个西天了不起的尊者。

然后丹霞禅师就把金钗给了门口的渔翁，因为是渔翁打鱼的时候捡到了江流儿，所以这金钗就给渔翁当报酬吧，然后又让人到外边去找一个奶娘，看看有没有谁家的妇人刚没了孩子，拿钱请她过来。打这儿起，老和尚就把江流儿留下来了。这江流儿7岁能文，15岁无经不通，本宗性命，了然洞彻。所以，后来老和尚给他起了个名字，叫玄奘。所谓玄者妙也，奘者大也，大得玄妙之机。然后时间一晃，江流儿就18岁了，老和尚跟他聊天的时候，说起这些往事，唐僧才又回到洪州去见母。关于唐僧见母这个地方，我们京剧里也有一出戏，戏名叫《唐僧认母》，戏中有一个大段的高拨子唱腔，其中有很多的佛号，就是唱各种佛。《唐僧认母》是南派京剧里边挺独特的一出戏，可惜现在也快失传了。这唐僧扮成行脚僧，到洪州寻母，他走之前，师父跟他说你去找吧，怎么怎么样，还把当年的这些事儿一一告诉他，他这才起程。

唐僧到了洪州，按照师父所说的这些，最后找到刘洪这儿来了，也见到自己的母亲了。然后就去打官司，要把这个刘洪抓起来。他先到洪州太守那儿去告状。这时的洪州太守是虞世南[①]，历史上还真有这个人，虞世南生性沉静寡欲，是一个特别爱学习的人。虞世南一生经历过好几个朝代，在陈朝的时候，他就已经很厉害了，好多人都知道他是大才子。隋朝时，他管任秘书郎起居舍人，隋朝灭亡之后，窦建德[②]任命他为黄门侍郎。李世民灭了窦建德之后，虞世南又被封为亲王府的参军、弘文馆的学士，他跟房玄龄这帮人一起共掌文翰，是当时的十八学士之一。到了贞观年间，虞世南的官越当越大，什么著作郎、秘书少监、秘书监，就这么一路当官上来，后来又担任永兴县公，人们都称他为"虞永兴"或者"虞秘监"。

---

① 虞世南（558—638），字伯施，唐朝书法家。唐太宗称他德行、忠直、博学、文词、书翰为五绝。与欧阳询、褚遂良、薛稷合称"唐初四大书家"。其所编作品《北堂书钞》是中国现存最早的类书之一。
② 窦建德（573—621），为东汉大司空窦融十七世孙。隋末河北农民起义军首领，后被李世民俘虏，同年被唐高祖处死。

虞世南这主儿据说长得很一般，身子骨也很单薄，但是性情刚烈，直言敢谏，所以唐太宗非常爱他，爱得都快不行了！虞世南去世的时候是贞观十二年（638年），那年他81岁。说实在的，那个年头能活81岁是非常了不得的事情，他死后获赠礼部尚书，谥号文懿，配葬昭陵，并在贞观十七年（643年），绘像凌烟阁。我们老说哪个大臣最后能在凌烟阁标名姓，就是在凌烟阁挂上一张自己的画像，说明这个大臣深受器重。

《西游记》这个故事里边的虞世南在此处做洪州太守，唐僧去他那里告状，一告就告准了，虞世南直接命人捉拿刘洪。刘洪是大恶霸、大水贼，杀人放火，上堂肯定会胡说八道，拒不认罪。虞世南派人把刘洪拿来之后，根本就没理他，直接找人拿刀子把他的肚子切开了。原文中的几句话是这么说的："孤即引此贼，直至大江水。尖刀剖其腹，俘献陈光蕊。"什么意思呢？就是别废话了，直接把刘洪弄到江边去，他不是在江里把陈光蕊推下去的吗，就在那儿把他的肚子剖开，也让陈光蕊痛快痛快，大概就是这么个意思。虞世南在江边把这些事情都安排完了之后，唐僧给他爸爸念了一段祭文："维贞观二十一年春三月朔日，男玄奘谨以清酌庶羞，致祭于亡考洪州知府府君之灵曰：人之父母，皆得供养。嗟我亡考，一无所向。孤子为僧，复仇江上。母氏归宁，父魂飘荡。斩贼献俘，不胜悲怆。江风萧萧，江水荡漾。涤牲在俎，置酒于盘。府君有灵，来兹昭降。哀哉尚飨。"

17

一歪批一

一个和尚十个帮

Guo Theory

昆山有玉，混杂泥沙。丽水生金，宁无瓦砾。土木雕成罗汉，敬之则福生。铜铁铸就金容，毁之而有罪。泥龙虽不能行雨，祈雨须祷泥龙。凡僧虽不能降福，修福须敬凡僧。

我是一个挺爱看书的人，不过我上学那会儿，数学、英语、化学什么的，这一类科目我都比较差。要说语文和历史这类的科目，我还是挺喜欢的，连老师都说我偏科，说我以后成不了大学生，我觉得老师说得特别准确。

我是真的很喜欢《西游记》，当初为了说这本书，我看了好多和《西游记》有关的书，不管是民间传说，还是《大唐三藏取经诗话》《西游记前传》《西游记后传》等，反正各式各样的东西都看了，也顺便了解了一下不同的作者站在不同的角度是怎么去设计自己的故事的。

《西游记》说的是唐太宗李世民在位期间的故事，李世民确实非常拥护佛法。传说，他当时建了四百多间寺庙，供养的僧人不计其数，对待出家人也特别尊重。据说唐太宗曾经说过这样的话："出家真乃大丈夫，尤胜公侯将相。"意思是出家人才是大丈夫，比这些王公大臣都厉害。但是不久之后，李世民就发现有一些僧人不守法规，"修行不如法"，所以他心里不太愉快，心情也不美丽了，对佛教的供养逐渐减少，他就是觉得出家人与他想的不一样，你们怎么能这样，是不是？所以李世民曾经问过玄奘法师："我供养这些凡僧，是不是也能得到福呢？"要不说玄奘是个大师呢，他的回答特别好，他的原话是这样的："昆山有玉，混杂泥沙，丽水生金，宁无瓦砾。土木雕成罗汉，敬之则福生。铜铁铸就金容，毁之而有罪。泥龙虽不能行雨，祈雨须祷泥龙。凡僧虽不能降福，修福须敬凡僧。"

这几句话说得特别高明，真的，咱们得承认，人家玄奘确实是大法师，这每句话的意思，仔细琢磨，就能发现其中蕴含着很多道理。这几句话和曾经的一个小故事是相同的道理。这个故事说的是，曾经有一个少女未婚先孕，父母就问她："这孩子是谁的？"那个年头没结婚就怀孕，是大逆不道的事情，所以少女不敢说孩子的父亲是谁。最后这闺女被逼得没办法，只好说："这孩子他爸爸是咱们庙里的和尚。"于是孩子生下之后，这家人就抱着孩子去找和尚了。和尚只是说："好，把孩子给我吧。"然后就把孩子接过来了。之后，和尚天天抱着孩子，到处给孩子讨奶喝。这件事情传出去之后，村里边、镇上，甚至整个县里都炸开了锅，大家天天都在骂和尚。一年之后，生了孩子的闺女自个儿先受不了了，内心无比煎熬，这才说了实话，说这孩子确实不是和尚的，而是另外一个人的。冤枉了和尚一年，这家人也觉得非常惭愧，就去找和尚去，到了庙里一瞧，发现和尚很憔悴，孩子却养得又白又胖。和尚一个人天天照顾孩子，确实不容易，这一家人向和尚道歉，但和尚也没说啥，只是把孩子还给了他的母亲。

后来有人问和尚："你被冤枉了这么久，名声扫地，为什么不辩解？"和尚就说："对出家人而言，功名利禄都是身外之物，我能解这姑娘之困，拯救一个小生命，那就是善事，被人误解又有什么关系？而且就算我出去解释，也没人会听，更没人愿意听！"人们总是习惯按照自己的所闻和理解去做出判别，而且每个人都很固执。他如果理解你，一开始就会理解你，他若是不理解你，你说破天都没用，倒不如省下辩解的时间，去实现自身更大的人生价值，正所谓"渡人就是渡己，渡己亦是渡人"，这句话值千金。所以说唐僧取经的意义非常之大。

唐僧见完母亲，替父亲报了仇之后，观世音菩萨就出来了，告知长安城大旱，让玄奘法师去京师祈雨救民，说我佛有大藏金经要来东土，单等玄奘来。这一处跟吴承恩先生的《西游记》就不大一样了。既然没有人能求雨，玄奘就去求雨。他到了京师，打坐片时，大雨三日，唐王李世民很开心，赐玄奘锦襕袈裟。这部剧中这个袈裟是天子给的，而吴承恩的《西游记》里边说，这袈裟是人家观世音带来的，这一点的处理方法不一样。天子赠锦襕袈裟、九环锡杖，不仅如此，还封经一藏、法一藏、轮一藏，所以又给他起名叫三藏法师①。待到风声止，挑一个好日子，赴西天取经后归东土，以保国祚安康，万民乐业。而唐僧父亲因为之前救了南海小龙，小龙在水晶宫保护了陈光蕊十八年，直到这个时候才把他送了回来。见陈光蕊复活了之后，皇上瞧着他这人还挺好，就封他为楚国公，他的媳妇则被追封为楚国夫人，赐公田四十顷，归老为农。你说人生这玩意儿，起起落落的，也没个定数。其实皇上的意思是，圣僧你安心地去取经吧，你父亲母亲现在都已经被安排得踏踏实实的了，他们的养老保险之类的东西我都弄好了。

唐僧临走之前，在路边折了一根松枝，插在地上，说："你们看着，这根松枝现在是冲着西方的，等到松枝扭回来向东的时候，我也就回来了。"为唐僧送行的文武群臣中，有个叫虞世南的人，他就问："师父，这松枝已经被折断了根，没有根怎么能活呢？"唐僧回答说："小僧无根要有根，有相若无相。我若取经回，松枝往东向。"他说完这四句话之后，在场的大伙儿甭管是真懂还是假懂，都点头称好。然后唐僧就正式开始去取经了！

杨版杂剧和吴版《西游记》的不同之处，就在于对细节的处理方法。在杨版杂剧里，唐僧西行而去第一桩要解决的事儿就是马匹。杂剧的处理方法是让南海火龙去行雨，也不知道它是喝多了还是怎么着，反正犯了点儿错，玉皇大帝就急了，把他搁在斩龙台上，要给斩了。是观世音去见了玉帝，救下了南海火龙，让他变成马，然后让木吒（木叉行者）变成一个卖马的客商，送了这匹马给唐僧。金吒、木吒和哪吒是三兄弟，木吒就是哪吒的二哥。这一出词为"火龙护法西天去，白马驮经东

---

① "三藏"为佛教经典的总称，包括《律藏》《经藏》和《论藏》，古印度孔雀王朝时由高僧编纂而成。通晓三藏的僧人通常被称作"三藏法师"或简称"三藏"。

土来"。

元杂剧在处理这个地方的时候，还是很幽默的，唐僧跟驿夫打听："往前走，好走不好走？您看这儿没有马站，只有牛站，牛站也少，前面就是化外边疆①了，下一站是什么站啊？"唐僧这段话的意思是，你看我从长安一路走来，走了那么长时间了，每一路都有站，之前一直是马站，驿站里边有马，我可以租马换马，让马吃草休息。后来马站都没有了，只有牛站了，没有马就换牛来骑，也可以，但是这些日子我突然间发现连牛站都少了，再往前走就是化外边疆了，就出了东土大唐的地界了，下一站是什么地方啊？

驿夫就是西行路上的驿站里边的工作人员，这个驿夫回答唐僧的话也挺可乐，他说："师父您再走一个月，前面是驴站，驴站过后就是吐蕃的地界，是狗站，过了狗站再往西走一个月，就是炮战。"唐僧听完之后吓了一跳，驴站还是可以理解的，你看前面的牛站，骑牛走路虽然慢一点儿，但也比自己走强，牛不多了，那换成驴站，租个驴，骑驴赶路也行。过了驴站，再走一个月就到吐蕃了，那就出了大唐了，就只有狗站了，是不是狗拉爬犁的狗站？不过好歹狗也算是种交通工具。但再往前走的这个炮战又该怎么理解呢？所以说驿夫的这几句话有意思，我也不知道当年杨先生是怎么设计这出戏的。原文是这么描述所谓的"炮站"的："六根木柱，做一个架子，一根长木做炮梢，梢上一个大皮兜，长木根上，坠铁锤一万斤。使臣到，一交摔番，把绳子绑了，入兜炮，一榔椎打动关撅子，一炮送十里远。"

这段话是什么意思呢？所谓的炮战，就是在地上立六根木头，做成一个架子，架子支好了之后，装一根长的大炮梢，炮梢上面有一兜子，人就坐在兜子里边，架子后头有个一万斤重的生铁做的大锤，我们一得到消息，就打那兜子，把人给扔出去，这一炮能把人打出十里地。现在大家一听这炮战，就知道是说着玩儿的，但在元杂剧里，唐僧说："说得怕起来。怎得一匹长行马，不拣几钱，罄其衣钵，买来驼载，省得打炮送了小僧。"这话的意思是，炮站这玩意儿是要活活吓死我啊！

---

① 指不受外界因素影响，脱离现实社会的地方，通常为政令教化不及之地。

我虽说不值什么钱，但您随便卖个什么交通工具给我都行，千万别打炮送我归西。

杂剧《西游记》的作者杨先生好戏谑，当年老的资料里记载他的为人就是这样。单是从这段文字的情节设计，就能看出他平时是一个好开玩笑的人。总之，唐僧这正没辙呢，木吒来了，他就是要卖马给唐僧的人。唐僧看见他就说："你这马这么好，但我没有这么多钱买啊。"木吒就说："我可以赊给你。"唐僧说："我又不认识你，你怎么敢赊给我？"木吒听了这话之后说："既然之前你不认识我，那今天我们就认识认识，我不是凡人，我是观音菩萨的徒弟，名叫木吒，这匹马也不是凡马，而是南海火龙三太子，因为行雨的时候犯了错误，本应当获斩罪，但我佛向玉帝求情，所以让他变成白马，驮着你取经去，你过来看看。"木吒说完便消失了。唐僧这才相信了他说的话，就把这匹白马留下来了。

在吴承恩版的《西游记》里，这个情节处理得比元杂剧更加复杂一些，是龙王三太子吃了唐僧的马，之后还跟孙悟空打了一架。而元杂剧中木吒送马这会儿，还没有出现孙悟空呢，在这里，观世音菩萨为了保证唐僧西游顺利，还上奏玉帝，给唐僧请了十方保官，都聚在海外的蓬莱三岛。这十个保官，在过去很多传统戏里边都出现过，不单单是我们现在说的这个元杂剧里有，今天你去看河南豫剧，包括《包公出京放粮》这出戏，里边也有十保官，就是从朝里找了十个大官保着我，保证这件事儿没问题。河南豫剧李斯忠先生唱老包的时候，一保官二保官分别是谁，都给唱了出来，这就是传统文化。

元杂剧里边的十保官，出现在《西游记》这个神话故事里。唐僧的目的是西天取经，那么观音就得保护他，所以这第一个保官就是观音，第二个是托塔天王，第三个是哪吒三太子，第四个是灌口杨二郎，第五个是九曜星辰，第六个是华光天王，第七个是木吒，第八个是韦驮天尊，第九个是火龙太子……反正总共凑了这么十个保官，大伙儿都得写文书画字，保证唐僧沿途无事。

在元杂剧里，唐僧又往前走了一段，我们的孙悟空同学才出现，而且孙悟空并不是从石头缝里蹦出来的。只要看过电视剧或者吴承恩版的《西游记》的人，都知道孙悟空是从石头里边蹦出来的。元杂剧里的孙悟空不光不是从石头里出来的，而且孙悟空有四个兄弟姐妹。大姐是骊山老母，二妹叫巫枝衹圣母，大哥是齐天大圣，而孙悟空实际上叫通天大圣，三弟叫耍耍三郎，也就是说他们家总共姐儿俩哥儿仨。那姐儿俩咱暂且不说，就先说这哥儿仨。齐天大圣和通天大圣，这俩名字听起来都还行。唯独他这三弟叫耍耍三郎，听起来就有点儿萌萌的意思了。而且孙悟空还有媳妇，他媳妇是火轮金鼎国国王的闺女，是他拿一阵风给摄来的。孙悟空又住在哪里呢？你记住了，孙悟空这个家叫花果山紫云罗洞。孙悟空是一个特别爱媳妇的妖精，他上天盗了太上老君的金丹，所以练成了铜筋铁骨火眼金睛，还偷了王母的蟠桃一百颗、仙衣一套，他偷仙衣就是给他媳妇穿的。

孙悟空偷到仙衣之后，回来送给媳妇，还要办一个仙衣会庆贺一下。您琢磨一下这个道理，那件仙衣他凭什么就能这么轻易地拿走？后来托塔天王奉了玉帝的敕令，来找孙悟空，说："西王母那儿丢了一百颗桃和一套仙衣，还有一顶银丝长春帽。"但托塔天王到这儿来的时候，首先看见的是孙悟空的媳妇孙夫人，就跟她说："你是妖精。"那孙夫人说："我不是自己要进来的，我爸爸是金鼎国的国王，我是金鼎国国王的闺女，是孙悟空拿风给我弄来的。"托塔天王听了孙夫人这话之后，就让风、云、雷、雨四员神将送她回去了。之后，观音出面，拿住了孙悟空，这一点和吴承恩版的不一样。后来观世音把孙悟空压在花果山底下，让他等唐僧来了之后，一块儿取经去。于是，孙悟空就一直被压在这儿等着。

被压在山下等唐僧这一段，大体上差不多。等到唐僧来了之后，见到了孙悟空，孙悟空说的话也很有意思。当时唐僧跟他说："我要救你，你便是我的弟子，我要带你一起去取经。"原文里，孙悟空问了唐僧这么一句话："你爱弟子吗？"你看孙悟空这个话问的，你根本想象不到，这可是元杂剧里出现的原词。孙悟空问唐僧爱不爱自己。唐僧回答说："爱者乃仁之根本，如何不爱物命？"于是唐僧就伸手把山上那道符给揭了。之前观世音菩萨为了把孙悟空压在山下，给他弄了个符，大概就是张字条，条上写着"严禁写到此一游"或者"严禁随便揭，违者罚款 500 元"，反正不管写的是什么吧，它就是这么一张条子。这条子一揭，孙悟空就打山底下跑出来了。

在接下来的这个情节里边，两个版本的处理方法截然不同。元杂剧中，孙悟空从山底下出来之后，一背转身就自言自语道："哎呀，好个胖和尚啊，到前面吃得一顿饱，依旧回花果山，哪里来寻找？"这句话听着就好厉害——当然他这句话也揭露了唐僧是个胖和尚——意思就是好个胖和尚，到前面我得把他吃了，等吃完这顿饱饭之后，我还回我的花果山去，看谁能把我怎么着！当然了，这也就是他随便这么一想。因为刚想完，观世音菩萨就来了。观世音菩萨跟唐僧说："玄奘，我给你找个徒弟，他叫通天大圣，这家伙很厉害，可以让他给你沿途护法。之前是我救了他，还给他起名叫孙悟空，以后就让他好好地跟着你去取经。这一路上，你可以给他再起个名，叫孙行者。哎，玄奘，你到跟前来，我跟你说，这家伙凡心不退，他还憋着想害你呢。我呀，准备了这么一个铁戒箍，你给他戴上，我再教你一个咒语，只要他想害你，你念咒语就行了。"两个版本里的箍这个东西，倒是大同小异，只不过元杂剧里不是金箍，而是一铁箍。听了观世音这番话，唐僧试了一试，这咒语果然很灵，可给这孙悟空折腾得够呛。

唐僧再往前走，就是收沙和尚了。这个剧情也不一样，元杂剧里，这沙和尚是在猪八戒之前收的。沙和尚原本是玉皇殿前卷帘大将军，因为带酒思凡，所以被罚在这儿推沙受罪。原文说这沙和尚"怒则风生，愁则雨到"，很是厉害，还说他"人骨若高山，人血如河水，人命若流沙，人魂若饿鬼"。而且元杂剧中还曾经提到，沙和尚在这儿说："以前有个僧人发愿要去西天取经，这家伙九世为僧，我就吃了他九遭，并将这九个骷髅挂在自己的脖颈上。我的心愿是要吃一百个，诸神不能及，我刚吃了九个。"

我自己说书的那版《西游记》，就有唐僧九世为僧这一段，是一个大段的回目——《金蝉子下凡九世》，就是唐僧曾用九个不一样的身份去西天取经，但因为种种原因，到了流沙河就被沙和尚杀了。以后要是有机会的话，我可以给大伙儿念念。当然那又是另一个故事了，不过还挺好玩儿的。反正唐僧在这儿收了沙和尚之后，就要继续前行了。

18

—歪批—

八戒登场，西游
路上的儿女情长

Guo Theory

天下的故事都是人编出来的，只是巧妙程度不同而已。

唐僧取经这一路不容易，不是有这么一句老话叫"路过了九九八十一难"嘛，总之是各路妖精都动着妖脑想要吃唐僧，但他每次也都没死。当然了，这个故事也不需要唐僧去死，因为他死了，这个故事就不存在了。

过去有一个词叫"王者不死"，不知有没有哪位读者听过这个词。比如说刘邦，就是"王者不死"的典型。刘邦的军事能力跟项羽实在没法比，彭城之战刘邦几乎全军覆没，马上就让项羽给抓住了。后来刚好强台风来了，天昏地暗，这才让刘邦躲过一劫，这个简直比鸿门宴还凶险。实际上刘邦只比秦始皇小 3 岁，他 47 岁的时候，才只当上一个小小的亭长，但他这一辈子都跟传奇一样，就是所谓的王者不死。

曾经有一个大玄学家李淳风说过这么一句话，"王者不死，徒多杀无辜"，意思就是说命中注定要做皇帝的人，你是杀不死他的。那会儿，李君羡①就是因为说了类似的话死的。当时太白星屡现于白昼，史官占卜都认为是女皇要登基了，民间也有谣传说女皇武王将拥天下，李世民对这件事儿深恶痛绝，因为这个说起来太不好听了。有一次宫廷宴请诸位武官，李世民就要求大家行酒令，让他们说自己都叫什么小名，其中李君羡就说，他的小名叫五娘子。

李世民听到之后一惊，心说："哎呀，怎么会叫这个名字呢？"当时他心里边就想，之前这算卦的跟我说过，女皇登基，而且民间也有女皇武王有天下一说，再想想李君羡这小名叫五娘子，肯定是有其他意思，于是就把李君羡给杀了。从那天众武官吃饭开始，到最后李君羡被杀，前后还不到一个月的时间。这就说明了武则天是王者不死，因为有人替她死了。武则天本人就在后宫待着，她没事儿，李君羡却被杀了，这难道不是王者不死吗？

李世民也曾经遇见过这种事情，一次他被人围困在雀鼠谷②，好家伙，自己和手下一个兵睡着了，敌兵都快围上来了，突然来了一条蛇，正在追老鼠，一下给这个兵弄醒了，他这才赶紧唤醒李世民，杀出了重围，要不然这次就死定了，这也是一个"王者不死"的故事。所以很多事情，它不是一两句话能说清楚的，就跟唐僧似的，唐僧也不能死，他一死《西游记》的故事就说不下去了。

唐僧收了沙和尚之后，继续往前走，到了前面一个叫黄风山的地方。黄风山这个地方号称三绝。山高、洞深、路险，这就叫三绝。山前山后山左山右，反正没人敢过来。在山的东边有个人叫刘太公，刘太公有个闺女叫刘大姐。原文也确实省心，连名字都懒得起，就说刘大姐长得特好看。这山里有一个妖精叫银额将军，要把这刘大姐弄走，想跟她好好过日子，却没想到孙悟空去了之后，把这银额将军给杀了。杨版《西游记》，其实它的故事并不是特别复杂。过了这黄风山之后，前面就遇见了红孩儿。遇见红孩儿的情节跟吴版确实是不一样。这一段说的就是

---

① 李君羡（593—648），唐朝将领。因其小名五娘子与"女主武王有天下"的谣言不谋而合，为李世民所厌恶，后被罗织罪名处决。

② 古代地名、古战场。《水经注》有云："汾津名，在界休县之西南，俗谓之雀鼠谷，数十里间道险隘。"

一小孩儿迷路了，唐僧就让徒弟孙悟空去背他。结果孙悟空一背，居然背不动。孙悟空就说："这孩子不是个好玩意儿。"孙悟空为什么这么说呢？因为他被压在山下，纵身一跳都能跳出来，结果这么点儿一小孩儿，他居然背不动，那这小孩儿只能是个妖怪。

果然，后来观音出现，说这小孩儿确实是妖怪，他的母亲叫鬼子母，他叫爱奴儿。观世音本来已经准备去捉拿这个小孩儿了，用钵盂扣上，七天就能把他化为黄水，但爱奴儿的母亲无论如何都要救自己的孩子，最后就只能先收他的母亲。整个红孩儿的故事，杨先生就是这么处理的，简单铺垫了这么两个妖怪。之后唐僧再往前走，终于遇到了猪八戒！其实在这个故事里，猪八戒出场的时候，这故事都说了快三分之二了。故事里还有一个挺有人情味儿的东西，就是唐僧师徒走到了猪八戒所住的这个地方，孙悟空就跟唐僧说："师父，这个地界是火轮金鼎国，也就是徒弟我的老丈人家。"之前咱们就说到过，金鼎国国王的闺女让孙悟空给弄走了，而猪八戒住的这个地方就是火轮金鼎国。这里边介绍猪八戒的时候说，他是摩利支天部下边的御车将军，在这里叫黑风大王，很是厉害，几乎没人敢惹他。关于他娶妻这一段，故事性也挺强。山的西南方五十里地以外，有个地方叫裴家庄，裴家庄的裴太公有一闺女叫海棠，就是吴承恩版里的高小姐，她原本被许配给北山朱太公家的儿子，但是这个朱家突然就穷了，裴家就打算毁了这门亲事，海棠却愿意嫁给朱公子，而且夜夜焚香祷告，就想跟朱公子见个面，你看这事儿给闹的！这个消息后来被猪八戒知道了，这裴海棠姑娘长得也俊，每日焚香祷告要与朱郎相见，但朱郎又胆小，猪八戒就想干脆自己变成朱郎去找她吧。

于是猪八戒自己变成朱郎，又把朱郎变成蟑螂，就在那儿给踩死了，唉！之后的事情就不用多说了，猪八戒直接把裴小姐给掳走了，后边才是孙悟空他们来收猪八戒。收猪八戒的过程，孙悟空自己并没有用太大的功力，为什么呢？因为猪八戒一上来就说，自己什么都不怕，唯独怕被狗咬。所以，最后是杨二郎带着哮天犬过来，咬住了猪八戒，大伙儿才把猪八戒给收了。

到现在为止，师徒四人总算是凑齐了，但过了黑风山，可不是高老庄。这个地儿叫女人国，注意，不是女儿国，而是女人国。这一整个国家里都没有男的，每当月满的时候，也就是月亮圆的时候，想要生孩子的女人都要到井那儿去照一照，照一下就能怀孕生孩子了。快到女人国的时候，唐僧做了个梦，梦见韦陀尊者来报说："有一场魔障来也。"就算韦陀尊者把这个预言告诉了唐僧，他也还是得去，不去不行，因为他要去女人国给通关文牒盖章，盖好了章才能继续往前走。唐僧就去见了女人国的女王，女王很大胆，直接就扯住唐僧。关于女王扯唐僧这个情节，元杂剧确实写得很有意思。女王扯住唐僧，跟他说："我和你成亲结为夫妻，你则今日就做国王如何？"意思就是你要是同意，我就嫁给你，今儿你就是国王了，你看怎么样？女王还说："香馥郁销金帐，光灿烂白象床，俺两个破题儿待弄玉偷香。听得说天地阴阳，自有纲常，人伦上下，不可孤孀。俺这里天生阴地无阳长，你何辜不近好婆娘？"

听她这么说，就知道唐僧肯定是不答应的，在原文里边，这个戏剧冲突的可笑之处，就在于在唐僧拒绝了之后，孙悟空想跟其他的女人亲近一下，可是到了女人跟前的时候，他脑袋上的铁箍一下子就往上箍紧了，孙悟空很难受，所以最后这事儿没成。但是猪八戒与沙和尚休息得很好，好像最后成功了。到后来，韦陀尊者奉观音的法旨，把唐僧给救出来了，师徒四人再往前走，就到了火焰山。谁都知道这火焰山是铁扇公主的地方，但是这个元杂剧里边没有牛魔王，就是单独这么一个铁扇公主，还说她是风部下的祖师，凡是刮风这类的神仙都归她管。她为什么要在这个地方当公主？因为她早先是在天上负责刮风，"为带酒与王母相争，反却天宫"！就是说，她之前在天上当神仙的时候，不知什么时候跟王母一起喝酒，喝多了，咱也不知道神仙喝的酒是多少度的，反正喝到最后，酒上头了，跟王母矫情起来，说："我不干了，我走了！"

铁扇公主从王母那儿出来之后，就来到这火焰山定居了，她使一把一千多斤重的铁扇子，扇子上边总共有二十四股，就是按一年二十四节气编的，扇一下就起风，扇两下就下雨，扇三下火就灭了。火焰山的火灭了之后才可通行，这听起来还挺好玩儿的。孙悟空还找了当地的山神土地，说："你们都出来吧！"山神土地就都出来了，见了孙悟空说："哎哟！大圣在这了儿呀，找我们有什么事儿？"悟空就问："我想问你们点儿事儿，说这儿有个铁扇公主，几人过日子啊？"山神土地就回答说："就她自己一个人。"孙悟空听了之后说："好，我要是去找她结婚，你说她会愿意吗？"原文上孙悟空是这么说的："我找她去，她肯否啊？"山神土地就说了一个字："肯。"悟空又问："你怎么确定她会这么痛快地答应我呢？"山神土地说："她也不挑，反正是人就行。"

要是从这个角度出发，就能琢磨出来，没有了牛魔王，铁扇公主一个人过日子，估计也挺难熬的。孙悟空就去找铁扇公主了，到了那儿，俩人三说五说的，反正最后肯定是没好成，而且孙悟空还被铁扇公主的扇子扇跑了。孙悟空没办法，只能去找观世音菩萨。菩萨找了雷公、电母、风伯和雨师，以及二十八星宿里边带"水"字的各路神仙，还有水部神通来帮忙，因为水能灭火，所以就把整座火焰山给浇灭了，省得后人受苦。特别简单地就把这个事儿处理完了。

唐僧师徒再往前走就到了天竺国。到了天竺国这里，很快就能见到佛祖，就能取到经了。吴承恩先生的版本里，到天竺挺复杂的，元杂剧里到天竺国的过程相对比较简单，但到了这里之后，有一点可能别人就想不到了，那就是孙悟空、猪八戒和沙和尚，这三个徒弟在此地成了正果。什么叫成正果呢？就是这几个人在这里圆寂了，也就是死在这里了。三个徒弟不但都圆寂了，唐僧还给他们做把火，念了几句话："四个西行一个归，三个解脱是和非。老僧独往中原去，急急回来采紫薇。"唐僧说了这么四句话之后，师徒之间的故事就算是完了。之后唐僧单独去见了佛祖，取了经，佛祖又安排人陪着他一起送佛经，回到了东土，整个元杂剧实际上就这么简单。

其实这些年来，我们在戏剧舞台上与评书中，聊到的有关《西游记》的故事，真的不少。说书的时候，通常只有一个人说。在戏剧的舞台上，《西游记》的故事被演绎成很多版本，像《西游后传》，还有长年只唱一出《西游记》的剧团，当然过去有很多这样的剧团，比如上海的张一鹏先生、京剧小王桂卿①先生，家里边都是专门唱《西游记》的世家。张家唱《西游记》，一个剧场唱了十年八年，就单唱《西游记》一出戏，非常好。一般在舞台上，武生扮演孙悟空，小花脸扮演猪八戒，还分黑猪和白猪两种，黑猪脸上是黑的，有的带着脸子，白猪就是重新设计的版本，跟原来传统戏剧里的不大一样，显得更加可爱，很萌的那种状态，挺好的。

我也很喜欢《西游记》这个故事，因为整个故事情节跌宕起伏，但就是这个故事不大好说，因为这里边的每一个人物的设定，前面勾着后边，如果说要把故事大拆大改，像我们之前那个拆法，其实就跟《西游记》没有太大的关系了。我说的那里边有很多《南游记》②里的东西，也有唐三藏西行取经、唐僧施化的东西，还有跟民间传说和很多老艺人说的不一样的东西，我个人觉得还是挺有特点的，因为本身《西游记》这个故事也不是一个人设计出来的，就跟当初我们学说《三侠剑》③的时候一样。

我小时候学说书，一般情况下，《三侠剑》都是按照传统版本来学的，但我们学的时候，已经有老先生在说《三侠剑后传》了。总而言之，天下的故事都是人编出来的，只是巧妙程度不同而已。当然，我还是很希望有机会能够把大段的《西游记》给大伙儿再念叨念叨，我挺愿意做一些让各位开心的事情。

希望在不久的将来，我能让各位听到一个不一样的《西游记》。

---

① 小王桂卿（1927—2011），京剧武生。原名王强华，著名京剧武生王桂卿之子。自幼随父习武生和老生，文武兼备，武功底子尤其扎实，擅长猴戏，广受赞誉。其代表作有《水帘洞》《闹龙宫》《闹天宫》《借扇》《金沙滩》《连环套》《四平山》《雅观楼》《战东吴》《走麦城》等。

② 明代中篇神魔小说，又名《五显灵官大帝华光天王传》《南游华光传》，作者为余象斗。主要讲述了华光历经三次投胎转世，降妖伏魔，大闹三界，寻母救母的故事。与余象斗所作的另一部小说《北游记》、吴元泰的《东游记》以及杨志和的《西游记》，合称《四游记》。

③ 长篇武侠小说，依据《施公案》和《彭公案》改编为评书。主要叙述了清朝康熙年间，侠客们匡扶正义、惩恶扬善、替天行道，后使得台湾王郑克塽接受招安，台湾回归的故事。

19
—论
俗—

老北京的一种精致生活：
补锅补碗补大缸

Guo Theory

瓷器的硬度很高，所以必须用金刚钻才能钻。民间不有这么一句话吗？没有金刚钻，就别揽瓷器活儿。

写《郭论》跟做节目不一样。为什么呢？不管是音频、视频，还是舞台演出，站在那里就必须进入一个表演者的状态，跟人聊天。写《郭论》，我有时候在家里边，有时候出门在外，但无论是在什么时间、什么地点，我都能想起什么就写什么，这是一个特别轻松的工作状态，我还挺喜欢的。但别的工作不行，这口气必须提好了，踏踏实实地站那儿表演。也有人说写《郭论》不累，我自己也觉得，不能以一个累的状态去跟大家聊天和写文章，这就违背了聊天和交流的宗旨了。

我这两天在收拾屋子，规整原来的照片，翻出来好些几十年前的老照片，包括当年的一些剧照，少说也得有两箱子。找来找去，我突然发现了几张20世纪90年代初我唱戏的剧照，特别感慨。其中有几张剧照是我在天津的小剧场唱一出叫《锔碗丁》的戏的时候拍摄的。看见这几张照片，我觉得非常好。这个戏到现在还有人唱，但唱的人也不是很多了，当年这出戏好像是评剧梆子，反正是特别火爆的一出戏，故事情节也特别好，它讲的是发生在北京的一起真实的案子，所以今天我就写一写这起北京奇案。

"锔碗丁"这个词要分开来解释。"锔碗"是个工作，"丁"是姓氏，也就是锔碗的这家人姓丁，大概是这个意思。这个故事发生在光绪二十六年，也就是1900年，地点在北京城朝阳门外的集市口，下三条胡同的北头。好像从来没有哪出戏里边，在给人介绍事发地点的时候，连门牌号码都说得这么细致，因为这是当年发生在北京城里的一件真事儿，并且在当年的北京城里可以说是无人不知，无人不晓。

朝阳门外集市口，有一户姓丁的人家，这家有个祖传的手艺，就是锔锅锔碗，所以人们都管他家叫"锔碗丁"，这也是过去北京城里的俗称，比如这家卖牛肉的姓赵，就叫"牛肉赵"，这家卖切糕的姓李，就叫"切糕李"。评剧里边介绍说，这家子人也算是奇人，他们家是正经的镶蓝旗，当然民间也有传说他们家是什么镶白旗的，年深日久，这一点也就不太确定了。

咱们先介绍一下锔碗这个手艺，现在这个行业已经没有了，因为老百姓家里边茶杯、碗和瓷器坏了、破了，一般也就扔了。但在过去不行，必须找一个锔锅锔碗的，给锔起来。"锔"这个字是左边一个金字边，右边一个"局"字。"锔"是一种技术，先拿一根带弯的钉子，天津叫"把锔子"，有的就直接叫"锔子"，还有叫"板丁"的，反正就是用这种钉子，把瓷器有裂缝的那个地方，给它连起来、补起来，这个方法叫打一把锔子。手艺人把破碗拼上之后，再拿绳子都扎好，固定住，提前算出来这得打几根钉子，做好记号之后，用金刚钻在瓷碗接缝的两边打小眼儿，然后拿锔子或者拿小锤子慢慢地钉，先把它钉到眼儿里去，那时候的锔子就跟现在的订书钉差不多大小。最后，在打锔的地方涂上一种特制的膏，叫灰膏。弄好这些之后，拿布擦干净，这个碗就差不多锔好了。

这个东西真的很神奇，因为打完锔子的碗和杯子，继续使也不漏，喝茶也都不耽误。瓷器的硬度很高，所以必须用金刚钻才能钻。民间不有这么一句话吗？没有金刚钻，就别揽瓷器活儿。现在网上好像还有视频，特意录的一个手艺人，拿着碗打眼儿，打眼儿的工具就跟拉二胡的弓似的，在弦上缠一根弦弓子，这弓子差不多有十厘米长，底下是一个金刚钻的钻头，然后上面有这么一东西，来回拉弦弓子，金刚钻就跟着来回地转，弄好之后再拿小锤子砸钉子，才会滴水不漏，也不用胶水什么的，看起来非常神奇。

过去的锔活儿还分为粗细两种。粗活儿就是锔家里的大碗等吃饭的工具，补好了就成。细活儿就厉害了。我们曾经也见过，就是过去的时候，八旗子弟一天到晚提笼架鸟，玩私藏玉，家里都会有一些珍藏的瓷器，包括紫砂壶等，这些东西摔碎了、摔裂了，怎么办呢？就去找锔碗的人来修一下，干这些细活儿的锔碗师傅不但要很聪明，还得有审美，得会利用壶上或者碗上的裂纹走向因势利导，然后用金子、银子或者铜等不一样的锔钉，给锔出束花来，有的师傅能锔束梅花，或者弄点儿桃花，反正按照形状打磨出花之后，这东西可就贵了！可能这一只杯子，原来是花五块钱买的，锔完之后可能就得值一百多块钱了。现在也是这样，上网搜那些专门干锔花的人做出来的东西，那做出来的艺术品可谓登峰造极了。据说当初有些玩家，故意把新的紫砂壶弄破、弄裂，然后请人给锔出束花纹来，并且沿着壶嘴、壶口和壶把的地方加些东西上去。东西做完之后就了不得了，那可是价值连城的手工艺品！

但是新紫砂壶是没法摔的，因为摔得太烂就没法弄了。都是先在壶里边装黄豆，再加水进去，黄豆遇水就会膨胀，等到黄豆越涨越厉害，把壶撑裂的时候，再找人来锔。这我曾经见过，现在也能在网上搜索到各种锔壶的图案照片。

《锔碗丁》这出戏里提到的丁家，就是专门干这种细活儿的。这姓丁的一家人，是老两口子带着仨孩子。这丁家本家大爷的名，我在这儿也跟大家说一声，关于他名字的说法不一样，因为他本身是行四，大家都叫他丁四爷，他媳妇就是丁四奶奶。但是他的名字，有说叫丁少玉的，也有说叫丁子玉。说他叫丁少玉这一种，还说他儿子叫丁全子。另外一种说法说，这个丁四爷不叫丁少玉，而是叫丁子玉，他儿子才叫丁少玉。戏班的东西也是流传广远，而且每家的唱法也不一样，所以我就按照我们唱戏那会儿唱的来写。本家大爷叫丁四爷，媳妇是丁四奶奶，娘家姓刁，我们一般就管这二位叫四爷和四奶奶，他俩有个儿子叫全子，还有俩闺女，但这俩闺女可不好惹，大闺女、二闺女分别叫大狼和二虎，一听这名字就知道这俩闺女得有多厉害——如狼似虎。

在那个年头，锢碗手艺人不是特别有钱，挣点儿钱也就刚好够个吃喝，一天到晚吃窝头、熬个白菜什么的还行。丁家也算是个老实人家，除了四爷能干活儿以外，剩下那几口人都不行。儿子全子还在上学，大狼、二虎两个姑娘家就跟家里待着。四奶奶这个人随着她这个姓，很刁蛮，一天到晚就会骂闲街："你看，嫁汉嫁汉，穿衣吃饭，就跟着你，你天天锢锅锢碗，一天到晚又不挣钱，我们这几口人跟你什么时候……"反正一天到晚，她都没完没了的，但这丁四爷特老实。我当年唱戏的时候，挺爱来这个戏，觉得特别好玩儿。头里一上场，得穿得特别破，因为丁家很穷，所以脸上都不带化妆的。到后来，这家有钱了，就是另一身打扮了。

光绪二十六年，大清政府软弱无能，对内强压打派，对外妥协献媚。义和团扶清灭洋，人心惶惶，八国联军冲进北京城，文武群臣都乱套了，慈禧老佛爷带着皇上逃出北京城，直奔西安而去，这一出叫《慈禧西巡》。八国联军进了北京，烧杀奸掠，无恶不作，整个北京城都乱了套，能走的人家都走了，虽说是皇城，但这个地方也不能再待下去了，因为太乱了。剩下的这些个老百姓都是没辙的，只能跟家里待着、躲着。您看老舍先生写过的《四世同堂》里，祁老太爷就是这样，他把门关好了之后，赶紧看看家里还有没有窝头和咸菜，只要是有吃有喝的，那日子就熬得过去。兵荒马乱对丁家来说就是大事儿了，大家都逃命去了，谁家里还有茶壶茶碗破了要锢一下？所以他没事儿干了，只能待在家里哀声叹气。有一天，四奶奶回来对丁四爷说："我发现一个来钱的门道，现在街上全乱套了，要不咱们抢当铺去？"

唱戏的时候，这应该是台上的第二场，老两口子打完架，抬杠拌嘴，说家里不够吃的，然后全子放学回来跟他俩说："外面乱套了，大家都去抢东西。"丁四奶奶听了高兴道："那咱们也去抢当铺吧。"然后，一家四口就出去抢当铺。到了当铺里边，好，这四奶奶可厉害了，什么值钱就抢什么，都快抢疯了。这出戏里边有一个小包袱，就是这个全子。大家都在抢东西的时候，就他儿子全子不抢，四奶奶就不干了，跟他说："你必须抢，不抢我就打死你。"所以全子也只好去抢了一件东西，抢了之后还拿一块大红布盖着。等到东西都拿回家之后，四奶奶跟儿子说："你看我们抢的都是银子和珠宝，儿子，你抢了什么回来？"儿子把这红布掀开，结果是一个很犀利的拉签。家里这几口人就纳闷道："抢这干吗？"全子就说："因为这个拉签行啊，抢了这个拉签，以后可以让我爸爸给人锔盆锔碗，能用一辈子。"就这么一包袱，反正这家人也算是发了财了。

这场戏唱完下来之后，这几口人都要回后台补一补妆，尤其是这丁四奶奶，前面出来的时候穿得又破又烂，脸上连点儿粉都没有，这次在后台要大拆大抹，把脸上涂上红胭脂等乱七八糟的东西，都得抹得特别好，还得带个旗头板，脚底下穿双花盆底的鞋，脖子上还要挂一个马蹄表，当然，这马蹄表是抢来的。上场之前要在后边把这表调好，调个一分钟半分钟。丁四奶奶是要跟着音乐扭上来的，这不是有钱了嘛！我原来可爱唱这活儿了，因为这活儿特别热闹，这个丑婆子扭出来之后，站一个亮相，这马蹄表到点一响，几个人齐刷刷地看着表，这观众就会乐得不行不行的。

戏唱到这里，丁家就算是正式发财了，打这儿起，家里也算可以了。八国联军走了之后，让清政府签了《辛丑条约》，又让清政府赔了白银四亿五千万两。列强们全跑了，扬长而去，北京城也算是恢复了平静。之前当铺被抢也好，大户人家出的事儿也好，就开始慢慢地查了。这时候，丁家在这个集市口，过得已经跟往常不一样了，因为他们家有钱了，也不用干活儿了。丁四爷摇身一变成了大财主，有钱了之后，这俩闺女就更坏了，这娘儿仨都如狼似虎，可了不得了。而眼瞅着儿子丁全子逐渐大了，得赶紧给这孩子说门媳妇了。这件事儿原来他们家连想都不敢想，咱们家的孩子还能娶上媳妇？但现在完全不一样了，丁家抢当铺发了财，家里有的是钱，不仅要娶媳妇，还得娶好的，得娶那种有钱的有势的人家里的闺女。风声传出去之后，好多人都知道这丁家人的钱来得不光明，所以真的大户人家的闺女也不愿意跟他。这可怎么办是好呢？

那得了，丁家只好降低了要求，没钱的人家也行，但是闺女得长得好看，姑娘得有个模样。丁四爷从茶馆回来之后，他有一段台词特别好玩儿，到现在我都记着，他从外面一回来就说道："现在我们家是有了钱了，我就见不得别人比我厉害，你瞧今儿个我上茶馆喝茶去，刚坐那儿，就看旁边有一个人，好家伙，穿着洋绿大棉袄，把我给气着了，这才七月，天还热着呢，他怎么就穿上大棉袄了？我明白了，这是跟我炫富呢！这茶我都不喝了，赶紧回家，把我那狐狸腿的大皮袄穿上了。"丁四爷穿了皮袄之后再回到茶馆，往那儿一坐，叫跑堂的给他沏茶，跑堂的见到他吓一跳，说："四爷，这还不到七月十五，您怎么就把皮袄给穿上了，您不嫌热吗？"

丁四爷就说："谁说不热？没看见我直出白毛汗嘛。"跑堂的就问："既然热，为什么穿皮袄？"丁四爷就回答说："你没看见吧？那边那主儿穿着棉袄呢。"跑堂的顺着他指的一看，赶紧对丁四爷说道："那个人是有病，发疟子呢。"丁四爷一听，赶紧回家换衣服去了。这不是吃饱了撑的吗？这就是四爷的原台词，我得有二十年没唱这个戏了，现在想起来，当时是真的爱这个戏，觉得特别好玩儿。茶馆里有人给全子提亲，丁四爷哪敢做主？得赶紧回家跟四奶奶说一声，因为他是怕媳妇的人。

"有请四奶奶！"他这么一喊，家里边的四个新雇的仆人管家就"啊嘿"地喊一声，然后乐队开四击头①，四个仆人就上场站在门两边，一边站俩。紧接着四奶奶出场，念："光绪年间闹兵灾，抢了当铺兜起来。"她只要一这么来，底下的观众准得乐。丁四爷就说："给四奶奶请安。"四奶奶说："把我请出来什么事儿？有话快回，别耽误我抽福寿膏。"她这时候还抽上大烟了，于是丁四爷跟四奶奶回："给您道喜。"四奶奶看着他道："咱们又抢当铺去？"丁四爷赶紧说："不是，老抢可不行，抢上瘾了？你看，有人给咱们儿子说媳妇来了，咱们发了财了，终于有人给咱儿子说媳妇来了。"丁四奶奶很势利眼，就问："这个姑娘怎么样？家里边有婆婆可不给，有大小姑子都不行，不要。"丁四爷说："就

---

① 因大锣在小锣和钹的配合下共击四记而得名，也叫作"四记头"，常用来用配合剧中人物的亮相等动作。

听您的！”丁四奶奶又问："那姑娘多大了？"丁四爷说："八十。""八十？"丁四爷赶紧改口道："不，是十八。"反正这两口子一吃饱饭撑的就胡说八道。

确实是有人给全子来说媳妇了，就在北京城广渠门外，有个叫王善福的人。王善福家里边是镶红旗，民间传说王家是一家三口，老两口子带着一个闺女，但是评剧舞台上就只是光棍爸爸带着一个闺女。因为之前四奶奶提到过，家里有老太太的不愿意，对方必须没有妈，大家听听这四奶奶多刁。王善福的闺女叫王玲儿，乖巧听话，还是挺懂事儿的孩子，从小家里教她洗衣服、做饭、刺绣、裁剪，反正什么事儿都做得挺好，家门口的邻居也都夸这孩子这么好那么好。

听丁四爷这么一说，得了，见见吧。在哪儿见呢？就在北京隆福寺后边有个卖花的花棚里。当时大狼、二虎，也就是丁家那俩闺女，跟着全子一块儿去，说要一起见见这家人。王善福这边也带着姑娘来到隆福寺后边。见完回来之后，丁四奶奶就问怎么样，这俩闺女都说："不行不行！"为什么不行呢？因为王善福的闺女比她们俩都好看。好家伙！比我们好看，这可接受不了，所以从这起就埋下了祸根。

20
—论
俗—

婆婆、媳妇和小姑子：
人间闹剧的第一范式

Guo Theory

公公打幡，婆婆抱罐，大姑小姑披麻戴孝。

　　我一直在琢磨《锔碗丁》这出戏，越想越觉得有意思，特别希望能够有机会在舞台上重新唱一回。这出戏实际上是一个悲剧，却是以喜剧的手法来演绎的。德云社曾经有一次要复牌[①]这个舞台剧，结果因为种种原因给耽误了，其实当时连节目单都出了。我想等到合适的时候，我们一定要再唱这个戏，因为这个戏确实能够给人一些教育意义，挺好。当年看这个戏的时候，全场观众一块儿流眼泪，笑的时候，大伙儿也跟着剧情一块儿跺脚，反正就是特别好的一个传统剧目。

　　上次写到丁四爷和丁四奶奶要给儿子丁全子说一房媳妇，男女双方就在隆福寺后头的花棚里见面了。其实一切都挺好的，不过见完面回来之后，大姑子、小姑子，也就是大狼、二虎这俩闺女，觉得王姑娘这个也不行，那个也不行，但是拗不过全子愿意。所以三说五说，得了，这桩婚事也就算成了，过嫁妆吧。

---

① 将已经停演的戏重新搬上舞台。

因为王家就是普通人家，所以给闺女准备的东西都是些应用之物，但这些东西来了之后，四奶奶并不满意。为什么呢？因为他们是抢当铺发家的，见过不少好东西，所以她老觉得王姑娘的嫁妆不行。然后四爷发话说："你就得了吧，也别这样挑三拣四了。当初我娶你的时候，你们家给什么嫁妆了？"四奶奶就回答说："我当年陪嫁了一个大箱子，你不知道吗？"四爷说："没错，是个大箱子。过嫁妆时候，我看这箱子还挺沉的，以为不是金子就是银子呢，好家伙，我还以为自己要娶个财神奶奶回来了。结果打开一看，箱子里边装的都是石头。知道的你是嫁人，不知道的还以为你要修马路呢。石头倒出来之后一看，这箱子还是旧门板改的！你们家还陪了一个旧的脚盆，上面有裂纹，晚上我一洗脚，水就漏了一地，得亏我有铜碗的手艺，入洞房的当天晚上，我就先锔了个脚盆。"

这是四爷的原话，反正就是劝四奶奶，三说五说，到最后也算成了，赶紧把新娘子抬过门子吧。人家闺女抬来之后，按照过去的规矩来说，三天之后应该回门①，就是得给人家把闺女送回去探亲。但是他们丁家说没有这规矩，不让王姑娘回去。不只不让她回去，自打王玲儿嫁过来，丁四奶奶就给儿媳妇立了规矩，说："我们家跟别家不一样，也不是什么大户人家，反正你嫁进门以后要小心一点儿，该干活儿干活儿，别老是瞧着别人家。虽说你已经是我们家少奶奶了，但是洗手羹汤侍奉，这些活儿你都得干，我们家人手不够，不需要那些个老礼，反正不是一家人不进一家门，咱不搞那些虚头巴脑的东西，你该干活儿就干活儿。"玲儿就说："行，我听您的。"

四奶奶接着又说："以后你每天早上起来，就先烧水给我梳头，然后弄早点给大家吃，再把各个屋子扫干净了，马桶都倒了，最后把院子扫了。反正居家过日子，哪件都是你的活儿，咱们家就这个样子。前半辈子都是我在干活儿，这么多年过去了，我终于熬成婆婆了，现在我什么都不管，就你来干活儿吧。因为你的俩小姑子岁数比你小，也不会做这些。你丈夫又是个男人，更不能干这种家务活儿，

---

① 又称归宁，中国传统婚俗，是指女子出嫁后的第三天，首次回娘家探亲。

所以就只能靠你了，反正一日三餐洗洗涮涮都得你来做了。"说完这番话之后，她还问人家王姑娘一句："我们家不是娶少奶奶，你会不会觉得很委屈？"玲儿就说："不委屈，就照您吩咐的做，就算是在我自己家，这也不敢委屈，而且这些事情我也是做惯了的。"四奶奶听了之后就说："那行，三天过后，你也别回门了，一来咱家一天到晚都挺忙的，二来咱也可以省点儿银子，干点儿正经事儿。"

打这儿起，丁家就开始虐待起人家闺女来了。王玲儿从小到大，爹妈都没说过一句不是，没想到嫁到了丁家之后，一家子都拿白眼看她。全子虽然疼她、爱她，但是他在这个家里边说不上话。刚开始的时候，丁家人还只是说话不好听，到后来就开始动手了。丁家一家子都是凶鬼，大狼、二虎从来不拿这个嫂子当人，拿起鸡毛掸子就打她。眼瞅着结婚三天了，闺女没回来，王玲儿的爸爸想孩子了，你想啊，老头儿孤身一个人，就这么一个闺女，就想去看看闺女，还特意去买了点心，走到丁家门口的时候，正好碰见全子往外走。全子为什么出来呢？因为这屋里边的三口人正在打媳妇呢，全子看不下去了，只能往外走。全子刚出门，就碰见老丈人过来了。全子就问："您怎么来了？走，咱爷儿俩去茶馆坐会儿。"老丈人心说，怎么我来了，你还不让进门呢？于是就问全子："你阿玛呢？"全子就回答说："我阿玛出去了。"他老丈人又问："那你奶奶呢？"这里的"奶奶"其实就是指全子他母亲，因为旗人管母亲叫奶奶。全子就说："我奶奶病了。"

听了这话，全子的老丈人说："你要说你奶奶也不在家，那我就不进去了。既然你说她在家又生病了，那我必须进去看看她。"全子一听这话就给自个儿一嘴巴："瞧我这个嘴。"接着他又对老丈人说道："您还是别进去了，屋里面太不像话！"可他正说着话呢，人家老头儿已经进屋了。老丈人进来之后，对丁四奶奶说："我来看看您！顺便给您拎了两盒点心。"丁四奶奶没好气道："谁吃你这玩意儿！"一转手闺女二虎就把点心接过去了，说："喂狗吧！"然后就真把点心给扔在地上喂狗了。

丁四奶奶又问："您干吗来了？"老丈人就说："咱们不是有规矩，闺女出嫁三天之后要回门吗？我来接我闺女回门。"丁四奶奶听了之后说："好。"又转身对王玲儿说："那你赶紧收拾收拾！"丁四奶奶这话说得狠，她还叫俩闺女帮着媳妇一起收拾，其实是看着点儿王玲儿，别让她拿走什么值钱的东西。老头儿见到这场景，瞬间就傻了眼，感觉眼前发生的事儿跟他想的不是一回事儿，于是就对丁四奶奶道："亲家母，那您赏个日子吧！""赏个日子"就是问丁四奶奶，我能把闺女接回家多长时间，十天八天，或者一个月俩月，因为过去有这样的规矩。但在戏台上丁四奶奶说："无期徒刑！"听她这么说，王善福，也就是全子的老丈人，知道肯定是出事儿了，就对丁四奶奶说："亲家母，亲家太太，孩子年幼无知，他奶奶又去世得早，所以她小的时候缺少教育，有什么不周到的地儿，您是打也打得，骂也骂得，请您看在我孤老头儿的分儿上，高抬贵手给她个活路，我给您磕头了！"然后王善福就跪下磕头。丁四奶奶就说："好，那我就给你个活路，你赶紧把人带回去，好好教育，过门才三天，就给我们家搅和成什么样了！等教育好了再把她送回来，要是教育不好的话，她这辈子就别回丁家来了！"她这话说得特别狠。

王家父女俩从丁家出来之后，爹看闺女被打成这样，就知道要先把孩子给接回家。到家之后，王善福就跟女儿说："孩子，是爹对不起你，可现在生米做成熟饭了，我还能说什么呢，你说是不是？"王玲儿跟她爹说："没事儿没事儿，您别着急，常言说得好，若要亲，先换心，以后我事事小心，处处留神，好好伺候婆婆，她一定会有回心转意的时候，这不就一家和睦了，是不是？"这孩子挺懂事儿呢，还劝他爸爸呢。这时候家里有人串门来了，是谁呢？就是玲儿的姑姑方王氏。

姑奶奶进门看到哥哥，就问："哥哥，我们小姑奶奶回来了吗？"接着她就看见王玲儿了，一看孩子这样子，她就知道她在婆家挨打了，人家姑姑挺难受，首先就不干了。三个人说完话之后，又有一个人知道王姑娘挨打了，这个人叫伊浩然。伊浩然这个活儿我也唱过一回，但我唱得不多，为什么呢？因为伊浩然在台上挺厉害的，唱这个活儿，最好是身上有两下子的，这样才好看！伊浩然是玲儿的父亲王善福的拜把兄弟，在衙门当差，是个练武的。有的戏里边说他是摔跤的，反正伊浩然就是个练武的主儿，有一身的能耐，很是厉害。他听说这个事儿之后就说："我们家孩子挨欺负了，那不成，我得上锏碗的丁家问一下，为什么打我们孩子？！"

这一场也是这出戏的一个大高潮，伊浩然的扮相是十三太保的短打扮，他脚底下穿着薄底鞋，腰里边系着绑带，整个就是一个武行的样子。他来到丁家之后，"啪啪"叫门，大狼、二虎一开门，伊浩然二话没说，"啪啪"先打了一人一下嘴巴，打完了之后，俩闺女跑进屋来大喊："奶奶！可了不得啦！门外来了个找茬儿打架的，把我们姐儿俩都给打了！"丁四奶奶说："那还了得？抄家伙，拿我的菜刀来！开门放他进来，我去杀了他！"大狼、二虎这俩人就把门打开，让伊浩然进来了。伊浩然进来之后，大狼、二虎就问他："你谁啊？通名受死！"伊浩然就回答说："我行不更名，坐不改姓，就是你老爷伊浩然。"他姓伊，单立人加一个"尹"字的那个伊。但是有的时候戏台上也说他叫义浩然，因为有的老先生说他讲义气，正义凛然。丁四奶奶就说道："瞎了你的狗眼！我可是齐化门外的首富！打遍一条胡同，威镇集市口四条，母老虎丁四奶奶！"那时的"齐化门"就是现在的"朝阳门"。

每次一唱到这里，台下的观众就都乐了。伊浩然也乐了，说："巧嘞！我是个打猎的，我今天非要斗斗你这个母老虎！"然后，伊浩然就过去丁零当啷，丁零当啷，给这娘儿仁全打趴下了，娘儿仁都跪那儿磕头求饶，说："你这是闹的，我们错了，我们改了，我们以后不敢了。"

戏唱到这个地方，母老虎丁四奶奶有一个彩儿，这个彩儿就在她的眼睛上。伊浩然给丁四奶奶一嘴巴，她往跟前来接嘴巴，这时候舞台上的丁四奶奶一转身，其实她画眼睛的时候，提前多放了一点儿油彩在手上，转身的时候拿手一抹，就把眼睛抹黑了，再转过脸来的时候，大白脸上这个眼睛就变得乌青了。有的时候后台为了捣乱，还会把她的旗头板做成活的，被"啪"地打完一个嘴巴之后，丁四奶奶往后一仰头，她的旗头板就翻到后边去了，然后就会看到前面的旗头板上写着字。这旗头板上写什么的都有，其实就是开个玩笑，有时候还跳到戏外，写"煎饼果子"四个字在上边，因为天津演员喜欢吃煎饼果子，还有的一扭头，撩开旗头板，上边是"严禁小便"四个字。反正每次不管怎么折腾，都是要表现丁四奶奶的狼狈相。台底下就为这，能乐半天。伊浩然打完了、闹完了之后，就告诉丁四奶奶娘儿仨："今天这事儿还不算完，咱先放在这儿。还有一笔账，等我闹清楚了，再跟你算总账。今天我就先走了。"

伊浩然转身下场之后，丁四奶奶就赶紧站起来，很厉害地说："你给我滚回来！"伊浩然就回来了："你不服吗？"丁四奶奶又咕咚一声跪下了，有的演员跪下来的时候，还会说一句："爸爸您慢走！"反正就是为了表现丁四奶奶极尽无耻之能事。伊浩然转身走了之后，她就又站起来骂："这老缺德！"接着伊浩然人又回来了："谁老缺德？"丁四奶奶就赶紧赔笑说："不是，您听错了，我说给您雇辆车。"伊浩然这次走了之后，丁四奶奶就问俩闺女："他走远了吗？"俩闺女看了一眼，说："他走远了。"四奶奶就又起来大骂："你给我回来！太太没饶过这个！"俩闺女不解，就问："人家都走远了，你干吗还嚷嚷啊？"丁四奶奶就回答说："这不是让街坊听听，咱们娘儿们不饶这个吗？"闺女突然又说道："他又回来了！"听了这话，丁四奶奶就赶紧跑："我的妈哟……"

这一场戏十分热闹，有的时候演员玩儿 high（兴奋）了，特别开心，打丁四奶奶的时候，就从台上往台下跑，在观众席里边能玩儿好几分钟，丁四奶奶在前面跑，伊浩然在后面追，观众也都站起来，整个剧场乱了套。因为后面马上就是悲剧了，所以在悲剧之前，一定要有这么一场大调度。伊浩然打完人走了之后，这丁家几口还是没有饶过玲儿，照打不误。打到最后，就是重场戏了。有一天，三九隆冬，滴水成冰，还刮着大风，丁四奶奶娘儿仨拿被单和衣服往院里一堆，吩咐儿媳妇说："你就在院子里边洗，还必须用凉水洗，不许用热水，热水是泡茶的，不是让你洗衣服的，知道吗！有什么可冷的，你看河里的鱼穿过衣服吗？"

这一家人对王玲儿连打带骂，到最后缺德话都说绝了。这一场戏，玲儿绝望了，说："干脆我死了算了，实在活不下去了！"最后玲儿是怎么死的？在舞台上有这么一口水缸，玲儿就说："得了，我不活了，水缸相伴多日，每天给你挑水，不想今天你就夺了我的命了，你是我赴阴的路，我今天就死了。"她站好之后，跪地磕了个头，说："爹娘，我走了。"然后扶着缸盖往里一跳，人就死了。王玲儿死了之后，这丁家人也都吓坏了，该怎么办才好呢？赶紧把尸体给王家送回去，但是王家肯定不干，就开始打官司。

我演这出戏的时候，最早学的是河北梆子，我最先唱的也是这场打官司的戏，我演里面的官员，到现在印象都很深。我当时就粘一小胡子，顶戴花翎，朝服捕褂，出场抱头，把这几个人叫出来，挨个问。过去北京城里人死了之后，儿孙要披麻戴孝，亲属都来吊唁，辞别送三，然后是孝子抱罐摔盆，长孙打引魂幡，可热闹了。所以最后这官给出主意说："公公跟婆婆太缺德了，公公跟儿子，你俩就抱罐摔盆，让婆婆扛幡，然后俩小姑子扶着棺材哭灵，到了坟地让他们丁家人培土造坟，一家人跟着磕头。"

出殡的这天热闹至极，公公打幡，婆婆抱罐，大姑小姑披麻戴孝。观众刚刚从王玲儿扎缸里死了的悲剧情节里出来，正是难过的时候，到了这场又开始笑，这就是过去演戏的老先生们的高明手法。到最后丧事办完了，婆婆赶紧摘掉孝帽，说："白事终于算完事儿了，我们这算是拉倒了。"但这时候，伊浩然带着几个兵上场了，跟他们说："这事儿还不算完！你们家发财这事儿被我查出来了，当年你们抢了当铺。"

有的剧团在唱这出戏的时候，会安排一个伏笔。丁家人在当铺抢到的东西里，有一个是恭王府失窃的国宝碧眼金蟾，那是王爷的心爱之物，是八国联军进北京的时候被人抢走的，一直下落不明，后来查明原来是被丁家抢当铺的时候抢回去了。现在的戏里面，有的有这个伏笔，有的没有，反正伊浩然最后说："这事儿不算完，还得打官司！"他把丁家人的孝袍摘了，拿铁链往脖子上一戴。最后临下场的时候，丁家这几口人从外边一翻眼，说："我们这是报应！"一直唱到这里，一整出戏才算真正地唱完了。

这出戏我已经有二十多年没唱过了，真的很怀念，也非常喜欢，今天啰啰唆唆地写了一番，觉得挺好。这就是一起发生在北京城里的奇案，也是发生在当年的一件真人真事，大家可要记住了，这就是老北京的《铜碗丁》。

21

论 俗

民国『丧』：家常

毒药，生猛死法

Guo Theory

说话就好比手里拿着一根麻绳，麻绳上拴着一铁标，来回一抡，我要是伤着哪位，碰着哪位，也是怨我了。

大家好，我是郭德纲。

说句心里话，"郭论"的"论"字，我实在是不敢当，有学问的人才能叫"论"，在我这儿，应该只能算是个"囵"，囫囵的"囵"。说话就好比手里拿着一根麻绳，麻绳上拴着一铁标，来回一抡，我要是伤着哪位，碰着哪位，也是怨我了。

我幼而失学，爱念书，却不求甚解，各位读者多多包涵，我也是想通过这本书，把各位当朋友一样聊天。今天我特别想写的一件事儿，就是民国初年发生在天津的一件奇案，叫双烈女。

"烈女"这个词，大家应该都知道，就是"贞洁烈女"的"烈女"。这双烈女，就是两位烈女的意思。这个案子当时在天津轰动一时，有人把它编成了舞台剧，天津的各大剧场都在演，是当时很受欢迎的一场剧。甚至到了1984年，天津评剧院还重新排演了《双烈女》。在民国的时候，像《双烈女》和《杨三姐告状》这些戏，都是观众非常喜欢的剧目。

双烈女是南皮县张氏家族的人，姐妹俩岁数都不大，但是从她们短暂的一生中，能看到当时社会的黑暗、腐朽和人吃人的本质。双烈女去世之后，还闹出了一场病，这场大病是俩姑娘活着的时候没想到的。说起这个故事，还挺复杂的。这张家的两姐妹死的时候，差不多是 1916 年 3 月。

姐妹俩的死可以用四个字来形容——迅疾而亡。当时在天津引起了很大的轰动。很多名人，比如南皮张氏的族人，还有张权和张凤等人，都听说了这件事儿。张权就是张之洞的大儿子。大家都认为姐妹俩的死是张氏家族的奇耻大辱，于是就联络了很多在天津的绅士，其中一位就是大书法家华世奎①，"天津劝业场"这几个字，就是华世奎写的。反正这件事情惊动了天津上流社会的绅士们，一方面，他们强烈要求天津高等审判厅改变原判，伸张正义，缉拿凶手。另一方面，他们也积极地为这两个烈女筹措丧事。

张家姐妹俩的原籍是南皮县偏坡营村，她们的父亲叫张绍庭。张绍庭家里挺穷，18 岁逃荒到天津后，就在瓷器店里学做生意。当时开店的店主姓金，金老板觉得张绍庭这孩子不错，虽然只是个 18 岁的小伙子，但是挺懂事的，干活儿也勤奋，不偷奸、不耍滑，踏踏实实，稳稳当当。后来金老板就跟他说："我很喜欢你这孩子。我家里有个闺女，我想把闺女许配给你，招你入赘做我的女婿，以后我再把这个店传给你。"就这么着，张绍庭就被金老板招赘为婿。

结婚之后，张绍庭夫妇有了俩闺女和三个儿子，长女叫丽姑，次女叫春姑，估计再生一个女儿，就要叫香菇了。令他们夫妻俩没想到的是，还没等到生第三个女儿就出事儿了。1900 年，八国联军攻占了天津，他们家的瓷器店被砸掉了。这下日子过不下去了，那该怎么办呢？张绍庭说："干脆我去拉黄包车得了。"天津管黄包车又叫胶皮车，于是张绍庭就去拉黄包车了。媳妇和闺女就给人家洗洗衣服、织织布，一家人日夜苦熬，也算是能凑合着过。

张绍庭的性格有点儿拘谨，很内向，也不爱说话。拉车是个聪明人干的活儿，

① 华世奎（1863—1942），字启臣，号璧臣，汉族。近代著名书法家，津门书法"八大家"之一。代表作有手书的"天津劝业场"五字巨匾。

但张绍庭是个实在人，所以有时候一个月跑下来，他连车租都交不上，就在这种情况下，有一天他还把黄包车给弄丢了。车厂老板听说张绍庭把黄包车弄丢了之后，就对他说："我招你还是惹你了？交不上车租也就算了，你居然还把车弄丢了，你赔钱吧！"张绍庭这次也真的是没辙了，回家之后，两口子对坐着哭泣，一点儿办法都没有。这可怎么办才好？

张家穷了之后，来了一个坏人，因为这个坏人知道张家这时候缺钱。因为我是天津人，所以我最了解天津，九河下梢天津卫，三道浮桥两道关，五方杂地！这样的地方有好人，有有身份的名流和文化人，但是不可否认，也有一批地痞无赖。其中有一帮人，专门拐骗、引诱良家妇女，把她们卖给妓院，或者嫁给谁家，从中牟取暴利。张家就来了这么一坏蛋，叫戴富有，这小子专门干坏事儿。戴富有听说张绍庭丢了洋车，一时半会儿还不上钱，而且他还知道张家有俩闺女。戴富有还有一个不错的哥们儿，叫王宝山，这俩都是坏小子。王宝山认识张绍庭，戴富有就跟王宝山说："你去一趟张绍庭家，问问他愿不愿意把这俩闺女嫁出去，抵个债什么的。"

于是，王宝山就跟张绍庭说："你家里若没钱赔给车行老板，现在可怎么办呢？现在有这么一茬儿，有一有钱人叫戴富有，他家里的大儿子要娶媳妇，要不咱们立个婚约，到时候把你女儿嫁过去，你就有钱解燃眉之急了。"也是赶巧了，没过多久，张绍庭就病死了。这时候戴富有来到张家，假献殷勤道："亲家突然没了，要不你们母女几个去我们家住吧。"张绍庭的遗孀金氏，以为戴富有也是一番好意，没有多想就带着孩子们过去了。没想到来到戴家之后，戴富有的媳妇马氏跟金氏聊天的时候，老是劝她再嫁。不仅如此，平时没事儿的时候，戴富有还时不时地教金氏的两个闺女唱小曲，而且教的小曲都是妓院里的淫词艳曲。

金氏逐渐清醒了，她感觉被王宝山和戴富有骗了，于是，她干脆就带着孩子们回家去了。别的孩子都被金氏带回去了，唯独这大闺女丽姑被对方留下了。金氏来要人，人家不但不还，还对她说："不行，这个姑娘现在已经是我们家的人了。"之后他们就把这个闺女藏在了密室里，百般凌辱，经常对她大打出手。姑娘的哭声都惊动了街坊四邻，街坊四邻都给她鸣不平。最后金氏实在是没辙了，只能跑到警察局去告状，警方派人到戴家，勒令他家必须放人，戴富有这才把丽姑放了出来。

大闺女丽姑回到自己家，张家一家人终于团聚了，但戴富有不干了，这不是眼瞅到手的肥肉跑了吗？他就说金氏悔婚，原本说好了要把她女儿许配给自己的儿子，现在她把自己的闺女弄跑了，因此戴富有提出上诉。到了天津的地方审判厅之后，戴富有伪造了一份婚书，因为张绍庭死得早，还没来得及签婚书，所以戴富有自个儿伪造了一份假的婚书，谎称张绍庭同意把俩闺女都许配给他的俩儿子，还找了大坏蛋王宝山来做证。这诉讼到了直隶高等审判厅之后，戴富有又贿赂了审判厅的官员。那个年头，衙门口冲南开，有理没钱别进来。于是审判厅就把张家这俩闺女都判给了戴家。

判决书下来了，戴富有就来找金氏："来，把你俩闺女都给我吧，这场官司我打赢了！"金氏听了这话，不知所措，娘们叫天天不应，只能抱头痛哭，弟弟当时又小，也无能为力。金氏哭着对两个女儿说："闺女，娘对不起你们，要是他们敢来抢人，娘跟他们拼了！"俩闺女跪在母亲跟前，泪流满面地说："娘啊，您千万不能这样做，弟弟还小，爹又死得早，您要是有个三长两短，弟弟由谁来抚养？您放心，他们要是来抢人，我们就接着打官司，总归是有办法的。"这俩姑娘真的很厉害，不是一般人。当天晚上，俩闺女趁着妈妈睡着之后，提前准备了好多火柴头，拿煤油泡开，准备喝下去赴死。

俩姐妹喝完之后，凌晨药毒发作了，她们俩难受得辗转反侧。春姑毒热攻心，渴得不行，想要喝水。姐姐就对她说："妹妹，咱说好了一块儿死，你要是喝水的话，毒就解了，你就死不了了，别害怕，我等你，咱俩一块儿走。"姐俩服毒之后，这一疼一闹，邻居也都听见了，她们的妈妈也听见了，赶紧起来找大夫过来抢救。但这俩闺女拒不服药，说："谁也别救我们，我们不打算活了。"丽姑先死了，春姑还剩最后一口气，她告诉街坊四邻说："审判厅的判决书下来的时候，我们俩就打算死了，现在我姐姐已经死了，我也绝不独生，你们也别救我了。"她话刚说完就死了，当时在场的街坊邻居全部都泣不成声。

姐妹俩死亡的这一天，是 1916 年 3 月 17 号，大姑娘 17 岁，二姑娘才 14 岁，这成了当时轰动天津的大事儿。俩姑娘服毒身亡之后，金氏痛不欲生。当时张权、张凤这帮人，都是南皮县的名人，他们觉得这件事儿丢了南皮老张家的面子，于是派人到金氏家中询问事情的原委。问清楚这件事儿的来龙去脉之后，他们都气得不行，要给这双烈女申冤。戴富有和王宝山最开始想得挺简单的，觉得张绍庭一死，剩下金氏孤儿寡母，还能跑出他们的手心？但他们没想到这俩闺女是南皮县张氏的族人。

南皮张氏不但权力大，势力也大。天津的地方官府，很多都是张家的亲朋故旧。惹恼了南皮张氏，捅了马蜂窝了，可怎么办是好？戴富有和王宝山俩人弃家潜逃了。直隶高等审判厅也知道了这件申诉案闹出了人命，赶紧派人去抓捕戴富有和王宝山。因为这件事儿是由直隶高等审判厅错判造成的，所以就由直隶警察厅厅长杨以德亲自出面处理，以平民愤，但是主犯王宝山畏罪潜逃，暂且不能够圆满结案。

说到这里，我想先介绍一下杨以德。看过评剧《杨三姐告状》的读者应该都知道，杨三姐告状告到最后，就是告到了直隶警察厅厅长杨以德这里。杨以德年轻的时候，曾经当过打更的更夫，就是晚上在胡同里敲梆子的人，所以他还有个外号叫杨梆子，如果说起杨梆子，天津人都知道说的是杨以德。杨以德办这个案子，准备以平民愤的时候，手底下的人跟他说，这案子办不了，因为王宝山已经跑了。杨以德就把几个得力的手下叫来，吩咐道："你们几个别聊天了，赶紧给我捉拿王宝山去！"

这几个得力的手下就出去找王宝山了，说起来这几个人也挺好玩儿。当时天津有个地方叫皇家花园。他们一路找，到了皇家花园的时候，对面过来个人，看上去还挺年轻的，穿着西装，推个小车，车上装的都是瓶子，一边走还一边吆喝。原来这人是卖药糖的，过去天津街头就有这种推着小车卖药糖的，好像到现在也还有。药糖，就是薄荷味儿的、橘子味儿的、巧克力味儿的糖，有酸的，也有甜的，各式各样的，用药熬成的小方块糖，吃完饭来一块药糖，可以有助于消化。我在天津从小就吃药糖，现在有时候回天津，还让他们买点儿药糖来吃。

卖药糖的人一般还要吆喝："卖药糖嘞！谁来买我的药糖！橘子、香蕉，还有山药人丹……"各地吆喝的方法也都不一样。被这几个警察看见的这位是穿着西装卖药糖的名人——王宝三。他的名字跟警察要抓的王宝山只差一个字。那个人叫王宝山，"山海"的"山"，这个人叫王宝三，"一二三"的"三"。这几个警察跟他开玩笑说："你是王宝山吗？"卖药糖的一看是警察，就老老实实地回答说："是。"警察听了之后就说："既然你已经承认了，我们也不难为你，你就痛痛快快地跟我们走一趟吧。"卖药糖听了这话都傻了，这究竟是什么世道？警察跟他说："走吧！到时候你就知道了！"

卖药糖的王宝三被带到了警察厅，这几个警察就报告杨厅长，说："王宝山带到！"这杨梆子听说抓到了王宝山，还挺高兴的，就说："带进来吧！"结果带来一看，杨梆子差点儿没气死，这是卖药糖的王宝三，不是他要抓的王宝山。他立马就知道这是手底下的人在敷衍他，但既然是在衙门口抓了人，就顺便问问吧，于是杨梆子就问他："你叫王宝山？身背双烈女两条人命，你知罪吗？"这可把卖药糖的王宝三气坏了，说："大人，您冤枉我了，迫害双烈女那个王宝山，是'山水'的'山'，我是王宝三，'一二三'的'三'，我俩不是一个人！"

杨梆子就继续问道："那你知道那案犯王宝山藏在哪儿吗？"王宝三说："我不知道，但如果您可以放了我，我走街串乡卖糖的时候，可以给您打探消息，做您的眼线。"杨梆子听了之后说："行了行了，我知道你的药糖挺好的，今儿是我耽误你了！得了，你的药糖我买了。"于是就拿了二十块钱给他。"王宝三说："您给太多了，这些药糖连五毛钱都不值。"杨梆子就说："钱你得拿着，我还听说你吆喝得好听，要不你在这顺便吆喝一声吧！"王宝三听到杨梆子夸他吆喝得好，很是高兴，来这儿一趟也算是值了，赶紧就吆喝上了。到现在也没人听懂他吆喝的是什么，为什么呢？因为他吆喝的时候，夹杂着外语，吐字不清。

杨梆子听完很乐和，问他："你以前是不是跟着洋人当过差事，不然怎么连吆喝的时候都带着洋儿味？"宝三就回答说："我跟您这么说吧，我这吆喝不但中国人听不懂，连外国人也听不懂，因为我还会唱洋歌。"杨梆子纳闷道："你还会唱洋歌？"宝三说："那是！不光会唱洋歌，我还会唱洋梆子！"杨梆子一听到"洋梆子"三个字，就说："你在喊我外号？"宝三突然反应过来，赶紧说道："杨梆子可不是您的外号！您的外号叫杨青天！"说完这话之后，王宝三就被杨梆子给轰出来了！后来，王宝三也不走街串巷了，就在南市荣业大街专门的一个门面房里卖药糖。

话说回来，当时在天津，双烈女的案子闹得很轰动，杨以德没办法敷衍民情，最后只能亲自出面联络地方乡绅给双烈女买棺材、料理后事。双烈女出殡的这一天，是旧历的五月初一，整个天津乱了套。街道上全副仪仗，前面是军乐队开道，紧跟其后的是军警，全副武装，最后边是在京的主要政府官员朱家宝、吴寿、张得全等人，还有天津的这些乡绅，都是些有头面的大人物，还包括南皮张氏的一千多族人，都前来参加葬礼。送葬的队伍打西关出发，绕城区一周，最后他们把双烈女葬在城西明朝费官人的墓侧。双烈女墓碑现在在天津公园里，是由前清遗臣、后任北洋政府总统徐世昌 ① 撰文，天津著名大书法家华世奎书写的碑文。

双烈女出殡，一共收挽联两百余副、份子钱十几万。很多挽联里，都在骂直隶高等审判厅。双烈女下葬之后，张瑞荫家里的总账房孟书瑞，带着金氏母子几人回到了南皮，利用办丧事剩下来的钱，在南皮城里文庙东边，建了一座双烈女祠，立了墓碑。金氏母子最早就是住在烈女祠的西厢房，直到后来才搬到双庙村，再到后来天津扩建新北电影院，因为烈女墓影响建设，双烈女的遗孤就把她们的尸骸挖出来，运回了南皮，埋在现在双庙村的西北。

这就是天津当时轰动一时的双烈女的故事。

---

① 徐世昌（1855—1939），字卜五，号菊人。出自官宦世家，曾任中华民国大总统，被后人称为"文治总统"。

22

一捡史一

偷香、窃玉、画眉、瘦腰，
品品古人的风流浪漫

Guo Theory

四位风流才子，每人都留下了一段风流韵事。

这些日子，为了电影的宣传，我去了不少地方，在湖南和上海做了一些节目，也录制了一些晚会，挺好的。

说起来，拍电影跟说相声还真是不一样。拍电影一般分两个阶段：在拍电影的过程当中，要以一个匠人的状态出现，所谓匠人，也就是工匠，就是要以工匠的精神去拍戏；但是拍完戏之后，则要以商人的面貌出现，因为你必须把你的戏卖出去。虽然我在文艺圈，也跟着大伙儿一块儿玩儿了这么些年，但实际上这是我第一次独立运作一部电影。一部戏从制作到卖出去，之前我并不是特别熟悉流程。直到这一次接触才发现，电影这一行也有它的特点，是真的很累，但也挺好玩儿的。无论是跟人打交道，还是跟一个行业打交道，都其乐无穷。

但无论大事小事，我都不会耽误，我都能干得挺好！今儿写点儿什么呢？昨天我们一帮人聊天，其中有一个朋友问我："你爱读书，书里面有一个词叫'窃玉偷香'。老听你在评书和单口相声里说到这个词，说某小子如何窃玉偷香，这'窃玉偷香'到底是怎么一个讲法？"我就给他大概念叨了一番。然后，我突然想起来，窃玉偷香这个题目挺好，好像也没有人写过，那今天我就给大伙儿讲一讲关于窃玉偷香的故事吧。

当然，我水平有限，就是跟各位一块儿聊聊天，把我知道的一些事情、我看过的书、还有我听人说过的一些事儿，大概念叨念叨，如果您觉得哪儿不好，咱们可以一块儿探讨，也可以让我长点儿能耐，长点儿知识。

要想把"窃玉偷香"这四个字解释清楚，就得先把它拆开了说。窃玉是窃玉，偷香是偷香。"窃玉偷香"其实是从中国古代的"四大风流"这儿传出来的。所谓的"四大风流"，实际上说的是四个人：沈约瘦腰，韩寿偷香，相如窃玉，张敞画眉。就是这四位风流才子，每人都留下了一段风流韵事。

头一段，沈约瘦腰，其实说起来算不上是什么风流韵事，因为人们一提到风流韵事，首先想到的肯定是才子佳人、浪迹江湖，一男一女两个人，感情怎么好，诸如此类的风流故事。但这"沈约瘦腰"根本没有故事，而且跟"风流"二字也扯不上关系，也不知是谁，把人家沈大爷跟另外那三位搁到一块儿去了。沈约，又名沈休文，南朝人，搁现在，他应该是个浙江人，在宋、齐、梁三朝都曾做过官，旧史上一般说他是梁朝人。沈约从小家里就有钱，家里做官的人也很多，可以说是出身于世家。历史上有一评论说"江东之豪，莫强周沈"，这其中的"沈"，指的就是沈家，这就足以证明沈约家族的社会地位有多显赫。

沈约打小就爱念书，白天把书念完了，晚上不睡觉，还得再温习一遍。他母亲担心自己的儿子是不是跟别的孩子不一样，别的孩子一天到晚都出去玩儿，天黑了还得从外面找回来，啪啪啪地打一顿才肯念书。自己儿子一天到晚地只想念书，白天念，晚上也念，身体累坏了怎么办？于是他母亲每次都少给点儿沈约点灯的灯油，等油灯灭了之后，他只能去睡觉了，可以看出，沈约看书看得有多投入。据说年轻时候的沈约已经博通群籍，写得一手好文章，而且他对史学特别有兴趣，从他二十岁起，到他四十多岁，在这二十多年的时间里，他写过一部晋史，也就是晋朝的历史。很可惜，咱们现在只知道他写过这本书，却没有流传下来，也没有人看过。史书上还记载：沈约左眼有俩瞳仁，腰里边有一块紫颜色的胎记，生有异象，非为常人。关于生有异象这一点，仁者见仁，智者见智，西楚霸王项羽也曾被说有"楚重瞳"①，要是放在现在来说，医生可能会说他的眼睛有病，在古代人看来，这就是了不得的事情。还有说刘备"双手过膝，耳大垂肩"，意思就是手一伸出来能过了膝盖，两耳朵能搭到肩膀上，仔细琢磨之后就会发现，刘备长成这样就跟个猩猩似的，是吧？但古代人就说这是"生有异象，非为常人"。

很多文人都爱说"沈约瘦腰"，这个词一般都是形容一个人身体不好，有病，心情抑郁，可怜的样子，反正就是一个贬义的词汇。李煜词云"沈腰潘鬓消磨"，这里的"沈腰"说的就是沈约，意思就是说，如今精神和肉体的消磨，使我的腰围像沈约一样，一天天地瘦下去，两鬓也像潘岳②一样斑白了。苏东坡也曾经提过"沈郎多病不胜衣"，甚至明代诗人夏完淳③也写过"酒杯千古思陶令，腰带三围恨沈郎"这样的诗句。"腰带三围恨沈郎"里的"沈郎"，说的也是沈约。

从古人所说的韩寿偷香、相如窃玉、张敞画眉和沈约瘦腰这四大风流来看，古人理解的"风流"，跟现在的"风流"还是有差别的。他们不是说男女之情，古代这个"风流"其实是有病体消瘦的含义的。但如果真把沈约跟窃玉偷香的风流放在一块儿，实在是委屈他了，这两种风流根本挨不着边，也不知当初是哪位大爷把这位给搁一块儿了。但是除了沈先生之外，剩下的那三位，跟窃玉偷香还是有关联的。这里说到窃玉偷香的"偷香"，可能好多人都会第一时间想到韩寿偷香。韩寿是西晋时的一个官，家里边好几辈也都是做官的，据说他家是西汉初年的诸侯王韩信的后代。他还是西晋的开国功臣贾充的女婿，晋书上形容韩寿"美姿貌，善容止"，所谓的"美姿貌，善容止"，意思就是长得好看，个头儿也好，还会捯饬。按照现在的说法，就是夸他风流倜傥、玉树临风。至于为什么说韩寿偷香，

---

① 楚重瞳，指楚霸王项羽，相传项羽的眼睛有"双瞳"，故称。典出《史记》卷七《项羽本纪》。

② 潘安（247—300），即潘岳，字安仁。今河南开封人。西晋著名文学家、政治家。因出色的外貌，被誉为"古代第一美男"。杜甫的《花底》诗中有"恐是潘安县，堪留卫玠车"的相关描述。

③ 夏完淳（1631—1647），乳名端哥，别名复，字存古，号小隐，又号灵首。明末（南明）诗人、民族英雄。自幼聪敏，有神童之誉，15岁随父抗清，后兵败被俘，不屈而死。

这其中就有一个故事了。

西晋初年，晋惠帝①的老丈人贾充，招了一个办公室的工作人员叫韩寿。这韩寿招进来之后，大伙儿一瞧，发现他长得帅气潇洒，要多好看就有多好看，而且无论是办事，还是写文章，都很完美。就这么一小伙子，在贾充手底下一块儿干活儿，一块儿打工。这贾充就把这些官员和办公人员都叫来，什么CEO啊、UFO啊，不管是什么吧，这些大官小官都给叫来了。每次这些官员在一块儿开会的时候，窗户外边就老有一个人偷看，是谁呢？就是贾充的小女儿，闺名叫贾午，这个贾午可不是甲午战争的"甲午"，而是姓贾的贾，中午的午。这个小姑娘就打开窗户看她爸爸开会，一眼就看见了韩寿。嗬！韩寿简直好看得不行了，怎么会长得这么好看？回到自己的绣房之后，贾午还在念叨着韩寿。她家里的丫鬟听到之后，就问小姐："您是要学什么文化知识吗？又不能去学校上学，所以准备去'函授（韩寿）'？"当然这是句玩笑话，反正就是问她为什么老是念叨韩寿。

贾午姑娘就说："我今儿看见我爸爸开会，那屋人里有一个叫韩寿的，怎么那么好看。"这个丫鬟也是好传闲话的人，就把这件事儿告诉了韩寿，说："哥哥，你猜怎么着？我们家的小姐瞧上了你，小姐向来眼光很高，一般人她都看不上，唯独就爱上了你。"韩寿就问："那你们家小姐长什么样呢？"丫鬟就回答说："我们家小姐长得可好看了，脑袋上戴着好多花，我就从来没见过像我们小姐那么好看的姑娘。"听丫鬟这么一说，韩寿也动心了，说："那我能不能见见你们家小姐呢？"丫鬟就说："可以啊，我很乐意帮小姐这个忙。"

今天咱既不是说评书，也不是说单口相声，所以见面的过程我就不细说了，反正双方约定好了哪天几点在哪里见面。到了这一天夜里，韩寿翻过贾府墙头和贾午幽会。因为白天人多，被大官小官逮着太不像话，所以他不能白天去，只能约定在夜里见面。这两人都太聪明了，而且这件事儿也做得很巧妙，整个贾府上下，除了那位丫鬟之外，没有其他人知道。直到过了一段时间之后，这个老头儿贾充

---

① 司马衷（259—306），即晋惠帝（290—306在位）。字正度，晋武帝司马炎的次子，在位十六年。相传在48岁时被司马越毒死。谥号孝惠皇帝，后葬于太阳陵。

觉得有问题，因为自己的闺女突然喜欢打扮了，一天到晚地捯饬，描眉画眼。原来虽然也好捯饬，但也不像现在这样。后来一次偶然的机会，官员们开会的时候，贾充一提鼻子就觉得有问题。什么问题呢？就是一股香味儿，香得都快不行了，他就很好奇究竟是谁身上这么香。闻来闻去，是韩寿身上的味道。而且这种香气不一般，不是蚊香，而是一种外国进贡的香料，粘在身上后很长一段时间都不会散去。贾充心里"咯噔"了一下，因为这种香料是外国进贡给皇上的，皇上又把这种香料赏给了他，也就是说，只有他家里才有这种香料，其他人家根本没有，因为它不是普通的香料，不是其他人能买得到的。

于是贾充就想，外国进贡给皇上的香料，皇上全都给我了，别人家怎么会有呢？韩寿有这种香料，只能是我家里的人送给他的，送香料给韩寿的人究竟是谁呢？贾充思来想去，炒菜的厨子、赶大车的，还有遛狗的，这都不可能。最后想来想去，韩寿会不会和自己的女儿在私通？但是贾家的院墙高大，院墙磨砖对缝，他怎么可能进得来呢？而且韩寿怎么能够做出这种事儿。贾充怎么都不敢相信。但是这老头儿也是很聪明的一个人，你想他做到那个官位，肯定不是一般人。于是他就假装院里丢东西了，派人去查查屋内外，院墙也都看看，然后由家里的管家负责，开始四处查探。查来查去，查到最后，管家跟贾充回话说："其他地方都没有任何异常情况，只有东北角的院墙看着好像有爬过的痕迹。按说院墙这么高，不可能有人爬上去……"书中的原文是说"无余异，惟东北角如狐狸行处"，意思是别处都没事儿，只有东北角就像有狐狸打那儿出来进去过似的，有个词叫"狐狸上墙"，不知道各位读者听说过没有。

听了管家这番话之后，贾充心里就算是明白了，韩寿真的跟自己的闺女有关系。他没有直接问闺女，而是先把闺女身边的丫鬟叫来问话："你最好老实交代，不说实话的话，就活活打死你，就算这次有人救了你，下次还照样打死你！"这小家伙儿听到这话就害怕了："跟您说实话，我这是助人为乐，因为小姐瞧上韩寿了，我就如何如何……"丫鬟就把整个事情的来龙去脉都交代了一遍。事情已经发展到这个地步，贾充也没有其他办法，你说能怎么着？得了，干脆就直接去问闺女。闺女说："我很爱他。"于是，贾充就吩咐下人，谁也别再提起这件事儿，然后把闺女偷偷地嫁给了韩寿。原文是"充秘之，以女妻寿"，"充秘之"的意思就是贾充没把这件事儿对外宣扬出去，而是当个秘密存起来了。"遂以女妻寿"，这是一个倒装句，总之贾充就让女儿嫁给了韩寿，你看这事儿闹的。但韩寿也算是对得起岳父的厚爱，韩寿家族里几辈人都是做大官，家境挺好的。

这就是韩寿偷香的故事。当然后面的故事说起来就复杂了。韩寿先生虽然生前名利双收，但是他死了之后，他们两家人闹得不太愉快。因为贾午的姐姐贾南风[1]是晋惠帝的皇后。后来的天下大乱就与贾南风有关，当然因为这件事情离题太远，咱们这里就不再细说。到了清朝嘉庆年间，在一口古井里发现了韩寿的墓葬，直到新中国成立之前，韩寿的墓都长期收藏在洛阳千祥庵存古阁。西晋元康初年，韩寿去世了，他这一生过得很幸福，也很浪漫，当然这一切可以归功于他和贾午"偷香"的千古传奇故事。韩寿偷香大概就是这样，要是说起他们家的故事，实际上后面特别复杂，因为不在咱们今天主题范围之内，所以我就再不多说了，韩寿偷香就先告一段落。

既然有偷香，就得有窃玉，这窃玉又是怎么回事儿呢？其实这个窃玉的故事最早发生在唐代。不知是谁说过这么一件真事儿，就是大家都熟知的杨贵妃盗窃宁王玉笛的故事。那时，唐玄宗跟兄弟们，也就是王爷们，经常待在一块儿睡大觉、喝大酒、跳大舞，完事儿之后，还待在一起。所以杨贵妃就总有机会跟这些王爷见面。在这些王爷里边，有一个宁王不但风流倜傥、放荡不羁，尤其喜好音乐，比如三弦、琵琶、钢琴和快板，样样都行。就是因为这一点，所以古书上记载他"颇得杨氏之意，暗生羡爱"，意思就是杨贵妃有点儿爱上宁王了。宁王有一个特别喜欢的玉器，是一支紫玉雕的笛子，有一次杨贵妃偷偷地把这笛子拿走了。她拿玉笛的用意，肯定不在这玉笛上，而是在试探宁王。不是有这么一首诗嘛，"梨花深院无人见，闲把宁王玉笛吹"，因为我喜欢你，所以我把你的玉笛拿走了，就好比是你喜欢

---

[1] 贾南风（257—300），小名峕（shí），平阳襄陵（今山西襄汾东北）人。她是晋惠帝司马衷的皇后。因貌丑而性妒，后死于赵王司马伦之手，随后引发了历史上著名的"五胡乱华"。

上爱唱快板的张三，就把他喜欢的快板拿走了，目的是让他找快板的时候找到自己，这样俩人就能好上，杨贵妃跟宁王就有这么一点儿小暧昧。当然，这件事儿让唐玄宗很生气，差点儿因此把杨贵妃处死，所以后来说窃玉，就是指杨贵妃盗窃宁王的玉笛这件事儿，这就是所谓的"窃玉"。

但是四大风流里的"窃玉"，指的并不是杨贵妃窃玉，而是相如窃玉。司马相如就不用多说了，汉朝著名的文学家，他是四川人，本来不叫司马相如，而是叫司马长卿。之所以叫相如，是因为他很仰慕战国时的蔺相如。看过京剧的人应该都知道，有蔺相如、廉颇三次挡道的故事，故事里的蔺相如很是厉害。司马长卿觉得蔺相如这个人很厉害，仰慕他，所以就把名字改成了司马相如。

司马相如少年时代喜欢读书、练剑，二十多岁的时候买了个官，但是这官不大，就是跟在汉景帝身边，也没什么正经事儿可做，所以他总有一种我天天在这儿待着，遇不到知音，人生太没意思的想法。后来司马相如不干了，借病辞官，说自己身体不好，辞官出去玩儿去了，然后就去了一个叫临邛①的地儿。临邛是个好地方，曾经有一副对联"风月无边，长安北望三千里；江山如画，天府南来第一州"，说的就是临邛。

司马相如不去则罢，到这儿之后，居然碰见了卓文君。

---

① 临邛古城，巴蜀四大古城之一，以产盐、铁著名。迄今已有 2300 多年的历史，是西汉才女卓文君的故乡，素有"临邛自古称繁庶，天府南来第一州"之美誉。

23
—捡 史—

爱情佳话，闺房乐趣，
古人的风流超出你的想象

Guo Theory

闺房之乐，有甚于画眉者？

有一天，有几个人跟我说："爱听你胡说。"我就问："我怎么就是胡说了呢？"他们就说："我们吃瓜群众就是想看个热闹，你说得对也好，不对也好，都无所谓。"我赶紧说："你们客气了，我还是得继续努力才行。"

一提到"吃瓜群众"，我就突然想起来，在中国历史上，吃瓜群众曾经吃过一次大亏。这件事儿说起来挺好玩儿的，不知道大家听说过没有，就是吴王阖闾 ① 吃饭的时候，有一次与他闺女滕玉公主坐在一起吃饭，厨子上菜的时候，吴王阖闾的饭桌上端上了一条蒸鱼，但是他闺女那桌没有这条鱼。春秋战国时期，吃饭的时候都是分席制，这也不是什么大事儿，但是因为吴王宠爱公主，所以鱼吃到一半的时候，吴王就把另外那半条鱼端过去给公主吃，他闺女的自尊心特别强，觉得父皇怎么可以这样对我？这是有意羞辱我，于是就把筷子扔了，转身回屋就

---

① 吴王阖闾（？—前496年），春秋末期吴国君主，军事统帅。一作阖庐，名光，又称公子光。吴王诸樊之子，后在与越国的槜李之战中，被越大夫斩落脚趾，重伤而死。

哭了起来，而且越哭越想不开，最后自杀了。这孩子估计从小就被宠得没个人样，这上哪儿说理去？吴王也没想到，一条鱼就把自己的闺女逼死了。这该怎么办呢？人死不能复生。得了，好好给闺女办一场白事儿吧。

中国自古以来就奉行"事死如生，事亡如存"的丧葬观念，为了补偿自己的闺女，吴王阖闾就把滕玉公主的丧葬规格升得极高。具体升到多高呢？这么说吧，据说整个太湖就是因为给公主挖墓而挖出来的。给公主弄了这么大的一个陵墓，她死后住的房子可以说是很宽敞了。但是这个房子里边还缺人，必须得给自家姑娘多找点儿阴间仆人，最少也得成百上千个才够用。要是这样的话，就必须强行殉葬，但吴王阖闾又怕老百姓不干，怎么办呢？于是，吴王就想了一个主意，组织了一个规模很大的团体舞，叫白鹤舞。选了几百个舞者，让他们拿着白翎子和白绢子，把身上装扮好了，再弄一对翅膀，学白鹤在街上跳舞。这舞跳得很好，引来了大批的吃瓜路人。前面这一帮人跳舞，后边一帮人跟着看热闹，一边看还一边叫好，这就奔着滕玉公主的坟去了。

前面跳舞的和后边叫好的这些人加起来，估计得上千人，最后全都进入公主的墓室。他们进去之后，吴王阖闾就吩咐属下把门关上，还把木门上的条石放了下来。跳舞的连带叫好的吃瓜群众就这样，全部都被关在里边给公主殉葬了。这应该是中国历史上最无辜的一批吃瓜群众，好端端地就成了殉葬者。但这件事儿究竟是真是假也不好说。有吃瓜群众也挺好的，尤其像我们是靠拍电影的和演舞台剧为生的，要是没有吃瓜群众，我们就没有存在的意义。必须得有观众支持，才能检验出我们的水平。写《郭论》的时候，我特别在意这个，为什么呢？要说是普通的演出，我只要往那一站，就能看到台底下究竟是五千人还是八千人，又或者是小剧场，只有五百八百人。但是写书这件事儿，我根本不知道读者有多少人，究竟有多少能人。这本书的读者里边可能藏龙卧虎，那些有文化、有知识的人，一听郭德纲胡说，就比较尴尬了。不过实话实说，这方面我确实没法跟别人比，所以我也就是抖个机灵。我这点儿记问之学，也不敢跟各位去论什么，这本书纯粹就是一种交流，哪里不对了，各位读者一定要提醒我，让我也长长知识。

上一篇我写到司马相如到了临邛，临邛县有一个富豪叫卓王孙，他有一个闺女叫卓文君。卓文君长得很好看，不仅容貌秀丽，还喜欢音乐，敲鼓、弹琴、写诗和画画都很好。唯一可惜的就是"未聘夫死，成望门新寡"。这句话什么意思呢？就是说卓文君原本已经定好了人家，可还没等她嫁过去，丈夫就先死了，她就成了一个守寡的人。历史上还有另一种记载，说卓文君已经嫁过去了，但是嫁过去没几年，丈夫就死了，然后又回到娘家来住。历史上存在着两种说法。但这玩意儿也没人打那会儿经历过，所以咱们就"妄言之，妄听之"。反正不管怎么说，卓文君曾经有过丈夫，而且家里很有钱。

　　司马相如遇见卓文君这一年，按照我们现在的推断，应该是卓文君十八九岁那年。司马相如到了临邛之后，就听说这儿有一个叫卓文君的姑娘很厉害。司马相如跟临邛当地的县令关系很好，经常一起聊天、见客人。有一次，他和县令一起在卓家吃饭的时候，他寻着个机会上台弹琴，弹琴的时候他就表达了自己对卓文君的这种爱慕之情。哟！当时他唱得特别好听，"凤兮凤兮归故乡，游遨四海求其凰"。他这唱词，哪怕在今天来说，措辞也算是直率、大胆，你说要是谁抱着吉他上您家去坐，咣咣一弹琴就唱"我很爱你"，无论谁听到都会吓一大跳。卓文君在帘子后边听见了这首歌，才知道家里来串门的叫司马相如的，是一个天下闻名的大才子！

　　卓文君仔细一听，司马相如琴是为自己弹的，歌也是为自己唱的，表达他很爱自己，俩人见了一面之后，一见倾心，你爱我，我也爱你，然后俩人就约定好一起私奔。当天夜里，卓文君就收拾好细软。卓文君刚走出家门，司马相如就已经在门外等着了，俩人就私奔了，这个故事就叫"文君夜奔"。这也是这俩人生命中最辉煌的一件事儿。但是打从卓家出来之后，俩人确实也没什么钱，司马相如本来就很穷，俩人就开酒馆当垆，当垆就是卖酒的意思。卓文君她父亲知道这件事情之后很生气，卓家这么大、这么有钱，结果闺女干出这样的事情，丢人丢大了。当然，后来又经历了好多事情，有朋友也劝卓家放宽心，到最后卓文君父亲总算承认了司马相如这个女婿，而且还给了卓文君很多钱和嫁妆，一切也都挺好。

但是到后来司马相如的表现，就不是那么美丽了。因为后来汉朝换了皇上，司马相如在老丈人和朋友的帮助下，如愿以偿地进了官场，还当上了大官。之前他辞官是因为当官实在太没意思。但他现在受到了重用，正是春风得意的时候。人的野心会随着位置的变化而不断膨胀，司马相也是如此，有个词叫"飘飘然"，就可以形容司马相如那个时候的状态。司马相如就觉得卓文君配不上自己了，很想甩了她再娶其他人，还想纳个妾。然后他就提起笔来，写了一封信，给他妻子卓文君送去了。他这个信写得很简单：一二三四五六七八九十百千万。要是没有文化，还真看不懂这封信究竟代表什么意思？这封信从"一"到"百千万"全部都有，万后边就是"亿"，但是它没有"亿"，这是什么意思呢？就是"失亿（忆）"的意思，说白了，就是我不爱你了，我对你没意思了，我们之间也没有感情了，但他又不能写太明白，所以他就写了这么一行数字，给卓文君寄过去了。

卓文君看完这封信之后，心里很难受，就提起笔来给他回信。她回的这封信叫怨郎诗，也叫数字诗，也算是俩文人之间的斗智。我还记得卓文君的信是这么写的：一别之后，二地相悬，只说是三四月，又谁知五六年。七弦琴无心弹，八行书无可传，九连环从中断，十里长亭望眼欲穿。百思想，千挂念，万般无奈把郎怨。万语千言说不完，百无聊赖十依栏，重九登高看孤雁，八月中秋月圆人不圆，七月半烧香秉烛问苍天，六月天别人摇扇我独心寒，五月石榴如火偏遇阵阵冷雨浇花端，四月枇杷未黄我欲对镜心意乱，急匆匆，三月桃花随水转，飘零零，二月风筝线儿断。噫！郎呀郎，巴不得下一世你为女来我做男！

民间传说这首诗就是卓文君写给司马相如的，仔细琢磨之后，有很多人猜测，这是后人借着卓文君的笔写的，至于真正的作者是谁，还是颇有争议的。但这首诗是谁写的，其实并不重要，重要的是这首诗确实最吻合卓文君当时的心情和状态。卓文君写完这封信寄回去之后，司马相如看了很是惭愧。自己怎么会变成现在这个样子？人家当初对我那么好，是我不对，是我有罪，我惭愧，我流泪，反正他看完信后大概就是这么个心情。总之看到这封信之后，司马相如幡然醒悟，觉得自己不能这样做，这样对不起卓文君，之后俩人就好好地在一起生活了。当然这只是民间的传说，具体如何，野史和各种故事都有不同的版本，但这并不在咱们讨论的范围之内。但是相如窃玉的故事，属于四大风流之一，实际上所谓的"窃玉"，只不过是引用了杨贵妃偷玉笛的典故，司马相如把卓文君从家里拐走，两个人一起私奔，可不就是"窃玉"吗？

四大风流里的最后一个叫张敞画眉。张敞是西汉的一个大臣，河东平阳人，平阳就是现在山西的临汾西南方再过去一点儿。张敞做到当时京城里最厉害的官——京兆尹①。当时的长安城境内，社会秩序挺乱的，偷东西、打架时有发生，流氓层出不穷。因为负责长安地区的京兆尹不称职，所以老三番五次地换人。于是汉宣帝②就把张敞叫来了，因为张敞说过："您把这件事儿交给我，别人都不灵。"就这样，张敞就做了京兆尹。

上任后，张敞立即去了解社会秩序为什么会乱？这些贼到底是怎么回事儿？他本身也很聪明，平日里私行查访，也就是所谓的微服私访，去茶馆和酒馆这些地方问来问去，最后总算查出来了，他发现有几个贼家里还都挺富裕的，出来的时候身边的书童和管家前呼后拥，一看就知道这几个人是诸侯长者，而且家里有钱，一般情况下，你根本想不到闹事儿的这几个贼会是这样出身的人，平日里还摆出一副忠厚长者的姿态。张敞知道这事儿之后，不动声色地把这几人都请来聊天。请来之后，张敞就对他们说："我告诉你们，我已经知道你们几个是贼了，现在我要彻底查办这件事儿，你们要是答应便罢了，不答应的话，我要你们好看！"这几个贼就说："既然您都了解我们了，也把我们弄来了，就知道我们家里的情况。但是我们进了衙门之后，和我们一起的同伙，就是其他的贼，肯定得怀疑我们。要不这样，我们给您出一主意，我们愿意帮您把贼都逮起来，前提是您得给我们安排个一官半职，这样我们回去之后就说自己当官了，然后把其他人都叫来庆祝，到时候咱们再定计策。"

---

① 京兆尹是中国古代官名，属于治理京畿地区的三辅之一，京兆尹、左冯翊、右扶风，合称三辅。
② 汉宣帝刘询是中国历史上著名的贤君。其在位期间，是西汉国力最为强盛时期，有"孝宣之治"之称。

张敞答应了，并真的给这些人安排了官职，让他们回家。这些贼回去之后设宴欢庆，邀请同伙们前来，告诉他们说："这回咱们是熬出头了！"然后大家相互看看，你什么官，我什么官，他什么官……反正大伙儿一起喝酒庆祝。在喝酒的过程当中，张敞早就安排好了，在每一个贼的后背上想方设法地蹭上一块红颜色的标记。这帮贼喝完酒往外走的时候，门外早就有抓贼的差人衙役等着了，谁后背上有红色标记，就当场拿获，这次抓捕之后，长安城的社会秩序焕然一新，几乎没有贼了，所以皇上非常赏识张敞。

但是有一天，朝廷里突然出了一件大事儿。当时朝里有一个官员，名叫杨恽①。杨恽是个轻财好义的人，他的父亲去世得早。杨恽的父亲去世之后，家里的后娘对杨恽不是特别好，但是杨恽对她倒还不错。后来他的后娘也去世了，就把全部家产都给了杨恽，说："现在这些家产都是你的了，你可以随便花了。"但是杨恽从来也不把钱当回事儿，也没有随便乱花钱，而是把他父亲留下的这些钱都分给了亲戚和日子过不下去的穷人。杨恽就是这么一个主儿。像他这样一个官，平日里也很清廉。所以在朝里就有一些人跟他过不去了，其中就包括一个叫霍光的老臣，因为霍光的儿子想要谋反，杨恽去告发人家。实际上想要谋反的这个霍家，跟杨恽的父亲之前还有些老交情。

反正杨恽做过很多类似这样的事情，肯定有很多人因此而恨他，到皇上那里去检举他，说他"以主上为戏语，尤悖逆绝理"，这句话是什么意思呢？"以主上为戏语"，就是拿皇帝开玩笑，"尤悖逆绝理"，就是他说的话中有要造反的意思。皇上听了这个那还受得了？就把杨恽给逮了起来。但是查了一段时间之后，也没查出什么真凭实据，于是就又把他给放了，不过贬为了庶人。庶人就是普通老百姓，杨恽不再是官员了，就回家了。好在杨恽家里还有点儿钱，也罢，他就想回去之后好好地过日子，也不再掺和政治上的事情了。

就在这个时候，杨恽收到一封信，这封信是杨恽的朋友——安定郡太守孙会

① 杨恽（？—前54），字子幼，西汉华阴（今属陕西）人，司马迁的外孙。西汉政治家。宣帝时曾任左曹，后因告发霍氏（霍光子孙）谋反有功，封平通侯，迁中郎将。

宗^①写给他的。信上写道："听说你前些日子出事儿了，你怎么能这样呢？你以后可千万要好好地闭门思过，别在家一天到晚地如何如何……"孙会宗也是一番好意，所以写了这封信，但是杨恽看完之后心里挺别扭，就给孙会宗回了一封信。他回的这封信，就是后来大家熟知的《报孙会宗书》。杨恽在这封回信里写得锋芒毕露。一来是挖苦孙会宗，叫他别瞎掺和。不仅如此，在信里杨恽还表达了自己对皇帝的不满。他写完这封信之后就寄了出去。过了些日子，刚好赶上日食。那个年头都说日食是天狗吃月亮，古代人也不懂为什么会发生这种天象，所以就得去查为什么会这样。然后就有人说，肯定是杨恽不做官之后，天天在家喝大酒，因为他骄奢不悔，所以导致了天狗吃月亮，日食闹天，这一切都怨他一个人。那年头的人也不懂科学，杨恽就因为这件事情又被抓了起来。

抓到杨恽之后，就在他家里搜证据，然后就搜出了这篇《报孙会宗书》。皇上看完之后很生气，痛斥他大逆不道，最后判他腰斩之刑。当然，后来孙会宗也被关了起来，中国历史上的文字狱就是从这里开始的。其实杨恽被杀害，是由汉宣帝统治时期阶级内部矛盾造成的，因为皇亲国戚打击迫害士大夫集团，所以才发生了杨恽这样的惨剧，汉朝的衰败也是从这里开始的。

话题扯远了，杨恽被害之后，与他关系不错的官员接二连三地被杀害，或者被罢免。刚才提到的京兆尹张敞，其实就跟杨恽是好朋友，自然他也跟着一块儿遭了殃，咱们俗称叫吃瓜落^②，但是皇上觉得张敞这个人还挺好，而且非常有才华，所以就准备稀里糊涂地将这事儿糊弄过去，不想再罢免他的官了。但这张敞手底有一小官叫许顺，张敞让他去查一个案子，许顺就抖了个机灵，他觉得因为杨恽的事情，朝内大官小官杀的杀、免得免，而杨恽跟张敞关系很好，张敞一定会被皇上重办或免职，所以就没听张敞的命令去查案子，直接回家睡觉去了。

有人就问许顺："你怎么可以这样？"许顺说："我之前已经为他（张敞）

做了不少事情了，现在他顶多还能当五天的京兆尹，我还帮他办什么案子。我凑合五天，他估计就要滚蛋了。"这话很快就传到张敞耳朵里，张敞一听许顺竟然说他是五日京兆尹，就把他抓来入了狱，定了个死罪。许顺临行刑之前，张敞跟他说："就算我是五日京兆尹又怎么样？我依然能要了你的脑袋。"说完就把许顺给斩了。

后来宣帝派使者巡行天下，视察冤案，许顺的家人就用车拉着许顺的尸体，到使者跟前鸣冤。这使者是巡查天下的大官，就跟皇上上奏了张敞滥杀无辜的事情。皇上问明白了事情的原委之后，觉得也算不上什么大事儿，于是就想方设法给张敞脱罪。后来，就以他跟杨恽的案件有牵连为由，罢免了他的官位，将他削职为民。皇上这么一说，张敞立马就明白了皇上的用意，主动跑到宫殿，把文件全交了之后，就跑了。

张敞回去几个月之后，京城里就乱了套，社会秩序又开始混乱起来，冀州一带又出现贼人。皇上一琢磨，还是得张敞出马，就派使臣到他老家去找他。使者一来，张敞家里人都被吓坏了，当场就哭了起来。只有张敞很镇定地说："没事儿，我现在是老百姓，如果真有什么事儿的话，咱们村子里边的村长和县里边的县官直接就能办了我，朝廷根本不需要派使者来。朝廷这个时候派人过来，不是别的事儿，肯定是天子又要重用我了。"果不其然，张敞一入朝就被任命为冀州刺史。到任之后一年左右的时间，张敞就把冀州的盗贼全部都给灭了，后来他又被任命为太原太守。他在任的一年时间里，太原郡秩序井然，这说明他是一个很有能力的人。

而张敞画眉的故事主要说的是，张敞跟他的太太感情很好。因为他太太年轻的时候受了点儿伤，眉毛短了一块，还有一种说法是说张敞小时候淘气，拿砖头瓦块，把当时还是小女孩儿的妻子的眉毛给砸了，所以张敞长大之后娶她为妻。因此，张敞每天早上去衙门之前，都会帮太太把眉毛画好了再去上班。后来，皇上和张敞的同事问他："为什么你每次来上朝之前，都要先给你太太画眉呢？"张敞回答说："闺房之乐，有甚于画眉者？"意思就是两口子在闺房之中，哪有比这画眉更好玩儿的事情呢？你们应该问我国家大事做好了没有？至于我给我太太画眉的事情，你们就无须多管了。这就是张敞画眉的故事。

　　啰里啰唆写了半天，连同上一篇一起，终于把这古代的"四大风流"的故事给讲完了。当然，这里的沈约是被冤枉的，但是请您一定记住这四个典故。

24

— 论 俗 —

中国人办年货，
怎样算会过？

Guo Theory

初一饺子初二面，初三合子往家转，初四烙饼炒鸡蛋。

这些日子，北京的天气还有点儿凉，不过已经有点儿快过年的意思了。

今年我一直感冒，流感和咳嗽一直没完没了，这应该跟冬天不下雪有很大的关系。之前于谦老师也是一直没完没了地咳嗽，台上咳，台下也咳，他这一闹，两个月之后才彻底见好。也不知是被谁传染的。大概有半个月的时间，我这咳嗽也没完没了的，严重的时候，咳得夜里根本睡不着觉。估计这也跟天气有关，这应该属于老人口中的"天时不正"，意思就是原本该下雨就得下雨，该下雪就得下雪。但是今年北京就一直没下雪，我看到好些地方都已经下雪了，唯独北京的雪难盼。不下雪就没有冬天的样子，我记忆里有一次快到年下的时候，下了一场大雪，大伙儿都是发自肺腑地开心。

过年是中国人的传统节日，没有人不爱过年的，在国外跟他们聊天的时候，那些海外华人也说："每年过年的时候，我们这儿都正好赶上天热，老觉得不像是过年的样子。"可不是呗，中国人一进腊月就要开始忙过年的事情。对我们德云社来说，从腊月初七那天起，就开始热闹了。因为腊月初七刚好是我的一个徒弟张云雷的生日，转天就是腊八，所以他的生日很好记。俗话说"腊七腊八冻死寒鸦"，意思就是说腊七腊八这两天是一年里最冷的时候。民间还有泡腊八蒜、熬腊八粥这类的习俗。还有的人直接上庙里去喝腊八粥，像北京的红螺寺和雍和宫等地，到腊八这一天都会舍粥，大家伙儿起五更上那儿喝粥去，喝了腊八粥，象征着吉祥如意。至于腊八这一天为什么要喝腊八粥，说起来这其中的故事有些复杂，各种各样的说法都有。等哪天有机会，我专门给大家写一写腊八粥的故事。

腊八一过，中国人就开始忙活过年的事情了，过年就是从年货采买开始。现在大家都富裕了，家里也都有钱了，所以并不是很在乎买东西花钱的事儿了。我们小的时候，只有到过年的时候，才是集中地花钱消费的时候，吃的喝的穿的戴的，使的用的玩儿的闹的，干的鲜的生的熟的，反正只要是过年的时候采买的这些货物，都叫年货。不是有句老话说：糖瓜祭灶，新年来到，姑娘要花，小小子要炮，老头儿要顶新毡帽。这就说的是办年货的事情。

北方的年货说不上有多复杂，过去来说，老百姓辛辛苦苦忙活了一年，日子也不富裕，只有到过年的时候才能大吃大喝。大家看到的什么猪羊牛鸡鸭，这些都是最普通的年货。在过去的老北京和老天津卫，还有单独的年货，比如说麂肉和野鸡，从东北山海关外边弄过来的东西，还有一些比如：糖年糕、玉兰片、冷笋和水磨年糕。反正过年了嘛，大家都把很多好吃的东西弄到自己家来。南方的年货，日用品比较多，像纸张和瓷器之类的，还有祭祀烧香用的香，还包括贴的门神、灶王爷，供佛的花和蜜贡，等等。

但是，年货里边，吃的食物还是占最大宗的。我小的时候，觉得一个吃一个穿，是过年最开心的事儿。那会儿也确实如此。我是1973年出生的，小的时候老觉得，只有春节这时候的食物才最好吃。我的童年时代还属于供给制。我印象特别深刻的是，那会儿一到过年的时候，我就跟着我妈家里的亲戚，还有胡同里的大妈、婶子一起，排大长队去买年货。每家都要买花生、带鱼和芝麻酱，虽然每家都买得不多，而且队伍排得望不见边，但每次买完年货回来，大家都很开心。

这些东西买回来之后，就开始炒，炒花生、炒瓜子，还有糗豆馅。方言里，做豆馅的这个词叫"糗"，糗豆馅就是把先红豆弄好了之后，再加糖搁锅里熬，最后弄成豆沙状的豆馅，可以蒸红豆沙馅的馒头吃，这也是过年最开心的事情之一，全家一起跟着忙活。总之，只有到了过年的这几天，才可以无尽无休地吃食，小朋友们那个高兴，那个开心，还包括穿新衣服，也是春节时小孩儿们最喜欢的一件事儿，因为那个年代生活过得确实不容易。

现在买年货就不那么复杂了，因为现在有电商平台，上网买就行。下单之后估计你还没到家，你买的年货都已经到家了。话说回来，以前一到腊月，家家户户就忙着买东西，张罗年货，跟打仗似的，现在有了这些电商平台之后，随便在哪里都可以买东西，老家的父母也不用再出去奔忙了，只管在家里享福，等着东西送上门就可以了。单凭这一点，也说明了时代在发展，社会在进步。

一般来说，祭灶之后，也就是腊月廿五之后，是要磨豆腐的。腊月廿五之后，大伙儿就要开始准备过年的食物了。过年最大、最典型的特征就是食物丰盛。平时吃不着、玩儿不着的，这会儿都会备起来。一般来说，那会儿的食物要么是到集市上去买，要么就是在家里自己做，杀鸡宰羊的事儿，我印象特别深刻。小的时候，我们家买了鸡，都是我父亲杀，我从来没动过手，等到我长大了之后，也就不兴自己做这些事情了，所以到现在为止，我都不敢杀鸡。一般来说，家里蒸馒头和蒸发糕，都是我妈弄，那时候做面食和其他什么东西，还讲究一定得把馒头皮蒸破了，就是发面的时候，碱要稍微多放一点儿。馒头蒸完之后，表面得张着嘴，这叫馒头开花，掀开锅一看，呀！咱们家今年这日子可好得很，你看这大馒头都开花了，听起来就喜庆。

然后还有炒栗子和炒花生，每家桌上都会放一个大盘子，盘子里装着糖啊、花生啊和柿饼之类的。我小时候不爱吃柿饼，老觉得柿饼个又大，蘸好些个白面，跟其他东西一起放盘子里，很是碍事儿。后来长大了爱吃柿饼了，血糖却开始高了，又不敢吃了，说起来也挺难受的。还有小时候爱吃的年糕。我曾经听山东朋友念叨说，他们那里过年吃的年糕，从腊月初一就要开始蒸，而且过年期间老是得蒸年糕，一蒸能蒸到腊月底，年糕蒸出来之后，能吃到二月二龙抬头的时候，只有这样吃，才说这家人是会过日子的人家。

在中国，到了年下的时候，没有饺子不算过年。反正穷过年，富过年，没吃饺子没过年，但是每家的饺子吃得却不太一样。我平时聊天的时候也问过好多人，有的人家里各种肉馅随便一弄就可以了，有的人家里的饺子就会做得细致一点儿。

我是天津人，我们天津人吃饺子还挺讲究的，过去说天津是"九河下梢天津卫，三道浮桥两道关"。因为天津是一个水旱码头，它既通船，也通火车，还通汽车，总之什么方式的交通它都有，而且离北京也很近。所以天津这个地方过去很繁华，天津人也特别讲究吃。我记得特别清楚的一句话就是"吃尽穿绝天津卫"，说的就是天津人喜欢研究吃和穿。我们过去还有一句话说"借钱吃海货，不算不会过"，也有说是"当当吃海货，不算不会过"。这两句话的意思都差不多，到了什么样的季节，到了几月份，是该吃黄花鱼的时节了，还是该吃鳎目鱼的时节了，天津人就特别讲究这个。什么时候吃，都有一定的时间，比如现在正是皮皮虾下来的季节，必须得吃皮皮虾！要不吃的话，过些日子一打雷，什么螃蟹、皮皮虾之类的，都沉底了，就没有了。反正天津人说起这些都一套一套的。所以说，天津人什么时候吃什么东西，是有严格要求的，包括吃饺子也是如此。

一直到今天，我们家吃饺子也保留了老天津的风俗。大年三十那一天，一定要炒很多菜，当然一定得有条鱼，所谓年年有余嘛。总之各种菜摆一大桌子，盘子上面摆着碗，碗上再叠着盘子。大家伙儿热热闹闹，才像个过年的样子。天津人吃东西就怕不够，宁可剩下糟践了，也得准备得足足的。还有就是一定得吃饺子。饺子一般就是吃肉馅的，具体包什么肉馅的饺子，就看你家的口味了，反正一定得吃肉。吃完之后，大人们就聊天、打牌，小孩儿们就一起玩耍嬉戏，等到年三十晚上半夜十二点的时候，这会儿是天交子时，就是大年初一。到这个时候，就要吃五更的饺子，也可以说是初一的饺子，这个饺子一定得吃素馅的，豆芽菜或者粉皮之类的，反正就是各种素馅，还要蘸用芝麻酱和酱豆腐等各种调料调出来的酱来拌馅。单是这个馅，就有一股子清新高雅的素劲儿。

大年初一的早晨吃素饺子的目的，就意味着这一年素素兴兴，既没有小人，也没有是非，什么糟心的事情都没有，这一年的日子过得高高兴兴的，当然，这也就是天津人的一个说法，吃完素饺子就打架的事情，也不是没有，但总归还是要有一些美好的愿望。这就是天津人吃饺子的风俗。正所谓初一饺子初二面，初三合子往家转，初四烙饼炒鸡蛋。到了初五小年，又该吃饺子了。反正关于吃饺子有各种说法，总之是变着法地吃。

其实过年还有一种祭奠的心情在里边。因为过去的中国人崇拜天地，所以注重祭祀，过年的时候要买笔墨纸砚写春联，还有财神爷和灶王爷，各路神仙也都得拜一下。当然在这方面，现在算是差了一着，除非是家里有信仰的，甭管是信哪路神仙，还保留着这样的传统风俗，但其他人家很少这样了。过去的时候，一到年下，都得上铺子里订祭祖的物件，比如说祭祖用的各种香，藏香、檀香等等，春节除夕供蜜贡，还有五色的干果、门神爷和年画等，总之就是春节这几天需要用到的各种东西，不管是什么，都得在年下这会儿全部准备齐全。

一般小年的时候，也就是腊月二十三这天，就要开始祭灶了。我们常说的糖瓜祭灶，就是给灶王爷供一块糖，把他的嘴给粘上，然后他上天的时候就别说不好的事情，就是所谓的"上天言好事儿，回宫降吉祥"。我见过两种糖瓜，也是平日里最常见的两种，天津也有糖瓜，其中一种稍微长一点儿，表皮沾了一层芝麻，另外一种就真的像一个小南瓜一样。我们小时候也都很爱玩儿糖瓜，真正吃下去的反倒是不多。因为这糖瓜实在太黏了，无论是搁在嘴里，还是抓在手里，都黏糊糊的。但大伙儿觉得这糖瓜黏一点儿更好，这样的话就能把灶王爷的嘴粘牢。后来长大了之后，又觉得这种说法也不是很对，灶王爷粘上嘴上天，虽然不说坏话了，但好话他也说不了，是不是？这就是个一说一乐的事儿，大家听个热闹便罢。

春节期间还要贴门神。我记得资料上曾经记载过，最早的门神是拿桃木刻两个小偶人。直到汉朝的时候，才演变成图像。我估计可能是觉得雕刻桃木人太麻烦，还是图像更省事儿。门神印刷也行，画出来也行。这俩门神一个叫神荼①，另一个叫郁垒②，他俩是兄弟。这两个神仙，专门捉拿天下各种凶神恶煞的饿鬼，据说鬼界都归他们兄弟俩管。可能后来老百姓觉得俩门神不够，所以陆续又增加了一些，后来加上的门神有秦叔宝和尉迟敬德③两位，尉迟敬德就是我们经常提到的尉迟公。

看过《西游记》的读者都知道，书中有一段说到泾河小龙王惹了祸，去求李世民给他讲情，但后来没讲下来，泾河小龙被杀了，反正这个过程挺曲折的，我在这儿就不赘述。故事的最后就是，泾河小龙提着脑袋找李世民来算账，然后秦叔宝和尉迟敬德这两位大将，就站在官门口保护李世民，跟这小龙说："你别来了，赶紧走吧，该干吗干吗去吧，有我们保护皇上，你动不了他的……"反正大概就这意思，据说还挺灵验的，之后这个故事就流传下来了，所以后来这两位也成了门神。

大家都知道钟馗捉鬼的故事，具体是怎么回事儿呢？我记得明朝有本书里边记载，一到春节的时候，明朝皇宫不但要贴门神，还要给大臣们赐钟馗像。文武群臣里，有哪个表现不错的，成为今年皇宫评选出来的文武群臣先进工作者，比如张三和李四，皇上就要给他们赐钟馗像。钟馗像一般画成三尺来高的卷画，画完之后还要拿木头弄个边，装裱好了之后，还要在上面挂上铜环。赐画之后，皇上还会跟他们说："这钟馗像你们拿回家挂去吧，挺雅致的。"我估计现在已经没有钟馗像的存货了。

反正贴年画和门神，就是讨个吉祥如意的好兆头，大伙儿认为贴上这些东西，神仙就能保证家宅安康。最早门神都是画出来的，再后来绘画题材扩大了之后，就越来越热闹了，画什么的都有，还有画年年有余、金玉满堂和招财进宝的。反正过年的时候，都是挑好的词和画挂上去。

---

① 神荼是传说中能制伏恶鬼的神人，属于钟馗麾下将官。其面容威严，姿态神武，两眼接耳，两眉朝天，手执金色的战戟，一般位于左边门扇之上。
② 郁垒是古代传说中的神话人物，汉代民间颇为流行。其画像有驱鬼避邪的寓意，一般位十右边门扇之上。
③ 尉迟敬德（585—658），名融，字敬德，朔州善阳（今山西朔县）人。唐太宗时大将，骁勇善战。一生戎马，屡立战功。

再有就是贴对联，过去有"爆竹声中一岁除，春风送暖入屠苏"这类话，也都是好词，当然后面越写越好。一般来说，春联都是拿红纸来写，为什么用红纸呢？实际上这个风俗跟明太祖朱元璋有关。大伙儿都知道，朱元璋是一个挺厉害的人物，而且他非常喜欢对联。有一年的大年三十，朱元璋下令说，不管是老百姓还是文武群臣，家家门口都得贴对联，而且贴对联必须拿红纸写，因为这"红"字好听，这叫万年红。其实真正的原因就是，他觉得红跟朱是一个意思。他所谓的"万年红"，就是姓朱的子孙永远统治天下。既然皇帝下了命令，老百姓也不得不听，那就都来吧，所以自从那时起，家家户户都开始用红纸写对联。这完全是因为朱元璋的大力提倡，我估计如果他叫白元璋的话，可能现在到年下的时候，家家就都贴白对联了。不过相比之下，白对联确实也不大好看。

到了过年的时候，除了吃喝之外，当然还要穿新衣裳。我到现在还记得很清楚，在我小的时候，我妈很早就会给我和妹妹去置办新衣服。在那会儿，新衣服和新鞋，都会去天津当年几个大的商场去购买，一到快过年的时候，我们就会去商场买鞋。哎哟，我的天哪！到现在我一想来都憷得慌，商场的柜台里都是人，然后还得找售货员要鞋子回来试究竟合适不合适。鞋子买回来之后还不让穿，一定得等到大年初一才给穿。有时候，大年三十我想试试新鞋子，家里人就是不让试，说你这得过年才穿，差一天都不行。那会儿老人们最爱说一句话就是："你要没到天亮就穿，就得受穷，还差这一天呢？明儿再说吧！"反正就非得等到初一才能穿。

街坊四邻的小孩儿们还得攀比一下，同学们聚在一起的时候，都要看看谁穿得好，谁穿得不好。我印象特别深刻的一件事儿就是，有一年我妈给我做了套小西装，哎呀，我爱得都不行了，每天都要看好几回。那年还是小年，十二月廿九就是春节。到了廿九那天，我实在是忍不住了，就跟我妈说："要不就让我穿上试一试吧。"我妈同意了，于是我就穿上西装和小皮鞋，出去转了一圈，可开心了。其实根本没人注意你穿的是什么，但就是自个儿发自肺腑地痛快，就是那种"你看，过年了，我穿上新衣服了"的那种心情。我转了一圈回来之后，我妈就让我把衣服脱了，说："有什么事儿明儿再说，这衣服等大年初一再穿。"就算这样我也很高兴，是发自肺腑的那种痛快。

在过去来说，手艺好的人家里，都是买了布料自个儿回去剪裁做衣服穿。而一般的人家里都是交给裁缝来做。旧社会那些达官显宦，买了绫罗绸缎，都会找裁缝给自己做衣服，当然光有好的衣服还不够，身上还必须得有各种的配饰，金的、银的和玉的，等等，各种链子戴在身上，走道的时候咣咣乱响，民间说这个露脸法叫一走三响。

明朝那会儿就有这样的讲究。过年的时候必须穿新衣服，哪怕你穿着的新衣服还不如你现在身上穿的那件旧的质量好，但只要是新的就行，这就叫作以新冲旧。

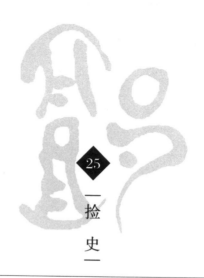

25

—捡史—

古代最幸福的男人，
韦小宝都羡慕他

Guo Theory

寒秀斋深远黛楼，十年酣卧此芳游。媚行烟视花难想，艳坐香熏月亦愁。朱雀销魂迷岁祀，青溪绝代尽荒丘。名赢薄幸忘前梦，何处从君说起头。

　　其实我每次写《郭论》的时候，都觉得很犹豫，也不知道该给大家写什么才好，关键就是觉得各位读者能力太强，我心里没个底。我自己心里也明白，我幼而失学，没怎么念过书，也没文凭，大家可能会说，凭什么郭德纲敢跟人家去"论"？"论"字我不敢当，只是想借这个小平台，跟各位聊个天。既然是聊天，那就可对可错，写的时候我也不能保证每一句话都对。

　　这两天我和人聊天的时候，一直在想该写点儿什么东西。思来想去就写了明清时期的一些小典故，这些典故涉及三个说法，就是"从龙入关""引龙入关"和"富龙入关"。因为清朝是满族入主打下来的江山，而且我个人也觉得这仨词挺好玩儿的。这里的"关"指的就是山海关。到现在咱们还经常使用"关里关外"的说法，所谓的"关外"，指的就是山海关以外的东北三省，关里就指河北省和天津等地，这都属于关里的范围。这个"龙"又是什么意思呢？过去封建社会都把皇上称为龙，比如"从龙入关"，这龙指的就是顺治皇帝。那会儿的八旗子弟经常挂在嘴边的一句话就是：我们都是从龙入关的。

八旗是清朝的部队编制，满族人之所以能够打入中原，得到大汉江山，靠的就是八旗子弟兵，八旗的创立者是清朝的创业祖师努尔哈赤。八旗分别是正黄旗、镶黄旗、正白旗、镶白旗，正蓝旗、镶蓝旗、正红旗和镶红旗。在皇太极的那会儿，正黄、镶黄和正蓝这三旗是专属于皇帝的，叫上三旗。其他的正红、镶红、正白、镶白和镶蓝这五旗属于下五旗，就是由亲王贝勒这些人统领。到了顺治时期，由于多尔衮掌权，他就让自己统领的正白旗取代了正蓝旗，把正白旗抬入了上三旗。

"引龙入关"这个词说的是吴三桂的故事。李自成打进北京城之后，吴三桂本来是要投靠李自成的，但由于陈圆圆被李自成霸占，吴三桂冲冠一怒，为了红颜掉转马头投奔了清军，把清兵引入关内，这就是"引龙入关"。当然这件事儿也是众说纷纭，民间流传着各种说法。但如果没有吴三桂，大清是否能入主中原，还真是不好说。所以后来为了感念吴三桂的功劳，清朝定鼎中原之后，封他为平西王，独占云南等地，直到后来康熙削藩的时候，吴三桂再一次冲冠一怒，反叛朝廷了。也有说他是反清复明，当然最后失败了。

第三个"富龙入关"说的是多尔衮[①]。多尔衮可以说是为了大清的江山，费尽了九牛二虎之力，立下了汗马之功。要是没有他的话，大清能不能入主中原，都不好说。虽然说多尔衮不是皇帝，但他几乎可以算是皇帝他爹了，因为连孝庄太后都下嫁于他。当然这只是一种说法，反正顺治皇帝那会儿确实挺压抑的。我们小时候学相声的时候，还听说过这样一个故事。就是多尔衮带着6岁的顺治皇帝福临进北京的时候，走到京郊有个叫青龙桥的地方，马路边上坐着一个算命的老头儿，这老头儿是一个盲人。这算卦老头儿坐着的卦摊上，挂着一副对联，多尔衮过来一看，对联上写着：眼瞎能明古往今来事，手残善断痴男怨女情。

多尔衮想，既然遇见了算卦的，那顺便就算上一卦吧。于是他就问算卦的盲人：

---

① 爱新觉罗·多尔衮（1612—1650），清太祖努尔哈赤第十四子，阿巴亥第二子。生于赫图阿拉（今辽宁省新宾县老城）。清朝初期杰出的政治家和军事家。完成大清一统基业的关键人物。

"关外的军队快打过来了，清朝到底能坐天下吗？"这个盲人连呗儿①都没打，就说："能。"多尔衮又问："能坐多久呢？"盲人就回答："嘿，我这么跟您说吧，'得之于摄政王，失之于摄政王，得之于孤儿寡母，失之于孤儿寡母'。"这里的"得之者摄政王"指的就是多尔衮，这里的"孤儿寡母"指的就是孝庄和她儿子福临，也就是后来的顺治皇帝。"失之者摄政王"就说的是后来的宣统皇帝溥仪的父亲载沣，这第二个"孤儿寡母"就是指隆裕太后和宣统皇帝溥仪。

这是我们当年学相声的时候的一种说法，当然，谁也不敢保证这是否是真实发生过的事情，这只是当时流传的一个故事，大家"姑妄言之，姑妄听之"。类似这种传说还有很多，其中还包括顺治称帝的时候，有一蒙古的高僧前来祝贺，顺治就让他给算算大清朝的国运。这蒙古高僧算了之后就说："十帝在位九帝囚，还有一帝在幽州。""十帝在位"还是很准的，大家可以计算一下，整个大清朝正好是十帝：顺治、康熙、雍正、乾隆、嘉庆、道光、咸丰、同治、光绪和宣统。而"九帝囚"指的是光绪被囚禁在瀛台。"还有一帝在幽州"，这一帝指的是宣统在幽州的北边当满洲国的皇帝。说句实话，如果这句话真的是高僧算出来的，那他就不只是个算命的，简直可以称为活神仙。

反正不管是说相声的也好，说书的也好，这些年我们也接触了很多明朝和清朝时期的故事，我们每一个人都能聊上好半天，因为这些事儿实在太好玩儿了。所以说，我有点儿工夫的时候也愿意看看书。那么今儿个，咱们就可以写一写明末清初的文臣武将，或者说叫民间逸事也可以。各位读者看我写的文章的时候，发现哪里我写得不对的，千万记得要给我提意见。

我今天特别想写的这个人，他的名字叫冒辟疆，又叫冒襄②。很多人都知道冒辟疆是个大文人，他家住在南直隶。过去分为南直隶北直隶，冒辟疆就是南直隶的扬州府泰州如皋市的人，他出生于明朝万历三十九年（1611 年），家里边的人

---

① 打呗儿：京津方言，说话语结的意思。
② 冒襄（1611—1693），字辟疆，号巢民，一号朴庵，又号朴巢，江苏如皋人。明末清初文学家，"明季四公子"之一。著有《先世前征录》《朴巢诗文集》《岕茶汇抄》《水绘园诗文集》《影梅庵忆语》《寒碧孤吟》和《六十年师友诗文同人集》等作品。

都是做官的，也算是书香门第，官宦之后。冒辟疆从小就跟着他爷爷在外做官，也在爷爷的任所读书，他14岁就出了诗集，这得有多厉害！我们见过说相声的同行，有15岁还在尿炕的，看看人家，14岁就出书了。说起来，那会儿冒辟疆他们家也算是名门望族，也是一个文化世家，可惜的是他一直怀才不遇。1627年至1642年期间，他一共参加了六次南京的乡试，每次都落第，连个举人都没捞着。你说他这么大的能耐，写这么些书，是多么不起的人物，所有人都认为他一定能成，结果去了六回都没考上，所以他心里觉得别扭。

当然那会儿社会的环境也不好，明朝从万历开始，可以说江河日下，尤其是太监专权，朝里边的文臣武将也都心不在焉。在这种状况之下，他怀才不遇或者落第，也是意料之中的事情。后来冒辟疆就成立了一个复社①。可能各位也听说过，冒辟疆经常跟张明弼②他们在一块儿，而且他和陈贞慧、方以智、侯朝宗等人来往都很密切，交情也都不错，人们管他们叫"四公子"。他们四人在一起的时候，不是一块儿喝酒聊天，就是结伴出游，又或者一起写诗抨击阉党，讨论国政，希望国家能够富强，反正就是一心想要挽救国家于危亡之中这么一个主儿。

冒辟疆这一辈子都在反清复明。我记得咱们伟大的领袖毛主席还曾经夸过他，说他是明末四公子里面，真正具有民族气节的一个人。因为冒辟疆比较注重实际，清兵入关以后他就一直隐居山林，史书上说他"不事清朝，全节而终"。反正不管冒辟疆这个人其他方面如何，至少人家大节不亏，这一点非常重要。当然了，除了他的大节之外，冒先生最大的特点就是感情丰富，他的婚姻爱情生活也是极具传奇色彩。哪位若是想要拍电影、电视剧，可以拍拍冒辟疆，为什么这么说呢？据说在历史文献中记载过的，冒辟疆的妻妾全部加起来得有十多位。咱们常说的秦淮八艳，他一人就占了俩，这不得了！而且那会儿的人结婚也早，不像现在，《婚姻法》规定二十几才能结婚。当年没有这样的规定，冒辟疆是19岁就成婚了，那

---

① 明末文社。崇祯二年（1629年）成立于吴江（今属江苏），是明末清初江南地区部分士大夫的政治集团。是由张溥、孙淳等联合几社、闻社、南社、匡社等结成，清初被取缔。

② 张明弼（1584—1652），明朝文学家、学者，字公亮，金坛（今属江苏）人。与冒襄等五人义结金兰，为复社重要成员。著有《兔角诠》《萤芝集》等。

会儿差不多是明朝的崇祯二年，他娶的这个媳妇家里也是做官的，是中书舍人苏文韩先生的三女儿，叫苏元芳，也有的资料记载说她叫苏元珍，这两种说法都有。人家苏元芳姑娘嫁给他的时候，还挺乐意的，冒辟疆这小伙子人长得漂亮，白白净净的，还是个大才子，那就嫁给他吧。冒辟疆把苏元芳娶回来之后，生了两个儿子一个闺女。苏元芳是湖北人，比冒辟疆还大两岁，是当年冒辟疆的爷爷在江西会昌县当县官的时候，跟当书记的苏文韩先生定的娃娃亲。

实际上，定亲的那会儿冒辟疆才3岁。因为当年爱好做娃娃亲，你觉得我们家孩子挺好，我也觉得你们家这姑娘也好，大人们觉得合适，就干脆让他俩结婚得了，也不管孩子们是否同意。但不管怎么说，冒辟疆后来和苏元芳正式结婚了。而且苏元芳能画画，现在还有她当年的画作留存于世，您上拍卖会上，或者网上搜一下，就会查到苏元芳画作的相关资料。在当年来说，男人三妻四妾是被允许的，也是很正常事情，于是冒辟疆的感情生活就正式开始了。除了他媳妇之外，他还有很多别的女人。冒辟疆结婚的时候是崇祯二年，转过年来就是崇祯三年（1630年），冒辟疆20岁了，这一年他到南京秦淮河畔的国子监参加乡试。

各位了解地理知识的读者应该知道，十里秦淮的这个南岸和贡院离得很近，而且名妓云集，是当时举子们最爱去的地儿。冒辟疆就是在这个地方，认识了一个特别有姿色的、漂亮到不行的一个女人。就是秦淮王家三胞胎里边的二妹妹，名字叫王节。当然人家有时候也叫她王节娘，因为那会儿女孩儿的名字后面都喜欢加个"娘"字，比如说杜十娘、李师娘，所以又管她叫王节娘。很多诗词里边都提到过，冒辟疆很爱王节娘。你想啊，为什么这家三胞胎里的三个姑娘，他选了二姑娘呢？我估计，他可能觉得大的太大，小的又太小，就老二最合适。当然，后来王节也没有嫁给他，而是嫁给了一个扬州人，那又是另一回事儿了，我们这儿就先一笔带过。

在跟王节交往的同时，冒辟疆还认识了秦淮河桃叶渡一个唱南曲的名妓，名叫李湘真。李湘真，字雪衣，在南曲里边称她为李十娘，据说皮肤特别白，人也乖巧，那双水汪汪的眼睛会说话。因为秦淮八艳的版本也不一样，有一个版本的秦淮八艳里就有这位李湘真姑娘。据说冒辟疆在南京的时候，也就是当时的金陵，在李湘真这里待了很长一段时间，她称得上是冒辟疆的红颜知己。而且李湘真轻易不去见客人的，她不但很尊重自己，也很金贵，动不动就装病，说自己身体不舒服，既不化妆也不捯饬。不过家里的老鸨子对她还挺好，就是很怜惜她，经常替她婉言谢客。哪怕是有钱、有身份的人来了，也都推托说："对不起，姑娘不舒服，劳您改天再来。"但只要是冒辟疆来李湘真这里，她就会高高兴兴地迎接。从崇祯三年到南明的弘光元年，冒辟疆六次上金陵乡试，都到李湘真这里来过。资料上还说，冒辟疆跟李湘真学唱过昆腔。

崇祯十二年（1639年）乡试之前，当时的考官学使叫倪三兰，出了三十道诗文题，每个考生都得做，而且必须在进考场之前交稿。冒辟疆在南京特别忙，他白天应酬，晚上还得到十娘或者上李湘真这里来，但他每天打一个腹稿，一个月里竟然把三十篇文章都写完了，所有人都交口称赞，说他很厉害。一直到五十年之后，冒辟疆回忆自己这段时间的时候，还说"寒秀斋深远黛楼，十年醉卧此芳游。媚行烟视花难想，艳坐香熏月亦愁。朱雀销魂迷岁祀，青溪绝代尽荒丘。名嬴薄幸忘前梦，何处从君说起头"，可见这些日子对他来说，也是很值得怀念的。

除了李十娘之外，还有一个大名鼎鼎的人物也跟冒辟疆关系非常好，这个人就是陈圆圆。陈圆圆和董小宛都是秦淮八艳里的人物，冒辟疆一个人就独占了两个。崇祯十四年（1641年）的春天，冒辟疆途经苏州，有朋友跟他推荐说，我们这儿有一个叫陈圆圆的姑娘，貌美如花。听朋友这么一说，冒辟疆就去见了陈圆圆一面。他俩这一次面可以说是一见钟情。只知道他俩见面的时候是春天，到了秋天他又一次去见陈圆圆，而这一回，冒辟疆是带着自己的母亲一起去的。再次见到陈圆圆的时候，冒辟疆就当面跟她说："我想要娶你，你一定得嫁给我。"可是到了第二年的二月，出了点儿事儿，陈圆圆让人给买走了。是谁买走了陈圆圆呢？其中一个说法，说是田贵妃的哥哥田畹，还有一个说法，说是当朝国丈嘉定伯周奎买了她。后来崇祯皇帝没钱打仗的时候，要求文武百官和群众捐款的时候，表现最差劲的那个人就是周奎，当然，这又是另外一个故事了。反正传说就是这俩人中的一人把陈圆圆买走了，准备把她送到京城献给崇祯帝。但是这事儿还没成功，陈圆圆就让当年的辽东总兵吴三桂纳为小妾。李自成进京之后，陈圆圆又让大将刘宗敏[1]掠下，这才使得吴三桂冲冠一怒为红颜，引清兵入关。要是没有这事儿，可能最后冒辟疆就娶陈圆圆了。

陈圆圆是常州府武进县的人，也有人说她是苏州昆山人，反正各种各样的记载都有，孰真孰假就很难说了。陈圆圆到了晚年的时候，遁入空门，法名叫寂静，最后死在了云南。实际上陈圆圆并不叫陈圆圆，而是姓邢，就是和德云社说相声的邢文昭[2]先生同姓，但他们两家到底有没有关系，就要另说了。反正邢家很穷，所以陈圆圆从小就被卖给了姓陈的一个戏班，这才改姓为陈，后来住在了秦淮。

说起来，冒辟疆和陈圆圆、董小宛之间的感情，其实是一件很遗憾的事情，因为他和她们两个人都没能在一起。说到冒辟疆的感情生活，最重要的当属他和董小宛的一段爱情故事。董小宛是苏州人，她出生在苏州一个董家的绣庄。我不知各位读者是否对绣活儿感兴趣。苏州的绣活儿就叫苏绣，北京的叫京绣，还有广州的潮绣，四川的蜀绣和广州的粤绣，每个地方的绣活儿风格都不一样。一直到现在，有时候我们唱戏，衣服上用的绣花还有京绣。但北京绣西装的时候也用苏绣。咱们唱戏穿着的蟒袍、龙袍是京绣，特点可能是大气庄重，苏州文人多，所以苏绣特别雅致细致，与京绣不大一样。总之，绣庄在苏州的生意很是兴隆，据说在当时，苏绣就已经有两百多年历史了。你别看做绣活儿的是手艺人，但是这门手艺接近于绘画艺术，所以苏绣也算是带些书香气息。董小宛的母亲姓白，她的姥爷是个秀才，念书的基因也传给了自己的女儿，后来女儿嫁到董家之后，生下了一个闺女，就是董小宛。董小宛的本名叫董白，号青莲。这姑娘长得十分好看，不仅模样水灵，其他哪儿也都很好，父母觉得这孩子一定得调教出来，得才德俱全才行。

谁知天有不测风云，董白13岁这年，家里边出事儿了。

① 刘宗敏（？—1645），明末农民起义军将领。字捷轩，陕西蓝田人。原为铁匠，后参加李自成起义军，英勇善战。他协助李自成推翻清朝，清顺治二年，刘宗敏在撤退途中，作战牺牲。
② 邢文昭，国家级相声演员，著名表演艺术家，"德云四老"之一，刘宝瑞之徒。自幼喜爱相声艺术，擅长捧哏、单口相声。

26 —捡史—

冒辟疆和董小宛，乱世
容不下的一对璧人

Guo Theory

宁为太平犬，莫作离乱人。

前些日子，有人跟我聊天的时候说："郭老师，我挺爱看您写的李师师的故事。您把这个故事写得很有意思。"还跟我说："这个故事我看了好几遍。"我后来回去一想，有可能是我写得不够明白，所以人家得看好几遍才能看懂。

然后还有人跟我说："类似李师师这样的故事，还有什么可写的没有？"我就回答说："这还挺多的，秦淮八艳，或者其他的人也好，总之有很多这种传奇女子的故事，是很值得一说的。"于是，我就突然想起冒辟疆来了，因为用冒辟疆一个人，就能把好多这样的姑娘和她们当年的事情串穿在一起，所以我就写了冒辟疆和他的爱情故事。

我记得上一篇咱们写到董小宛，她还有一个名字叫董白，这孩子出落得挺水灵的，诗文书画针线女红，就没有她不行的，家庭生活也很幸福，什么都挺好的。但就在董白13岁这年的夏天，她的父亲出事儿了，也不知道为什么，他就开始拉痢疾了，有可能是中暑引起的，但是不管大夫开什么药，都不管用，最后去世了。董白的父亲去世之后，她们娘俩儿哭得都不行了，你想啊，一个才13岁的姑娘，她母亲的岁数也不大，突然出了这事儿，可打击坏了，母女俩都心神憔悴。因为那会儿的人结婚都比较早，据分析，她母亲当时也就三四十岁的样子。

料理完丈夫的后事之后，董白的母亲白氏就说："我们不能在自己家的老宅子住了，因为我一住这儿，就会想起你爸爸来，睹物思人，倍感伤悲，心里总不是个滋味儿。"得了，白氏干脆在半塘河边盖了一栋房子，带着闺女在那儿住下了，就是为了躲老宅子远点儿。当时，董家还有一个绣庄，这个绣庄就交给了伙计们去打理。不知不觉间，这日子就过去了两年，董白姑娘15岁了，正值明朝末年，天下大乱，枭雄四起。民间有句老话说得好"宁为太平犬，莫作离乱人"。

到崇祯九年（1636年）的时候，这些乱象已经离苏州城很近了，人人都害怕这日子没法过了，可怎么办是好。这时候白氏心想，算了，要不这绣庄咱也别干了，把买卖都关了，把钱收回来，随时准备逃难吧。谁知因为之前绣庄的买卖都托给伙计们去管，这些伙计缺了德了，绣庄结业的时候一算账，伙计就跟白氏说："奶奶您看看，咱现在不但没有剩下银子，还欠了一千多两的外债。"实际上这是伙计们在里边做的鬼，但是在那会儿，白氏一个妇道人家也没有办法，反正听到这些话之后，她又气又急，就病倒了。

董白15岁之前确实很幸福，但就这一下子，给孩子砸得都睁不开眼了。您想，她家里的买卖破产了，债务压头，母亲又生病了，在这种情况下，董白这孩子没有其他办法。她还能怎么办呢？因为董白是从小念书学画出身的，这样的家庭状况把她的性格培养得很清高，也很自傲。你让她出去低三下四地找谁借钱，她肯定做不出来，面对眼前的情况，她一时也没辙。这时候就有人给她出主意说："姑娘，我有一个主意，南京秦淮河畔有画舫，你看你能不能到那儿去卖艺？别人吃饭的时候，你跟着一块儿聊个天、喝个酒、弹个琵琶，唱个曲。"这画舫就是水面上漂着的一种装饰漂亮的船。董白姑娘一时也没有其他更好的办法，于是就去了画舫卖艺，打那儿起，她才改名叫董小宛。实际上董小宛只是她的艺名，她的本名叫董白，因为她的父亲姓董，母亲姓白，所以她叫董白。

结果刚到秦淮河没多久，董小宛就红了，为什么呢？因为她的气质很要命，不但超凡脱俗，还能诗会画，而且她最大特点就是清高。很多庸俗的客人去找她，她根本接受不了，所以她不仅不听话，脾气还大。但是单有一路人，那就是上流社会的人，就欣赏这样的女子，觉得她孤芳自赏，自怜自爱，不轻易受别人摆布。董小宛经常不听话，老鸨子也就很不开心了，怎么说人家都是做生意的，你董小宛来我这打工，还卖起清高来了，我们还怎么开门做生意？所以，老鸨子就一天到晚地说她闲话，这些个闲话肯定是不好听的，在这种情况下，董小宛一跺脚说："姑奶奶还不伺候了！"于是就离开了南京，回到了苏州。

她回到苏州的家里之后，也很为难，毕竟母亲还病着，天天离不开药。而且她这一回来，那些真真假假的账主子，就都找上门来了："听说姑娘回来了，是不是发财了？是不是要把欠我们的钱给还了？"董小宛年纪轻轻，根本无力应付这种情况，没有办法，她只能重操旧业，把自己卖到家门口的半塘妓院，卖笑陪酒，陪客人出去旅游，但是她还是抱定了一个初衷，就是坚决不卖身，为了生存，她是在没有办法之下才把自己卖去妓院。那会儿陪客人出游，还是董小宛比较感兴趣的事情，因为能带着她一起出去游山玩水的人，肯定不会是那种特别庸俗的人。

董小宛陪客人游山玩水，大家一起到处看一看，聊聊天，所以说她哪儿都去，她就这么陪着客人去西湖、去太湖，不管是哪儿，一去就是十天半个月的，也挺好。在这个时候，她认识了冒辟疆。这年秋天，冒辟疆29岁，他又来南京参加乡试，这个考试大艺术家来了六回都没成功。但是每回来，在爱情生活上都得到了一次深造。他这回听人说，南京有一个叫董小宛的，其实在南京的时候，冒辟疆就找过董小宛。但是到了秦淮河一问，人家说董小宛已经走了，这姑奶奶脾气忒大，回家了。等到乡试一发榜，果不其然，冒辟疆又名落孙山了。得了，既然考试不成，我收拾收拾东西，上苏州闲游去。之所以去苏州，一方面是看看姐姐，另一方面是听人说了，董小宛就是回苏州娘家去了，冒辟疆打算到苏州去找董小宛。到了苏州后，冒辟疆专程去拜访董小宛，但是不巧，董小宛有客人，跟客人一块儿出去旅游去了，冒辟疆去了好几回，都没看见董小宛。就在冒辟疆准备离开苏州的前一天，他又一次来到本堂，没想到这回终于碰见董小宛了。据说这是一个深秋的夜晚，天挺冷，深秋了，董小宛刚刚参加酒宴回来，喝得有点儿醉，靠在床头，这一瞧冒辟疆进来了，董小宛赶紧挣扎着坐起来，但是这会儿她整个人都晃晃悠悠的，冒辟疆赶紧让她躺下别动，搬来一个小凳子，坐在她床头，你看我，我看你。冒辟疆说："我叫冒辟疆，久闻姑娘芳名到此拜访。"

董小宛乐了，说："早闻四公子大名（她说的就是那复社的四公子，不是说冒辟疆行四），久闻大名，钦佩已久。"她这一说，冒辟疆很意外，没想到一个风尘女子还对他们念书人那么感兴趣，就觉得肃然起敬。再仔细一打量董小宛，她没化妆，穿得很素净，眉清目秀，跟一般的烟花女子不一样。而且这会儿虽然说有酒力，娇弱不堪，但是谈吐不俗，聊了一会儿天，冒辟疆就走了，但是就这一面，两人对彼此都留下了深刻的印象。后来一直到了崇祯十五年（1642年），董小宛从黄山回来，赶上母亲去世，她自己心情也不好，闭门不见客人，这个时候，冒辟疆又来了。这一见面，两人就不一样了，之前有过交情，而且冒辟疆也说："你看，我来了好几回，你这都没人……"总之俩人越说越好。过了几天，冒辟疆又来了，到这一瞧，董小宛高高兴兴、漂漂亮亮地站在门口等着他呢。来了之后，俩人说，今天咱们就约定了，因为这次冒辟疆还要到南京去参加乡试，在乡试结束后，他马上就回苏州为董小宛赎身，带她回如皋。但是这事儿也不是那么容易，因为那会儿想要赎身，不是说你想赎就能赎，因为董小宛在半塘的名气太大了，她是把自己卖给了半塘的妓院，人家妓院那个老鸨子不可能轻易放走了摇钱树，董小宛是妓院里的头牌，是招牌幌子，谁来买都不肯卖。冒辟疆很为难，这怎么办呢？就在这个时候，贵人来了。

来了俩人，钱谦益①和柳如是②。这俩人来苏州玩儿。柳如是是当年在秦淮河跟董小宛一块儿同事的好姐妹。钱谦益也认识她，虽然说现在这个钱谦益不做官了，免官闲居，但是在江南一带还是很有名望的，所以他一出面，妓院的老鸨也没办法了，只能答应让董小宛赎了身。董小宛就跟着冒辟疆回了家，到了冒家还挺好。因为冒辟疆的母亲马夫人以前见过董小宛，对她的印象很好，包括冒辟疆的媳妇苏元芳，也都很喜欢董小宛。董小宛又很恭敬，也挺听话，也不像别人似的，一天到晚在家里吵架，董小宛平时没事儿的时候，就跟着冒辟疆写字、画画、评论山水、鉴别金石。她的很多作品到现在还有存世，您到无锡博物馆去，那里还有董小宛15岁的时候画的彩蝶图。我记得特别清楚，我说评书的师父金文声③先生，他爱吃茶水泡米饭，弄点儿茶，泡上米饭，就着咸菜吃，他认为这是无上的美味，他太爱吃这个了！后来查资料，就发现董小宛也最爱吃这个。你弄点儿油腻的东西，她不爱吃，她每次吃饭就是米饭泡茶，然后有点儿小菜，水菜香豉，就是她的一顿饭。她跟冒辟疆不一样，冒辟疆爱吃甜的，爱吃海味，爱吃辣和熏的东西，你说他们两口子能吃到一块儿，也挺不容易的。但这种好日子没过多长时间，李自成就攻占了北京城，清兵入关南下，天下大乱。

董小宛跟丈夫俩人一路南逃，经历了很多事情，劫后余生，最后才返回来，冒辟疆却病倒了！病得还挺厉害，据说都折磨得不像人样了，最难的时候，董小宛夜里抱着丈夫，让他靠在自己身上安寝，自个儿坐着睡了足足有一百天。后来冒辟疆的病是好了，但董小宛病倒了，不管怎么治，也没治好。在顺治八年正月，嫁给了冒辟疆九年的这位贤妾良妇董小宛，去世了。民间传说，比如说清宫四大疑案，说顺治出家是为了董小宛，还说冒辟疆因为董小宛死了，悲痛欲绝，要进宫去探望，还有人说是洪承畴把董小宛抢走的，送到了皇宫里，这肯定都是瞎说了，但是评书

① 钱谦益（1582—1664），字受之，号牧斋，晚号蒙叟，东涧老人。学者称虞山先生。明末清初诗坛盟主之一。江苏常熟人。钱谦益是东林党的领袖之一，崇祯初年官礼部侍郎，因与温体仁争权失败而被革职。后降清，为礼部侍郎。

② 柳如是（1618—1664），明末清初女诗人，本名杨爱，字如是，又称河东君，自号如是。浙江嘉兴人。"秦淮八艳"之首。她心怀国家并有一定的政治抱负，后嫁给明朝大才子钱谦益为侧室。代表作有《湖上草》《戊寅草》与《尺牍》。

③ 金文声（1930—2017），著名评书、山东快书表演艺术家。是相声演员郭德纲、于谦、高峰等人的师傅。

可以这么说，我们的京剧也可以。南派京剧里的董小宛，故事跟这个差不多，广东粤剧的故事也是这样的，也是洪承畴把董小宛抢走了，送到了皇宫里去，最后冒辟疆假扮成太监的模样，混进了宫里，见到董小宛，说："小宛，你我夫妻只此一面。"如果有读者朋友感兴趣，您可以上网搜搜我们的京剧，赵麟童先生留下了这出戏的录音，很好听，当然这是虚构的故事，是不可能的事情，因为顺治帝所谓的董鄂妃，就是董鄂妃，跟董小宛没有关系，在冒辟疆的爱情故事当中，董小宛是最浓重的一笔。不过除了她之外，还有一个文字记载最少的女人，叫麻姑。

这个麻姑，其实并不是说这人名叫麻姑，只是一个尊称。你叫她麻姑娘也行，叫她麻大姐也行，叫麻娘也行，反正这个人的名字里带个"麻"字，但具体姓什么、怎么称呼，这就不好说了。因为冒辟疆有个好朋友叫江都吴绮，他写的《挽董少君》里边曾经提到"麻姑去后小姑闲，独剩双成又早还"，根据这段话来分析，"麻姑去后小姑闲"，意思就是冒辟疆有一个叫麻姑的妾，麻姑应该是在董小宛之前去世的，后边"独剩双成又早还"，因为后边冒辟疆又有两个新纳的妾，一个姓蔡，一个姓金，所以麻姑也应该是冒辟疆的一个妾。

除了这位麻姑，还有一个吴蕊先，吴蕊先是苏州人，家里边也是做官的，吴琦曾经嫁过人，嫁的丈夫叫管勋，跟冒辟疆是好朋友，也是复社的好交情，后来因为反清，管勋出事儿了，死了，吴蕊先一看丈夫死了，就投靠了冒辟疆，冒辟疆都给她安排好了，安排在哪儿了呢？洗钵池边有一个深翠山房，她来到这儿时，也是董小宛刚刚去世时。这俩人这个时候一个妾去世，一个丈夫去世，同病相怜，日久生情。当然后来冒辟疆又纳了一个妾，就是家里的丫鬟，叫吴扣扣，因为有了吴扣扣，所以吴蕊先就说算了，我别在这里边跟着你们搅和了，就给冒辟疆写了一首诗，写道：自许空门降虎豹，岂容弱水置鸳鸯。

写了这么两句话，表明她打算遁入空门了。你也没法去强求人家了，最后就在城南杨花桥的旁边盖了座庙，叫别离庙，这位吴蕊先就在这里，青灯古佛，了此一生。在她去世之后，冒辟疆去凭吊了她，并且写了诗，写了词，还刻在庙里，这咱就不细写了。这一年是清顺治十八年（1661 年），冒辟疆已经 51 岁了。这时候他有一个贴身的丫鬟，叫吴扣扣，冒辟疆准备在当年的中秋节后，正式把她纳为妾，结果才到 6 月，吴扣扣就去世了，死的时候好像才 19 岁，但是名分已经定了，所以大家都知道吴扣扣是冒辟疆的妾。吴扣扣是真州人，也就是江苏一真，现在这个地名已经没有了，她当年是因为家里出了事儿，才随着父亲流落到如皋。顺治六年（1649 年）那会儿，董小宛已经嫁给冒辟疆了，她看见吴扣扣这姑娘，就买来做了丫鬟，并且告诉冒辟疆说："你看我买的这位女孩儿了吗？这女孩儿是'君他日香奁中物'。"董小宛这是什么意思呢？香奁就是装香料的盒子，当然也说是妇女放粉、放镜子的匣子，指的就是闺阁。董小宛的意思是，吴扣扣现在是我的丫鬟，我存着她，以后就把她给你。后来吴扣扣确实升格为妾了。在吴扣扣之后，冒辟疆还有俩妾，一个是蔡女萝，一个是金晓珠。

这两人都是苏州吴县人，后来一块儿嫁给冒辟疆了。蔡女萝画画画得好，金晓珠刻戳子刻得好。刻戳子就是刻印，好像现在还有少量的人在从事这个行当。她们俩跟冒辟疆仨人一块儿合作的话，遂是。董小宛在世的时候，这两位也是不得宠的，老在家待着，没事儿写写字、画画画。一直到了清康熙四年（1665 年）和六年（1667 年），冒辟疆把这俩人分别纳为妾。55 岁纳了一个，57 岁纳了一个。蔡女罗活到 40 岁，去世了，她死了不久，金晓珠也去世了，后来史书上把这两人分别称为蔡夫人和金夫人。到康熙十七年（1678 年），冒辟疆 68 岁，又纳了个妾，叫张氏，张氏好像就没有什么人再提了，这张氏给冒辟疆生了一个闺女，张氏具体是哪年生的，又是哪年死的，没人提过！还有文献记载说，崇祯九年的 8 月份，冒辟疆跟秦淮八艳的顾横波，还有专门唱南曲的名女子范双玉的关系也不错。当然了，《影梅庵》里边说，冒辟疆到了 75 岁还打算纳妾呢。反正要是这么算的话，除了跟陈圆圆那婚约没能成功之外，冒辟疆一生有名分的妻妾就有六七个，他有一个好朋友叫张明弼，在写《冒姬董小宛传》的时候，说冒辟疆"所居凡女子见之，有不乐为贵人妇，愿为夫子妾者无数"。

27

论俗

乾隆皇帝都忍不住大买特买，
中国年货为啥魅力这么大？

Guo Theory

腊月水土贵三分，重心重意的年货买不停。

各位读者大家好，我是郭德纲。

快到春节了，这个季节演员就开始忙起来了。我们跟其他行业的人有区别，人家逢年过节正是休息的时候，我们逢年过节正是忙的时候，人家得看戏、听相声、看演出，我们也到了给人家演出的时候，所以说也习惯了。

这些日子，我除了电影宣传、演出和做节目，还得写《郭论》。在所有的工作里边，《郭论》算是最轻松的了，为什么呢？因为它不用化妆，我自己随时随地，有点儿工夫就可以写。不像别的工作，我得倒饬倒饬、换换衣裳什么的，也不能穿得太随意。

过年，咱们叫春节，在南方是大年三十过年，大年初一算是新年，所以南北方在文化上还是有差异的。农历的正月初一，是一年的开始，正月上旬或者中旬，大部分地区就是春季的开始。过年对我这个岁数的人来说，其实也就那么回事儿，不像小的时候，一到过年可开心了。我记得那会儿看个动画片，读个小故事，都在给我们讲什么叫年!

不知道现在还有没有人记得，"年三十"又叫"熬年"。据说上古时期，有个凶猛的大怪兽，住在深山老林里，人们给它起个名叫"年"。这家伙长得可凶了，而且什么都吃，每天吃各种活物，一天换一种口味。今天吃虫子，明天就吃鸟，后天吃狗，反正一天一天地吃，一来就吃365天，到最后这一天，它得吃人尝尝鲜。人们都说"年"这个家伙可厉害了，它到年三十这一天该吃人了，咱们得躲躲，所以到这一天的时候，大伙儿都回家，在屋里待着，"年"快来了，晚饭咱们在家里吃，谁也别出去，门口堆些竹秸秆，乱七八糟的芝麻秆，它要是踩上了，咱们就能听见。

到了年三十的晚上，"年"这家伙跑出来，然后大伙儿就放炮，庆幸自己没被"年"吃了，就是这么一说一乐的事儿。据传说，还是有村民让"年"给吃了，后来天上的神仙知道了"年"很厉害，那怎么办? 后来有人拿个火球把它击倒了，这火球就是天上的紫微星。到现在，有些地方过年的时候，还烧香请紫微星保平安，这其实就跟过年的习俗有关系。当然了，每个地儿的说法也都不一样，也就是姑妄言之，姑妄听之。你说成什么样的故事，其实也不耽误大伙儿过年，过年的时候贴福字和春联，都是由来已久的风俗。

"福"字咱们过去说这是福气和福运，现在官方的解释，就是幸福的意思。贴福字，还有的地方把福字倒过来贴，代表"福到（倒）了"的意思。还有一个故事令我印象很深刻，说明太祖朱元璋出去私访，有家人好像得罪他了，他挺生气，就在人家的门上用福字做了个记号，准备杀人。朱元璋家里有个媳妇不错，大脚马皇后，马皇后觉得，不能让朱元璋杀人，就吩咐全城的百姓，天亮之前所有人都在门上贴个福字，结果老百姓就贴了。有一家不识字，把福字贴倒了。事后皇上派人一查，家家都贴福字，只有这家把这福字贴倒了。皇上说："得了，那就把这一家人杀了吧!"马皇后说："您别，您看这家人知道今天皇上来访，这是特意把福字贴倒了的，这不是福到了吗?"皇上一听这个话，很开心："那放人吧!"打这儿起，人们都把"福"字倒着贴，也是求个吉利。

有关过年的传说特别多，但是对小孩儿来说，过年最开心的就是可以买东西了，尤其是可以买玩具。我记得小时候，有一种瀑布灯，是用玻璃做的，搁在嘴里像个小瓶子似的，一吹就响。前几年在北京庙会上，我看还有人卖这个，据说有一段时间不让卖，因为怕吸到嘴里边有玻璃碴儿，小孩子受不了。小孩儿过年最开心的就是买玩具，买个炮、泥人、风筝、毽子，都行。传说，清末民初的八旗子弟们，到了过年玩儿的东西都很奇特，买个梅花鹿搁院里边，这叫花梅一点通。还有的弄条大蛇来，搁在院子里，盘到树上，这叫小龙扶摇生。反正就是怎么好，怎么吉利，就怎么来。

一般的人家没有这些排场，就买点儿炮。我小的时候，一板鞭炮有 200 响，买完之后把它拆了，因为舍不得一口气放掉，成挂的炮得等年三十那天放，一进腊月里，就开始放炮。把小不点的炮，都拆开搁口袋里，一手拿蚊香，或者白色粗一点儿的线绳子，把它点着，老得吹着，因为怕它灭了。然后手里拿着炮，点一个扔一个，点一个扔一个，小孩儿都这么玩儿。要是这炮芯有问题，它点了却没响，就把它当街撅了，加上一根别的炮，这一点着，就变成了刺花，反正也挺好看。还有淘气的孩子，弄个鸡蛋皮扣在炮上，一点，"啪"一炸，鸡蛋皮都碎了，孩子们乐得都不行了，可开心了。有时候家里还给买烟花，那都得攒着，舍不得放，得等到年三十的时候，这些高级的东西才能拿出来放，孩子们特高兴。

大人就不玩儿这些东西，尤其文人和念书人，家里有书房的，有点儿清雅状态的，人家可能到了这个月份，水仙和佛手等物件就开始摆上了。金华的佛手就很好，其实到不了春节，佛手就来了。买回来之后，弄几盘搁在屋里，有摆着供佛的，也有摆在书房的茶几上的。佛手确实闻着很香，不过佛手晾干了的话，也可以把玩儿，或者可以搁在那里使用。不透风的时候，佛手容易长白，一旦白了之后，就是要烂了。一直到现在，每年年前的时候，我都爱买点儿佛手什么的，但是一般来说剩不了太多，你买几十个，最后可能只有几个好的，晒干之后就剩几个了，剩下的往屋子里一插，闻个香味儿就得了。

水仙是春节期间屋里必须要有的。福建漳州的水仙是最好的。养水仙有诀窍，开不开花，取决于水的温度。一般都在春节这几天开花，大年初一水仙开了，才是好兆头。水仙就是怕热，只要一热就开花。一般我们买回来之后，就先找不热的地方放着，差不多的时候，才增加温度，让它开花。春节期间，一进腊月就开始买年货，真是那句话，重心重意的年货就买不停，这叫腊月水土贵三分，就是指商人会做生意。现在买年货也不那么复杂了，天猫这些个电商平台，在网上一买就行了。过去办年货就是赶年集，一般来说，年前腊月二十五这会儿，就开始热闹起来了。

据说乾隆皇帝那会儿也赶集，但是他不能出去，皇上哪能去老百姓那儿买东西去，怎么办呢？就把集市搬到圆明园里，让太监们在那儿摆摊卖东西，东西是从哪儿来的呢？就是从崇文门外的那些店里边买来的，买来之后登记，哪个卖出去了，卖了多少钱，把钱给人家园主。没卖出去的，东西还给人家。春节一开园，皇上就招呼文武群臣，都来圆明园里边买东西，皇亲国戚，反正大伙儿就跟着一块儿热闹，哄皇上开心，反正这也是个乐趣。

在我小时候，20世纪60年代那会儿，我也听老人们说买东西要凭票，年三十有的人家就排队买个大猪头，有十来斤左右，反正够一家人吃好几天了。到70年代末，人就开始挑剔了，卖肉就不是非得买肥的才好，而是要买五花肉，或是精瘦肉。70年代的肉好像是一块多钱一斤，我记得小时候，买几毛钱的肉就够吃一顿了。到80年代，咱们的物质生活就更加丰富了，鱼肉就能比较方便地购买了，单位也发一些瓜子、水果。但是一到过年，首先就是买肉，有的家里有钱，买点儿猪肉再买只羊，尤其那会儿流行吃香肠和腊肉，还有买大油的。

现在可能好多人都不吃大油了。有时候看见专家跟大伙儿争论吃猪大油到底好不好？在我印象中，小时候家里炼完油之后，剩下的油渣，搁点儿盐，也有的家里是搁点儿糖，给孩子们吃，还有的是用来烙饼。还有一种油渣，炼完之后跟粉条裹在一块儿，还有搁点儿萝卜丝，包包子吃，反正有各式各样的吃法。

我前些日子拍戏，我们的现场导演樊导不吃猪肉。我问："你为什么不吃猪肉？"他说："我小时候吃油渣吃伤了。"是他姥姥还是他奶奶来着，最疼最爱他，有一大碗刚炼完的油渣，把油撇出去，把油渣拿出来，放了好多的糖让他吃，但这一回他吃多了，吃完就吐了。打这儿起，他再也不能吃猪身上的东西，一吃就难受。

小孩儿过年高兴，大人过年其实也有流行的年货。我有点儿印象，80年代那会儿，特别流行"三转一响一咔嚓"。三转就是自行车、手表和缝纫机，一响是收音机，一咔嚓，就是照相机。80年代末那会儿，谁家要是有一台双卡的录音机，那厉害了。我到现在还记得，穿一个大喇叭腿的裤子，戴个墨镜，那时候叫蛤蟆镜，墨镜上还得贴着一个标签，标签不能撕，撕了就不值钱了，然后带着一台双卡录音机，然后放着带子，在街上一走，那好家伙！威风极了！比现在你开一辆几百万的车还露脸。但现在回头想起来，当时的人也挺累的，拎一大录音机在街上晃来晃去，这就是此一时也彼一时也。

到90年代，年货就热闹了，包括一些个外国的吃食，那会儿也能吃到了，包括可乐、薯片等乱七八糟的东西，就不单纯是瓜子、糖果这类的东西。包括到现在也是，有的时候徒弟给我打电话说："我给您送了五只羊！"我心说：我吃不了啊！给我送五只羊，你拿我当成吉思汗了吧？尤其是出去演出，一到场，有些主办单位就跟我说："给您准备了一整只烤全羊！"我说："你们饶了我吧！这谁吃得了啊？吃羊肉串，两三串就够了，吃整只羊我受不了，我又不是骑着马来的是吧？"当然了，这是人家的一个心意，也就是送个年货给我。就是把最美好的东西和心意带回家，这就叫年货。

总体来说，过年送礼，都是以吉祥如意为标准。比如年糕做成鱼，代表"年年有余"。水仙花和仙客来，这些东西送人都挺合适的。但过年送东西，有几样东西不能送：不能送鞋，你说过年了，好，年货我送您双鞋，这个不行。你看外国人的鞋就不当鞋讲，中国人这鞋有个谐音，不正为"邪"，这不顺利，不好。还有茶壶也不行，这个谐音是煳了，其实煳了没事儿，送打牌的人，我觉得送"和"还可以。玻璃制品不行，你送个玻璃杯给人家，人家也不愿意，为什么？它的谐音是"离"。还有雪花梨也不行，谐音也是"离"。包括送扇子，送剪子，送菜刀，送雨伞，这都不行。扇子跟伞，那意思就是以后咱们得散了，咱们就分散了，谁也不搭理谁了。送剪刀呢，就是咱们之间的交情完了，菜刀就更别说了。

反正中国人的老礼很多，一说一乐的事儿。不过你要是非送的话，也没人管得了，还有腊八醋、腊八蒜，这都不能送人。因为蒜有算账的意思，就是算账还钱，你是不是欠我钱？咱俩算算账，跟这个有关系。还有要"送双不送单"，好事儿成双，图个吉利。那会儿送468，送礼点心送京八件，八样点心，送酒可以送两瓶白酒，这个酒是天长地久。反正一般送酒的话，弄两瓶四瓶，再加上干果412，612，反正凑个双数，四季平安，六六大顺，十全十美，就这么个意思。

从送礼开始，过年的新春禁忌就算来了，打大年初一开始，不能扫地，不能泼水，地上的瓜子皮不能扫，洗完脸的水不能泼。也不能动剪子、动刀，蒸馒头、炒菜都不行，因为谐音是"争吵"。剪头发就更不用说了，正月里剃头死舅舅，也不知哪里的舅舅怕剪头，反正规矩多了。初一最重要的一件事儿就是要拜年了，北京的庙会也都从这天开始，大伙儿都去看庙会，这儿看看那儿看看，来玩儿一玩儿。

初二呢？有的人家初二的时候吃馄饨。我们家没吃过，但我见有朋友家这么吃。因为馄饨长得像元宝，大年初二吃元宝，吉利，但天津人初二吃面。初二叫姑爷节，就是初一在爷奶家过年，到初二的时候得上姥姥姥爷家去，女婿得跟着媳妇一块儿带着孩子回老丈人那里去。但是在北京，初二那天要拜财神，商家一般来说要拜武财神，也就是关老爷。普通老百姓家里面拜的是比干[①]，比干大家都知道，《封神榜》中妲己祸乱殷纣王，把比干的心给挖出来了，比干死了之后被封为财神。为什么说要供比干当财神呢？因为老百姓说了，比干没有心，这说明他没有私心，办事一定公正。反正老北京是这样，初二一早起来，京城百姓不管挣钱不挣钱，都上广安门外的五显财神庙，庙里边的出家人提前准备了各种纸元宝，老百姓就跑到庙里边去借元宝，这就意味着一年万事顺利。借了元宝，明年得还回来，还得比借的多，所以这也是个一说一乐的吉利事儿，大家都挺开心。

---

① 比干，子姓，比氏，名干，沬邑（今河南淇县）人。商代帝王文丁的次子，帝乙的弟弟，比干也是纣王的叔叔，中国古代著名忠臣。因敢于直言劝谏，被人称为"亘古忠臣"。

北京还有一种说法，说初三这天是老鼠娶亲的日子，所以北京人大年初三的晚上，睡觉前得早早地把灯灭了，把鞋藏起来，为什么呢？怕老鼠把鞋叼走了，那会儿人们住的都是平房，孩子睡觉的时候，晚上听到顶棚上的老鼠跑来跑去，老太太就告诉孩子："没事儿，耗子要结婚了。"到了初四，开始逛庙会、走亲戚了。北京城有白云观和东岳庙。到白云观，打个金钱摸个猴；到东岳庙走福路，挂福牌，绕福树。庙会就是老北京人娱乐的场所。

初五很重要，因为初五这天是小年，也叫剁小人，天津人这一天都得吃饺子。初五不串门，串门的话，人家家里都是一边剁馅一边骂人，就骂这一年恨谁，以及哪个小人害了我，那意思就是"我终于把你给剁了"。过去做买卖的人家，伙计们最怕这一天。到这一天的时候，甭管是鞋铺也好，点心铺也好，这天晚上东家和伙计要一起吃饭，大家坐在一张桌子上，吃饭的时候，如果掌柜的给伙计夹了一个包子，这就坏了。怎么呢？这就说明你今天被辞职了，得归置东西，卷铺盖回家了。

反正不管怎么说，中国人过春节的老理很多。我到现在还是很怀念小的时候，尤其是经常想到小时候一大帮人去买年货、去逛街，虽然说那时候的东西不多，但是心气儿足，过年过的也就是个心气儿，挺好。

28

—论俗—

粗茶淡饭，知足常乐：
记忆中的旧食味道

Guo Theory

萝卜就热茶，气得大夫满街爬；萝卜就咖啡，气得大夫满天飞。

又到了给各位读者写《郭论》的时间了，写这个跟做节目、说相声真不一样，很容易就忘了。刚才吃完晚饭，我就想着赶紧写点儿。

我们家做饭，什么菜都可以有，但是我吃饭有一毛病，饭桌上必须得有两小碟咸菜。也许这一顿饭，我也未必动筷子夹一口咸菜吃，但是饭桌上摆了咸菜，我心里就愉快，也不知道什么时候落下这么个毛病。据说当年北京的旗人，也就是八旗子弟们吃饭的时候，就有这毛病，也不管家里多穷，就算是穷得叮当响，耗子来了都得哭着走，连个粮食粒儿都没有！穷成这样，吃饭的时候桌子上也得摆出来七个碟子八个碗，摆上各种各样的咸菜，还得单有一个地儿放酱豆腐。在这方面，我的老恩师，教我评书的师父金文声先生，我们俩特别相似。那老头儿活着那会儿，就爱吃咸菜，我也是爱吃咸菜，每顿饭不管是山珍海味，反正桌上得有盘咸菜搁在边上，总觉得这样才完美，大鱼大肉老吃也觉得腻，不如吃点儿咸菜，能清口。

一直到现在，我有闲工夫的时候，还是愿意自己腌腌咸菜，有时候有大工夫，还愿意多折腾折腾，实在不成了就暴腌一下也行。这两年比较忙一些，前些年我闲工夫多，净干这事儿了，有时候连着两三天有闲工夫，去菜市场买什么黄瓜、辣椒、胡萝卜和白萝卜，还有生的榨菜头，青萝卜也有，因为我是天津人，每年到了冬天，天津人就爱吃青萝卜。老话说得好：萝卜就热茶，气得大夫满街爬，萝卜就咖啡，气得大夫满天飞。这老话都谁发明的啊？青萝卜跟其他几样弄咸菜还不一样，青萝卜一般就是先切成条，拿一个大笸箩，再拿包饺子用的盖板，也叫盖拍，也叫盖帘，放在外边晒，让它走一走水分，水分走没了，拿起来差不多了，然后再用五香面儿搓。我记得小时候，天津人买回来的五香面儿都是直筒的，硬得像只小桶，就跟现在的牙签罐大小差不多，纸的里边是五香面儿，拿那个来搓青萝卜条，做好了拿来配粥吃，或者是当小菜。

　　其他的东西，黄瓜、辣子和胡萝卜买回来之后先洗干净，改个刀，切条、切块，切什么的都有，然后找一坛子，把切好的菜搁在里边。一种腌法是腌不带色，一般来说，找一大的玻璃瓶子就成，放点儿盐水在里边，搁点儿花椒。另一种腌法就是腌带色的，就是放酱油和甜面酱，找着口，调好了，拿这个来腌咸菜也成。有的时候吃青萝卜不爱吃萝卜皮，就把萝卜皮剥掉，然后搁点儿酱油，搁点儿盐和其他佐料，腌上两天，就能吃了。喝粥的时候吃咸菜最好，把腌好的咸菜捞出来，简单地清洗一下，甩一甩干，改个刀，点点儿香油，喝粥的时候配这个很舒服。我小的时候在天津，住在大杂院里，好像那时候我也就五六岁，那种大杂院就是穿堂院，从这头到那头一拉溜，十几家人家住在一起，挨着我们家住着一个老太太，叫李奶奶。据说我们搬走之后，老太太一直活到90来岁，他们家厨房门口老放着一个缸，缸里边都是咸菜卤，她不管切剩下什么菜，不管是萝卜皮还是白菜帮子，乱七八糟地全扔到缸里头，所以老太太总有咸菜吃。

　　有一个事儿我印象特别深，小时候，有一年下雨，我们正喝粥呢，突然就特别想吃咸菜，赶巧了，家里没有，结果我妈就跟李奶奶说："您给我们捞点儿咸菜吧？"李奶奶就给我们捞了白菜帮子，还有萝卜，切完之后，点点儿香油，点点儿醋，我觉得可好吃了，吃得特别舒服。我印象中，小的时候天津卖一种辣萝卜条，萝卜切完条之后，晒干，然后用辣椒面儿和五香面儿拌出来，自己家里吃的那种，是以五香面儿为主的，但是外边卖的都是通红通红的，是以辣椒面儿为主的。我那会儿上小学，同学们经常左手拿一馒头，右手拿着几个辣萝卜条，站那儿就吃。我16岁就离开天津了，到北京发展了很多年，再也没见过卖这种咸菜的了。后来我也回过天津，有时候也赶上有卖的，买来点儿尝尝，但是味儿不对了。我小时候吃的萝卜条特别干松，所谓的干松，就是那萝卜腌得特别好，水分都走得差不多了，好吃。后来这萝卜，咱不知是什么原因，水汽很大，味道也不好，就是蘸点儿辣椒面儿，就敢拿出来卖，我就觉得不灵了，不爱吃了。

后来有一次，我在超市买到了一种萧山出的萝卜干，我觉得这个味道还行，怎么说呢？它不带汤，拿回来之后，我觉得有点儿似曾相识，我就灵机一动，回家弄了点儿辣椒面儿一搓，又稍微晾了晾，结果大伙儿都说，哟！这个萝卜条好吃，像当年的老味道。有一年我在澳大利亚当地华人超市里也发现了萝卜条，买回来自己弄了一弄，味道也行，但它那里的辣椒面儿稍微差了一点儿，但是也能凑合吃。当年，我一去见老恩师金师父，就爱给他买各种咸菜，买什么酱豆腐，因为我知道爱吃这个的人，你给他弄别的，他不爱，他就爱吃点儿这个。我的老恩师这一辈子屡创奇迹，他的人缘很好，他晚年在小园子里说书，在台上说着说着，突然心脏病复发了，然后观众给他送到医院去，做了一个很大的搭桥手术，有惊无险。后来到了70多岁，他又重返舞台。那年在德云社小书馆里，说书说完之后，老头儿很高兴，情绪很激动。回家的时候，送他的车到了他家小区门口，因为门口有俩醉鬼在那儿闹，车过不去了，老头儿说："得了，我下车走两步。"司机说："您别走。"但已经来不及了，他这一拉车门就下车，然后就往家里跑。因为外边有点儿下小雨，他那天穿的新布鞋，老头儿怕鞋湿了，就赶紧往家跑。跑到家之后呢，情绪太激动，直接脑干出血送到了医院。主治医师跟我说："我不骗您，我是您的'钢丝'，我跟您说实话，这个病情够呛，我们没见过能活下来的。"当时所有人都捶胸顿足，以为老爷子这回完了，没想到他恢复得很好，这确实是个奇迹。

金师父老说他的身体好，跟他吃东西有关系，他说因为他爱吃咸菜，所以才身体好。我说科学家也说了，吃咸菜吃多了对肾不好。他说："你看我这么不好，那么不好，我还活这个岁数，我才不信。"这东西怎么说呢？饮食习惯因人而异，同样的法则，不见得适用于每个人。包括我们这老恩师，最爱吃的就是剩茶泡剩米饭，什么山珍海味对他来说根本就不值钱，就爱来一碗剩米饭，弄点儿茶水一泡，最好是剩的茶水，现沏的茶都差点儿。茶水拿来一泡米饭，弄匀了，端起来就着咸菜，就点儿酱豆，太好吃了。新茶不行，而且最好是凉茶，这个饮食习惯挺有意思。老爷子这一辈子，火腿肠这类东西他不吃，你给他买肠，他打死都不吃，我问："这东西挺好的，也没过保质期，挺新鲜，味道也不错，人人都爱吃，怎么您不吃？"老头儿告诉我："我不吃，我不知里边放的是什么。"他觉得那个肉他不放心，他说肘子可以吃，因为他能看见那就是肘子。他如果想吃肉了，就买一整个的肘子，什么调料都不放，就拿开水煮，煮熟了之后夹出来，夹上边那个肥的皮蘸酱油吃。那会儿老爷子家里养了一只可爱的小狗，小狗的名字叫老虎，一个肘子，爷俩儿一起吃。老爷子吃点儿皮儿，吃点儿肥的，瘦的呢，就给老虎吃，家里人谁要是动一筷子瘦肉，老头儿能掀了桌子，可见此狗如老爷子的掌上明珠一样。

　　反正咸菜这类东西挺好，我记得我小时候学评书，开蒙的那个高先生，我上他们家去学，有时候中午要是学晚了，老头儿管我饭。我在他们家吃饭，他做了一道黄瓜菜，我到现在还记得，高老爷子他们家住在鞍山道，是天津那种老式的房子，他家的老房子很大，但是厨房很小，特别昏暗无光。但是这个怎么说呢？每次做饭的场景，我老觉得像老电影似的，到现在我的印象依然特别深。高先生个儿不高，白头发，老头儿在厨房里猫着腰，把黄瓜切成段。他是先放盐腌黄瓜段，腌一会儿，把水给篦出去，那黄瓜就有股咸味儿了，然后放点儿味精拌一下，搁在边上，炒勺里的油热得差不多了，放干辣椒炸。我记得有一次整个小厨房全都是炸干辣椒那烟，我在外边直咳嗽，接着他开始炒葱段跟姜片，大段的葱、大片的姜，把这炒完之后，就连着辣椒油带着乱七八糟的葱啊，姜啊，拿起来全扣到黄瓜上，就这么一拌匀，放到冰箱里，这点特别重要，一定要放冰箱里边晾凉了，扣上盖晾，打冰箱里再拿出来，端出来异香扑鼻。

后来我也学着做过这道菜，但是味儿出不来。手艺这东西就跟炸酱似的，我爱炸酱，我还弄面条，我炸酱的时候，我那徒弟在我家，说要跟我学学，我手把手地教完，再看着他弄，他弄出来的味儿就是不一样。每个人做饭的味道都不一样，好奇怪，做饭是个手艺活儿。高老爷子那腌黄瓜，是当咸菜吃的，吃完之后那黄瓜汤就米饭吃都觉得挺好吃，老爷子现在已经不在了，这道菜我倒学会了，可是没有他老人家做出来的那个神韵。现在是什么季节都有黄瓜，但是在我们小时候，我记得只有夏天才有黄瓜，冬天没黄瓜。我印象很深很深，我上小学的时候，有一年是春节前的什么时候，我父亲拿回来两根冻黄瓜，数九隆冬的腊月天啊，只能吃冻黄瓜，当年没有什么保鲜技术，那冻黄瓜就是夏天的时候，人家把这黄瓜装塑料袋里，搁在冰柜里冻上了，冻完之后，冬天拿出来卖，黄瓜从塑料袋拿出来都塌了，蔫了。你想，那都冻了一夏天了，从夏天开始冻，年底拿出来卖，它还能有样吗？但也觉得还不错，冬天还能见黄瓜，特别新奇。我记得我妈把那冻黄瓜切了，然后拌着吃，吃完之后上邻居家串门去，邻居问："你吃饭了吗？""吃了。""吃的什么？"我说："我们家吃的拌黄瓜。"邻居一屋子人的眼睛都瞪得老大，好家伙，你们家冬天吃黄瓜，还了得吗？反正大伙儿都觉得吃惊纳闷。

在天津，那会儿冬天吃个虾、吃条鱼倒不新鲜，因为天津是水旱码头，但你要说反季节吃个黄瓜，那不太容易。在天津，我们从小就吃鱼、吃虾！鱼、虾应该是没有什么人不爱吃的，最小的虾皮佐馅，大的虾烹着吃的有一斤一个的，有一斤两个的。从我小的时候到现在，我们家吃虾最大的特点就是喜欢吃完虾之后用那个汤就着米饭吃，那吃得比吃虾还痛快。我印象很深，在天津有一段时间，有一位唱河北梆子老生的大姑，我管她叫大姑，大姑是女老生，能力强，调门也高。她那《四郎探母》唱得好听得都不能再好听了，后来我没见过唱得这么好的。大姑性情豪爽，好喝酒，有时散了戏，大家就上她家去聚会，买几斤豆瓣绿的大活虾。到家大姑先坐开水，坐完开水放花椒、盐，把虾下锅一煮，煮完之后，虾一红了就捞出来，往那一坐。我到现在还记着，大姑就把啤酒打开了，一口气先喝半瓶，

227

瓶子往那儿一放，拿起虾抱着就吃，大伙儿一边吃，一边跟着唱，其乐融融。

反正吃这个东西怎么说呢？无止无休。在家里边坐着吃也行，或者出去吃也行，反正我这人最大的特点就是随和。我就怕摆一大桌子菜，每个人身后站着一个人，我喝一杯酒，他给我倒一杯酒，桌上的菜盘子比盆还大，然后里边就放着一点儿菜，周围装饰着花，龙凤呈祥地摆着，那个饭吃得我累，宁可出去上街上吃砂锅。

我说的砂锅，可能跟各地的砂锅不太一样。你们觉得砂锅可能就是像过去各大饭庄吃饭那样，最后上一砂锅丸子。天津的砂锅了不得，我有年头不回去吃了。90年代初，我在天津那会儿就是唱戏，在小园子里奔波忙碌，我那会儿净吃砂锅了。小砂锅不大，就在马路边摆地摊，这一摆就一片，地上能摆好几十个砂锅，这砂锅底下都是菜垫底，有冬瓜、洋白菜、粉丝，上面再放主料，牛肉、羊肉、丸子、排骨、豆腐、鸡块、鸡翅、螃蟹，反正能搁在砂锅里边煮的都可以有，一共有数十种。你要哪个，你就用手一指，老板给你端起来，搁到火上，浇上高汤，就开始煮起来了。有的人说要煮方便面，那也行，干的稀的，什么都有。

我就在燕乐剧场那几个小剧场里唱戏，从那儿一拐弯，一家接着一家，你就站着看，遍地都是砂锅店，想吃什么都有。华灯初上，就坐在街边，伴着路灯，三五知己吃完了，夹着包进后台，一勾脸一场戏，现在想起来，依然是很幸福的。

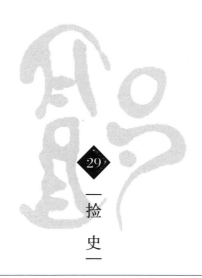

29

一捻史一

花式盘点：奇葩皇帝有，
明朝特别多（上）

您想，连宫女都说不想活了，想跟皇上同归于尽，您就知道当时宫廷里有多么肮脏恐怖了，是不是？

　　有人给我提意见，说我写了太多唱戏的事儿了，读者该看烦了。以前这些传统的故事也写了不少，估计读者想看我写点儿正经的东西。

　　我很感慨，其实我写的哪一句话，我都觉得很正经，只是每个人的理解不一样，后来人家跟我说，让我写写历史。我说，我要是真写历史，看完读者也得乐，因为他们会觉得历史上的好些事儿，也并不正经。结果对方说，那也行，您写写看，到底有多不正经。

　　那我就写写历史吧，但我得先写我熟悉的历史，因为不论是说书也好，说相声也好，干我们这一行的人，多多少少都得研究一下历史。正史我们得看，野史我们也得瞧。有的时候，我们在节目里谈论到某个历史人物，他生活在明朝的什么年间？是哪个大人物？我们都得先看看史书上是怎么写的，一看史书是这么介绍的。然后我们再去看看野史，老百姓是怎么传他的，在老百姓口中他是什么样，那可能跟正史完全不一样。这么来回一对比，有可能就能看出来，其中是有些小故事的。

　　我个人最熟悉的历史，那就是明朝或者清朝的事儿了，咱们就从"帝王将相"这四个字开始说起，好不好？帝王将相，头一个就是"帝"，我一写这个字就想乐，为什么？因为所有明朝的皇上，大约20人，加上南宁的那几位，都算什么帝呢？好像特别正经的帝也不是很多，你看建文帝、洪熙、宣德和弘治，这四个皇上应该是还没来得及做正经事儿。除了这四个，其他的明朝皇上都有点儿问题！有的是人格有缺陷，有的是不倒也不正，有的是压根儿就没正形，有的那个状态就不像个皇上，你要说他是个说相声的，倒是也有人信。

　　比如朱元璋，明太祖朱元璋咱们都知道，他很厉害，他要是不厉害，能创造大明帝国吗？他最大的特点就是心狠手辣。你看胡惟庸[①]跟蓝玉[②]这俩冤案，朱元璋一共杀了有5万多人，整个朝廷上下跟恐怖世界似的。文武群臣每天早上穿戴好要去上朝了，全家人都得出来送他，就跟送葬似的，挨个儿告别媳妇，我上朝去了，我不一定回得来，如果今天不下班，你就该找谁找谁去吧！孩子们今天也有可能是最后一次见父亲了，我今天下朝要是能回来，咱们一块儿吃饭，要是不回来的话，你们就知道了，爸爸已经没有了。这些当官的天天这样，一上朝，家家哭得跟水人似的，白天走了，晚上回来了，平安了，全家大伙儿一块儿哈哈大笑，这才高兴。这日子就没法过了，是不是？

　　包括朱元璋搞的文字狱，他其实是毁灭知识分子的思想和灵性。你写了一个字或一句话，他觉得你这句话有问题，那你就算完了。浙江府学有个教授叫林元亮，写的奏章上有这么几个字，叫"作则垂宪"，立即被判处斩，脑子就这么被切了。北平府学赵伯宁，他的奏章写着"垂子孙而作则"，脑袋也被切了。桂林府学蒋质，奏章上写着"建中作则"，也被处斩杀。这几人的死，都是因为奏章里有个"则"字，就是咱们说的"法则"的意思，或者是当"标准"来讲，就是这么个意思。

---

① 胡惟庸（？—1380年），汉族，定远（今属安徽）人。明朝的开国功臣。后因其被朱元璋怀疑参与叛乱，最终被处死。

② 蓝玉（？—1393年），定远（今属安徽定远县）人，常遇春的妻弟，明朝开国名将。骁勇善战，屡立军功。后因谋反罪被杀，牵连其党羽致死者达万余人，史称"蓝玉案"。

但朱元璋不这么想，因为这个"则"字，很容易念成"做贼"的"贼"。这个"贼"字有一种上口的念法，念成"则"，比如说我们唱戏的时候，在戏曲舞台上拿住了贼人，不说"拿住了贼人"，而说"拿住了则人"。所以朱元璋就觉得，你们说"则"，就是说偷东西的"贼"，就是在骂我，朱元璋为什么对"贼"字这么敏感呢？因为朱元璋年轻的时候当过小偷，他觉得这些府学就是成心侮辱他，所以就把他们都杀了，这谁受得了？

还有一个民间传说，说朱元璋元宵节出去玩儿，街上张灯结彩，什么灯谜都有。其中一个灯上，有一灯谜，这盏灯上画了一个女的坐在马上，捧着一个西瓜，马蹄子特别大。朱元璋就急了，回去就让人去查，这灯是谁做的？这一查，张三和李四被找着了。找了之后怎么办呢？朱元璋下令，把这俩人活活打死。连刑部都很纳闷，为什么要把人家打死？皇上您能不能宽限一下，或者重新审问，是不是有什么误会？朱元璋很生气，说他们亵渎皇后，犯了大不敬，你听明白没？其实刑部也没听明白，反正先把人打死了。后来才研究明白，朱元璋的意思是，这灯亵渎了他的皇后马皇后，民间都知道马皇后没缠过脚，她的脚大。那盏灯上画了一女的骑在马上，马的蹄子大，那就是映射马皇后脚大。你说，弄一灯谜就惹来了杀身之祸，这上哪儿说理去？可见朱元璋非常残暴冷血，之后的建文帝，倒是不冷血，但建文帝没来得及做出什么正经事儿，而且建文帝生性懦弱，再加上他本身活得也挺不愉快，后来更是下落不明。

建文帝之后的永乐大帝朱棣，也是位杀人的行家，靖难大屠杀的时候，朱棣还发明很多杀人的方法，比如瓜蔓抄诛十族，杀人杀得无数：黄子澄全族被处斩！齐泰这哥们儿家里也全部被杀了！方孝孺屠杀十族！以前一般都是杀九族，结果方孝孺对朱棣说了一句："别说你杀我九族，杀我十族我都不向你屈服。"方孝孺说话也是挺呛人的，朱棣也没跟他客气，那就杀你十族，所谓的十族，就是连你的朋友和学生都包括在内！据统计，受到方孝孺株连被杀的，一共有873人。这就是永乐大帝朱棣。当然了，朱棣在政绩方面也有他的功劳，他有很多其他皇帝所不及的优点，但在杀人这方面，他确实有点儿随他爸爸。

明朝的这些皇上都挺有意思的，每一个皇上都够写一本书的。比如说明朝的第六个皇上叫明英宗，明英宗朱祁镇。朱祁镇他奇怪在哪儿呢？他是明朝里唯一的一个当过两回皇上的人。明朝第六任皇上是他，第八任皇上也是他，你看这奇怪吗？他第一次当皇上的时候才9岁，9岁的孩子，您说他能懂什么？这国事全是由一张氏的老太皇太后操持着，其中还有几个不错的大臣，贤臣"三杨"跟着一块儿主政。但是后来呢，老太皇太后驾崩了，相声里开玩笑说，"驾崩"就是驾出去给崩了，反正就是去世了，然后这"三杨"也去位了。打这儿起，朱祁镇宠幸的太监王振[1]就崛起了，最后导致宦官专政。之后出了很多大事儿，直到土木堡之变后，王振被杀，朱祁镇暂时下岗。朱祁镇下岗之后，他的弟弟郕王朱祁钰登基称帝了。当时朝里有个大臣叫于谦，这位于谦不是跟我说相声的于谦，这位于大爷是朝中的大臣，是一粉身碎骨全不怕的主儿，这位于大爷说，朝不可一日无君，如今土木堡之变，皇上让人给抓走了，咱们找一位新皇上吧？于是郕王朱祁钰就登基称帝了。

那外边被敌人抓去当俘虏的英宗怎么办呢？就让他当太上皇吧，当然了，这只是这么一说。后来朱祁镇被敌人放回来了，这哥儿俩之间又闹得很不愉快，出了很多事情，光是他们哥儿俩之间的那次"夺门之变"，就够写一天的了。唉！最终朱祁镇葬在明十三陵，前些日子我还从那儿经过，内心很是感慨，因为在那墓葬门口道上，就是卖柿子和卖核桃的老太太，今年的水果很一般，可能是因为雨水不太好。朱祁镇在政治上有不足之处，因为他前面宠幸了太监王振，后来又宠幸了太监曹吉祥，这两个都能把他害死，但他还挺爱人家。他宠幸大太监王振的时候，王振撺掇他亲征瓦剌，结果被逮到当了俘虏，后来终于复位了，他居然还挺怀念王振的。他也不想想，没有王振，他能那么倒霉吗？他还给王振弄了一雕像，给他招魂安葬，反正皇上的心思也不好猜。

朱祁钰就是明朝的第七任皇上，也就是明代宗景泰帝。因为他哥哥朱祁镇当

① 王振，明朝蔚州（今河北蔚县）人上。他深受英宗器重，是明朝第一代专权太监。正统十四年（1449年），瓦剌大举入侵。王振鼓动帝亲征，又邀英宗幸其蔚州宅第，以致耽误行程，行至土木堡（今河北怀来东），被瓦剌兵追至，全军覆没，英宗被俘，王振被杀，史称"土木之变"。

了皇上，封他为郕王，后来土木堡之变爆发了，英宗被瓦剌给俘虏了。没办法，当时的说法是为了免去主少国疑，于谦这一大帮大臣劝孙太后立朱祁钰当了皇上，转年改元景泰，所以他叫景泰帝。景泰八年（1457年）正月，发生了夺门之变，明英宗复位，改元天顺，2月又把景泰帝给废为郕王，软禁在西安。朱祁钰死的时候才30岁，埋在北京海淀玉泉山往北，有一个景泰陵。他是整个明朝挪到北京之后，唯一一个没有埋在十三陵里的皇上。朱祁钰这个人其实也算是知人善任，他在外边依靠着于谦，在内还有文武群臣，使得大明江山社稷算是转危为安，也算英明之主。但是他还是没能够尽善尽美，所以让奸臣趁机作乱，而且他的心眼儿稍微窄了一点儿，把他哥哥接回来之后，囚禁了好几年，导致哥儿俩之间的这点儿仇越来越深，哥哥复辟之后，朱祁钰也被囚禁了，一直到去世。他们哥儿俩应该拍一电影，就叫《手足情长》。

后边还有一皇上也挺好玩儿的，那就是明朝的第九个皇上——朱见深[1]。朱见深就是朱祁镇的儿子。土木之变之后，他父亲被瓦剌人给留那儿扣住了，他的叔叔朱祁钰当上了皇上。到后来的景泰三年（1452年），改立朱见济为太子，就把朱见深废为王子了，一直等到他父亲夺门之变成功了，他才又被立为太子。咱们得实话实说，朱见深算是个挺英明的皇上，尤其是他在位初年，恢复了朱祁钰的皇帝尊号，平反了于谦的冤狱。于谦要是委屈不平，他怎么能好好说相声是不是？所以说朱见深也算是个好皇上，但是在位期间也任用了一些奸臣，最后他葬在十三陵的茂陵。朱见深宠爱一个大太监叫汪直。不知您哪位读者爱看明史，成化帝朱见深还有一个一直以来让大伙儿闹不清楚的事儿，就是他只喜欢一个女人，这个女人是个宫女，比他大19岁。而且他爱了这个女人一辈子，这是一个坚贞的爱情故事。这宫女就是咱们说的万贵妃，万贵妃的专宠也导致了明朝外戚乱政的局面。贵妃的好多亲戚，仗着贵妃干了不少坏事儿。

后边还有一个特别著名的皇上，就是值得大提特提的皇帝——明武宗正德皇

---

[1]　朱见深（1447—1487），即明宪宗，1464至1487年在位，年号成化，英宗长子，初名见浚。在位期间任用贤臣治国理政，宽免赋税、减省刑罚，使社会经济渐渐复苏。

帝朱厚照，我当年写过一部电视剧《正德皇帝下江南》，我还有一个长篇单口相声，也叫《正德下江南》。正德宠爱的太监叫刘瑾，你看咱们写的这几个明朝皇上，每个人都爱一个不一样的太监。刘瑾有意思，他有一个核心集团，被称为八虎。一看这名，就知道这个组织跟黑社会似的，叫八虎。刘瑾的最大特点是他能把皇上哄得很开心。他在宫里按照街上的样子，建了很多店铺，太监扮老板，做买卖，皇上扮一大富商，弄了一帮人跟着玩儿，后来又在宫里盖了妓院，好些宫女扮成妓女，皇上挨家挨户去听曲喝酒，跟着胡来。

皇上觉得很开心，但文武群臣觉得不像话，所以很多大臣都来向皇上提意见，因为这件事儿，皇上打死了不少大臣。后来又建了个豹房，好多美女都在里边。武宗可以说是将玩乐发挥到了极致，当然最后武宗有点儿过分，他到这儿去到那去玩儿，发生了好多民间故事，"游龙戏凤"说的就是他出宫去，瞧姑娘好看就跟人睡觉，皇上做这种事情，就叫游龙戏凤，要是普通人的话，早就游街示众了。后来，武宗有一次钓鱼，没留神掉进了水里。那时候是 9 月份，水也挺凉，他就冻病了，打那儿起身体越来越不好，没几个月就死了。那之后有一个民间传说说"正德无儿访嘉靖"，当然这只是个民间故事。

明世宗嘉靖帝的名字叫朱厚熜。"熜"是当"火光、火苗"来讲，意思是热乎气儿，或者说有点儿温暖，可以这理解。因为正德帝死后确实没有孩子，没有孩子怎么办？这朝里边的文武群臣，连老太后在内，也就是武宗他母亲张太后，大伙儿一块儿商量，也没得挑，最近的皇室就是正德的堂弟朱厚熜。得了，请他来继承皇位吧。嘉靖皇帝其实还可以，他在位期间，对内宽以治民，整顿朝纲，减轻赋役，对外抗击倭寇，重镇国政，形成了嘉靖中兴的局面。但嘉靖皇帝到后期，开始喜欢道教，还拿这个控制文武群臣，嘉靖活到 60 岁，最后埋在了十三陵的永陵。这个人可以说很聪明，也是明朝皇帝里边比较任性的，性格挺倔强。嘉靖皇帝爱书法，文辞修养还不错，但是也很敏感。后来清朝人写明史，就说了他好些不好的话，说他二十多年"避居西苑，练道修玄"，意思是他二十多年不上朝，一天到晚地念经修道。但是我们得承认，不管怎么说，他一直牢牢地控制着整个明朝的政治、财经、军事、民生大权。他是很奇怪的一个人，所以称他为中兴之主。他一共在位四十六年，这一辈子就干了两件事儿，一个是怎么能长寿，活得长远；一个是怎么能够多跟女人睡觉。你想他在位的后二十七年，只跟文武群臣见了四次面，平均七年出席一次早朝。他宠信大贪官严嵩，严嵩不用说了，人人都知道严嵩的字写得好，您要是不知道，就去看看北京六必居咸菜铺那块匾，就是严嵩写的。

朱厚熜自己一天到晚地迷信丹药、方术和采灵芝，吃各种丹药，据说宫女们很受不了这个，听说宫女都想把他勒死，结果这绳子打一死扣，没弄好，然后宫女们全都被剐了。反正通过这个事儿，您想，连宫女都说不想活了，想跟皇上同归于尽，您就知道当时宫廷里边有多么肮脏恐怖了，是不是？

所以说要说好玩儿的，我觉得嘉靖帝应该算是其中的那么一位。

30

捡史

花式盘点：奇葩皇帝有，
明朝特别多（下）

Guo Theory

铁甲将军夜渡关，朝臣待漏五更寒。山寺日高僧未起，看来名利不如闲。

　　再次重申，我写的这些文章不敢称为"论"，人家圣人做文章才叫"论"，人家都有文化、有水平、有知识，我想一出，学一出，记问之学，也不敢自称跟您各位切磋，顶多就是一个汇报。

　　人家一般都去找一大禅师，让大师给我们说点儿什么，为了求道去问点儿什么，当然禅师都能说得出来。比如想问问禅师："您看您是有道的大禅师是吧？在您得道之前，您是做什么的？"大禅师坐在这儿，眉毛很长，闭着眼，笑着说："砍柴挑水做饭！"提问的人接下来又问："那得道之后您干什么？"禅师笑着又答："砍柴挑水做饭。"问的人就愣了："那您这得道怎么叫得道了呢，何为得道？"禅师说："得道前，砍柴的时候惦记挑水，挑水的时候惦记做饭，得道之后，砍柴就是砍柴，挑水就是挑水，做饭就是做饭。大道至简，大道无数，道法自然，平常心就是道。"你看人家禅师这个境界，要不然人家就是得道的大禅师呢。你要是问我这样的问题，我没法回答，我得道之前说相声，得道之后还说相声，我也干不了别的，就是说相声，是不是？

明朝的这些皇上，没有一个是我见过的，也无外乎是记问之学，看看明史，看看野史，看看民间故事，听听故老相传，问问专家，一块儿聊一聊，听一听人家大伙儿说的，我也未必听得明白，所以说不敢跟您各位显示学问，就是一个小汇报。

明朝的这些皇帝，活得真累，一个个都不容易，包括朱元璋在内，杀人无数，你说朱元璋他怕过谁？他就怕过一个人，这个人是个高僧，叫宝志。当然这只是民间传说，朱元璋那会儿人还活着，因为皇上都是要给自个儿建墓地的，建墓地之前得先找一块风水宝地。找来找去，找到了一块好地儿，这地儿在哪儿，在独龙阜①，这儿有一个阴宅宝地。但这块地儿不是朱元璋先发现的，这块地八百年前就有主了，谁！南朝梁武帝的老朋友，高僧宝志。据说宝志生在哪儿呢？生在郊外，一棵大树上的鹰巢里，也就是老鹰的窝里，咱也不知道他爸爸是老鹰还是他妈是老鹰，还是他是从蛋里孵出来的，反正资料记载说，宝志这主儿手是鹰爪，4 岁就当和尚了，一直活到了 97 岁，是得道的高僧。他死之后就葬在了独龙阜，上面还盖了一个宝公塔，墓前建了一个开善寺。朱元璋说这地儿建墓好呀，把宝志的墓迁走吧。

结果把宝志的墓挖开了之后，发现里面有两个口对口的莲花缸，把缸打开，里边居然坐着高僧宝志的遗体，真身不坏，头发披肩，指甲长了很长，栩栩如生，士兵过去抬，怎么抬都抬不动。一个死人能够怎么着？但就是抬不动。朱元璋觉得挺诧异的，于是他跑到宝公塔来，见这儿有求签儿的，就给自己求了一签，上面有四行字说"世间万物各有主，一粒一毫君莫取。英雄豪杰自天生，也须步步循规矩"。看完四句大白话，朱元璋心想，坏了坏了，人家是说我不守规矩，得罪了高僧，赶紧给高僧赔不是。对不起，我错了，我有罪，我流泪，我忏悔，又赔罪又许愿的，还给宝志建了一座大庙，又赐田三百六十顷，赠香火，找无数个

---

① 南京风水宝地，朱元璋葬于此，原是梁朝高僧宝志的墓冢，后朱元璋将高僧宝志的墓冢迁走，自己葬于此地。

和尚上这儿来念经，这才搬动了大师的遗体。后来朱元璋也不敢说瞎话，赶紧建了一座很大的灵谷寺，宝公塔也在这里。所以说朱元璋一辈子没怕过别人，就怕这已经死去很多年的高僧宝志。但这件事儿真真假假，谁知道呢？

下面应该轮到介绍明朝的第十三个皇上了——明穆宗。这个名字特别可爱，当初第一次听说这名字，把我乐坏了，明穆宗姓朱，这个大家都知道，他叫朱载垕[①]（hòu），有人说朱载垕是第十三个皇上，也有人说他是第十二个皇上，看您怎么排了，这个其实并不重要。朱载垕就是明穆宗，明穆宗其实还算行，因为在他登基之前，国家内忧外患，他也挺关心朝里边的事情的，登基之后也很勤劳地处理政务，他有高拱、陈以勤和张居正[②]等很多大臣尽力辅佐他，历史上管朱载垕统治时期叫"隆庆新政"。但朱载垕在位才六年就死了，只活了36岁。穆宗沉迷于吃药，吃了好多媚药，吃那些药是为了助兴，也因此荒于政事。但是不管怎么说，历史上说他终归还称得上是个明主，因为他宽容大度，勤俭爱民，留心边陲之事，就算不错了。但是你看他唯一的爱好就是爱女人，最后也是因为这个去世的，要是没有这个毛病，他还能多干好几年工作。

朱载垕后边就是朱翊钧。朱翊钧这个皇上在位的时间比较长一些，一共在位四十九年。在他20来岁之前，他还算不错，不敢有太大的恶行，因为当时是由张居正摄政。张居正咱不用多介绍，大伙儿都知道朱翊钧害怕张居正，他不敢跟张居正撒气，就把气撒在身边的宫女、太监身上，动不动就打死人。所以等到张居正死了之后，他亲政的第一件事儿，就是抄了张居正的家。据说他后来还吸上了鸦片，而且不跟文武群臣见面了，一直到他1620年死去，好像也就在1615年的时候，勉强在金銮殿上露了一面。他在宫里边，据官方统计，光他自己打死的宫女和太监，就有一千多人。挺厉害，而且他那会儿是将明王朝的权力都集中到他一人手里边，文武群臣只能照着皇上的圣旨来行政，不能自己擅自决断。皇上不

① 朱载垕（1537—1572），即明穆宗，明世宗病死后其继位。
② 张居正（1525—1582），字叔大，号太岳，少名张白圭，又称张江陵。湖广江陵人（今湖北荆州）。明朝中后期政治家、改革家，他辅佐万历皇帝开创了"万历新政"。

作为，全国的行政就完全陷入长期的停顿状态。所以说当时朝里不是很愉快，也可以说从这时开始，导致全国中等以上的家庭，有很多都破产了。

明王朝从这时开始就一步一步地走入深渊了，后面还有一个皇上朱常洛，一共就在位了一个月，你别看他只待了一个月，好几个案子还跟他有关系。朱常洛年号泰昌，庙号光宗，他是明神宗朱翊钧的长子。他的身世跟明神宗一样，都是父皇看见宫女好看，偶然间临幸所生，所以他从小得不到父爱。他算是明代传奇色彩比较浓的一位皇上。明宫三大疑案跟他都有关系，他熬到 38 岁才当上皇上。但身体和身世方面，他都跟他父亲差不多，他被称为三大案集一身的皇上。其中之一就是梃击案：一天中午，来了一个大汉，拿着一根大棍子闯进太子宫准备行刺，被太监逮着了，朱常洛算是躲过了一劫，所以到现在好多人都觉得有问题，一个农民怎么能拿大棍子就进皇宫了，还找到了太子居住的宫殿？这里边肯定有问题。当然了，这个事情反复审查，最后牵扯到了郑贵妃，但是没有进一步追查，后来有俩太监做了替死鬼，算是草草地结案了，这是明宫三大案之一。

万历四十八年（1620 年），朱常洛君临天下，他进行了一系列革除弊政的改革，而且还拿钱犒赏了边关将士，在当时来说这是件大事儿，大伙儿觉着挺好，国家机器总算是正常运转了。但是大伙儿正盼着呢，皇上就病倒了，他还没继位的时候，就好女色，继位之后，郑贵妃等人净给他进献美女，那时他已经四十岁了，刚一继位登基当皇上，前朝工作很繁忙，回到后宫之后又有大批的美女纵欲，所以说就倒下了，按理说本来也不是什么太大的病，吃点儿补药，好好歇歇，慢慢调养就行了。掌管御药房的太监崔文生，给皇上进了一剂泻药，因为皇上火太大。皇上吃完泻药之后，晚上腹泻了三四十回，这谁受得了？老话说，好汉架不住三泡稀！何况是生病的皇上了。从这儿开始，朱常洛就起不了床了，而且病情日趋恶化，就在这会儿，有人进好东西来了，鸿胪寺丞李可灼进献了两粒红丸，吃下第一粒之后，皇上精神愉快，马上就没问题了，跟健将似的，病情也见好转，结果吃完第二粒，第二天清晨就驾崩了。这红丸到底是什么药？是不是有毒？包括之前崔文升怎么给皇上泻药？这些事情都已经无法查清了，所以这件事儿，历史上称为

"红丸案"，最后也是不了了之，算是明宫三大疑案之二。所以说泰昌帝也不容易，没当皇上之前处处小心，当了皇上之后，还是命运坎坷，他死的时候才 38 岁，历史上管他叫一月天子，庙号光宗，埋在明十三陵的庆陵。

之后的皇上是朱由校，就是明熹宗，他的"校"就是学校的校。有两种说法，有的人说这个字念"校"，也有人说应该念朱由"校"（jiào）。这就不好说了，但是也有人提出来说念"jiào"比较合理，为什么？因为在他后边的皇帝，也就是他弟弟朱由检，这俩名连起来，校正，检验，是不是更合理？反正具体怎么着，谁也弄不清楚。明熹宗在位的时候，朝里有个大太监叫魏忠贤。魏忠贤很厉害，乙丑昭狱、丙寅昭狱，残酷地迫害了企图改良明朝政治的东林党人。这些事儿激起很多的民变，天下也确实是大乱。明熹宗在位八年，他本人最大的特点就是喜欢家具，可以说是一个狂热的木器爱好者，经常在宫里边光着膀子、穿一裤衩，在那儿凿斧钳子，雕梁画栋，桌椅板凳据说弄得特别好。大太监魏忠贤从小就跟他一块儿玩儿，他认为魏忠贤是自己最亲近的人。魏忠贤一看皇上正锯木头雕花呢，就知道皇上正在用功，就走过来，问皇上："您看这朝里的事儿怎么处理？"皇上正搞专业的事儿呢，锯木头锯得连头都不抬，满口敷衍："你们去办吧。"渐渐地，魏忠贤就利用这个机会，把持了朝政。到现在咱也不知道哪件家具是这位朱由校皇帝留下来的，现在要是有两件家具是他做的，咱们一定得瞧瞧，看看皇上的手艺如何。

魏忠贤手下有很多人，有一个核心组织和很多小组合，五虎、五彪、十狗、十孩儿、四十孙，光听这些名，就知道不是什么好玩意儿。五虎这肯定五个，五彪、十狗、十孩儿、四十孙，这辈就顺着下去了。但是你看得出来，权倾朝野说的就是这种人。所以魏忠贤当权的后期，各地官员给他建立了很多的生祠，祠堂是为祭拜死人建的，这些官员拍马屁，魏忠贤活着的时候就给他建了座庙，歌颂他的丰功伟绩，那还了得吗？魏忠贤当权应该只有七年，就把明王朝这根儿基本上挖得差不多了，到后来朱由检上任的时候，朱由检就是崇祯皇帝，他很节约，大力铲除阉党，勤于政事，生活节俭，减膳撤乐，六下罪己诏。减膳就是本来皇上吃饭必须得八个菜，但现在天下大乱，老百姓不容易，皇上觉得自己不能吃这么多了，拍黄瓜和摊鸡蛋就够了。撤乐就是皇上吃饭的时候旁边有乐队，乐手吹吹打打，现在乐队皇上也不要了。朱由检的意思就是让上天看看，我是一个好皇帝！地震了，朱由检也赶紧写检讨，地震是因为我不对，我的能力有限，老百姓过不好日子，都是我错了，请老天爷惩罚我，这就叫"罪己昭"。崇祯皇帝六下罪己诏，所以说他算是一个年轻有为的皇上。

民间艺人也好，包括我们说书的也好，一提到崇祯，其实经常说一句话，崇祯帝有道无福。为什么呢？他虽然很希望大明朝好，但是他生性多疑，他在位期间国内农民起义，关外后金政权虎视眈眈，内忧外患。后来崇祯在梅山上吊的时候，才 34 岁，他在位十七年，也有人说崇祯在位 18 年的，怎么说的都有。他也杀了很多自己人，而且确实有的时候，皇上一着急，人性、理性就没了，比如他把群臣请到金銮殿上，先是谢谢各位先生帮他治理国家！刚说完，一会儿就翻脸了，把各位先生都杀了。崇祯特别信宠太监曹化淳，让曹化淳管着北京城的安全事务，结果后来李自成来的时候，就是曹化淳打开彰义门，第一个投降的。由此可见，朱由检在知人善任这方面确实有些问题。

当然了，我也就一瞎说，皇上的心思咱们也别瞎猜，我也不太懂。但是我知道这么四句话，我觉得算是挺有道理。"铁甲将军夜渡关，朝臣待漏五更寒。山寺日高僧未起，看来名利不如闲。"

31

—捡 史—

在明朝当锦衣卫，
如何打好这份工？

Guo Theory

天下没有十全十美的好人，也没有一坏到底的坏人，正所谓万绿丛中一点儿红。

越到年底就越忙，你看人家，逢年过节，全家人一起看场电影、看场演出、吃饭、聊天、见见朋友，但干我们这行的人就不行了，越到这会儿，越是我们最忙的时候。一到过年，我们就得忙着演电影、排节目了，等于没有休息的时候。当然了，我们其实也就是每年春节前后最忙，一般来说，4月份还能稍微轻松轻松。但是到了5月份，就又开始忙起来了，做艺人的就是不容易。老话说：铁甲将军夜渡关，朝臣待漏五更寒。山寺日高僧未起，看来名利不如闲。但是既然干这行了，你就得认命，好好地工作，让大伙儿开心，这是做艺人的良心和职责。

其实每次执笔写《郭论》的时候，都算是我另类的休息时间，为什么呢？因为我可以天马行空，想写什么就写什么。也没人规定我必须怎样，如果是录视频节目，有编导会事先告诉你，上台后必须得说什么，写文章就宽限一些，我想写什么就写什么，挺好。但是其实也不能想写什么就写什么，你要考虑到读者，说错了人家会笑话。今天我要写一个高大上的话题，这么写我自己都想笑，我能写出什么高大上的东西来？咱们就聊一聊古代的很另类的工作，什么工作呢？三个字——锦衣卫。

锦衣卫是明朝非常著名的特务机构，前身就是明太祖朱元璋设立的拱卫司，后来又改了名叫亲军都尉府，统辖仪鸾司①，掌管皇上的仪仗和侍卫。到了洪武十五年（1382年），这才重新改制，裁撤了亲军都尉府跟仪鸾司，改制为锦衣卫，作为皇上的侍卫和军事机构，等于朱元璋发明的。

朱元璋为了加强中央集权统治，特别命令锦衣卫可以掌管刑狱，可以巡查缉捕，还下设了镇抚司，可以从事逮捕、审问和侦察这些活动。锦衣卫的权力可大了去了。朱元璋为什么设立锦衣卫呢？其实他有消灭功臣的目的：罗织罪状，置无罪者于死地。不管你有罪没罪，想让你有罪你就有罪。因为朱元璋是担心自己死后，后面的皇上驾驭不了这些文武群臣，所以干脆建立了这么一个机构，替儿孙辈扫除荆棘。

锦衣卫搞了几次大狱，找了好多由头，就把这些大功臣全都杀了。历史上记载，光是胡惟庸和蓝玉这两起案子，株连的人就有四五万，很厉害。但是到后来，因为朱元璋可能也觉得锦衣卫的工作做得差不多了，再这么弄下去，后边的痼症难以断根。怎么办呢？洪武二十年（1387年），朱元璋下了一道圣旨，把锦衣卫的这些刑具全都烧了，以前锦衣卫所关押的囚犯也都转给刑部审理，锦衣卫这个部门也算是废除了。朱元璋觉得锦衣卫是他的一个工具，现在工具用完了，留着你们就是祸害了。

朱元璋想得是很好，但是后来到了燕王朱棣起兵夺得帝位的时候，为了巩固统治，又觉得当时父亲的设计非常好，锦衣卫很棒！得了，咱们再来一回吧，重新恢复了锦衣卫。明朝初年的这两代皇帝，都重用锦衣卫，所以后边的很多事情，一句话两句话也说不清楚。虽然说过去多少年了，现在提起"锦衣卫"这仨字，还是让人觉得很可怕。怎么说呢？锦衣卫掌刑狱，可以侦查、逮捕和审问，等于

---

① 仪鸾司，官署名。掌管皇帝亲祠郊庙、出巡、宴享及宫廷供帐等事务的机构。

在刑部之外另起炉灶，不归其他部门管，直接忠于和听命于皇帝，这个可厉害了，这样的特权肯定会被滥用。朱元璋解散锦衣卫的时候，其实他自己就看出来了，锦衣卫就是法外之法，一定会乱上加乱。当然朱元璋就是过河拆桥，身为皇上，这么做也很正常。但后来朱棣又启用了锦衣卫，一代一代的锦衣卫就留存了下来，一直到明朝末年的崇祯年间，锦衣卫也还是有，一直到南明，永历帝逃到缅甸去了，锦衣卫才算是寿终正寝。

清朝有一主儿，叫张廷玉①，他们一大帮学问家写明史的时候，对锦衣卫几乎就没有什么好话，全是骂锦衣卫的话，甚至说大明朝的倒霉也跟锦衣卫有关系。锦衣卫里边有好多大奸臣，被张廷玉列为佞幸，张廷玉列在佞幸单子里边的 21 个明朝的国家奸臣，其中锦衣卫差不多占了四分之一。您就知道锦衣卫这名声在当年有多恶劣。不过老话说得好：天下没有十全十美的好人，也没有一坏到底的坏人，万绿丛中一点儿红，是不是？我之前说书也好，做节目也好，老提这个观点，多好的人身上也会有缺点，多恶的人也会有闪光的、善良的地方。因为天下的任何人、事儿都没有绝对的。咱们今天要写的就是锦衣卫里边的一个大好人，他的名字叫袁彬。

在明朝，凡是身在锦衣卫指挥使这个职位上的人，一般来说不会让人想到好，像冷酷无情、阴险毒辣，这些词搁在一块儿，一般都是形容锦衣卫指挥使的。但是咱们今天要写的这位，可以称作一个善良的锦衣卫指挥使！就在这么一个很残酷的行业当中，居然出了这么一个好人，也不知道是明朝的幸事儿，还是历史开了一个玩笑。这个人是江西新昌县义钧乡人。

袁彬家是锦衣卫世家，这就跟说相声世家似的。袁彬他父亲就是锦衣卫，他父亲叫袁忠。建文朝的时候，袁忠就被选为锦衣卫校尉，一直当皇上的贴身侍卫，在皇宫里边待了四十来年。到后来，袁忠他儿子袁彬，接替了他父亲的班，这叫代班，其实按后来咱们的说法，就是顶替，袁彬顶替他父亲，继续去当锦

---

① 张廷玉（1672—1755），字衡臣，号砚斋，安徽桐城人。清代书法家，著有《传经堂集》。其死后谥号"文和"，配享太庙，是清朝唯一配享太庙的汉臣。

衣卫校尉。袁彬代班那年 38 岁，但是报表上填的是 39 岁。明朝的武官武职，一般都得世袭。所谓世袭，就是儿子接老子的班，但校尉在锦衣卫里面应该是最小的官，相当于班长、组长，或者排长，反正官不大。39 岁开始，袁彬就当上了最小的锦衣卫差役，这一当就当了十年，按规矩来说，他好好上班就行了，你想他爸爸那会儿都退休了，袁彬再当个十年差，差不多也就该退休了，踏踏实实的一辈子。

但是天下的事儿永远是善变的，故事永远超乎人的想象。就在 1449 年 7 月，北方瓦剌造反，瓦剌首领兵分四路，大举南犯。朝里边这会儿有一个大太监，也就是宦官，叫王振，皇上凡事都听王振的。瓦剌一进攻，文武群臣商量应对办法，唯独这大太监王振说，这件事儿得让皇上御驾亲征，皇上是谁？明英宗朱祁镇。王振跟皇上说："皇上您必须去，您是皇上啊！您这骑着大马一喊，冲啊，我们跟您一块儿冲，咱们到那儿就行了，您是皇上嘛！"其实王振根本没有打仗的经验。皇上也是一外行，还挺高兴的："来吧！我就走吧！御驾亲征！"结果走到山西大同的时候，听说人家也先也是兵强马壮，还没等交锋，王振就让皇上收兵，反正明朝这仗打得并不愉快，到最后王振被杀了，英宗也被抓走了，这就是土木之变。

土木堡在哪儿呢？现在在河北怀来往东一点儿。见情况不妙，文武群臣保驾的、帮闲的、看热闹做饭的，连厨子在内，所有人都把英宗皇帝扔下，自顾自地逃命。皇上身边只剩下了袁彬，还有当时的锦衣卫指挥使哈铭①，这俩人寸步不离地保护着皇上，跟着英宗在敌营当俘虏，算是卧薪尝胆。那么皇上被俘后住在哪儿呢？当时也先就给了个破旧不堪的蒙古包，皇上的饮食起居，全都是袁彬负责。到晚上天太冷了，草原上太凉了，皇上在皇宫里什么都有，到了那儿，谁管你这些？史料记载，到了夜晚，明英宗冻得睡不着觉，袁彬就把自己的衣服解开，把皇上冻僵的脚裹到自己怀里取暖。有时候往前行军，遇到难走的路段的时候，连车马

---

① 哈铭，蒙古人，土木堡之变中与明英宗一起被蒙古瓦剌将领俘虏，一直陪伴在明英宗身边。《明史》中有"哈铭从帝还，赐姓名杨铭，历官锦衣指挥使，数奉使外蕃为通事。孝宗嗣位，汰传奉官，铭以塞外侍卫功，独如故。以寿卒于官"的相关描述。

都过不去，怎么办？袁彬背着英宗皇帝往前走。在那段日子里，这一君一臣，简直就是亲人一样的交情。明英宗这会儿也是真拿袁彬当自己人了，有一次袁彬发高烧，烧得要死了，身边也没有药，明英宗真着急了，居然趴在袁彬身上放声痛哭。皇上重视一个人到这个程度，这对皇上来说是非常不容易了，毕竟人家是九五之尊啊。正应了那句话：此一时，彼一时也。这会儿没有什么皇上和大臣，没有什么尊卑贵贱之分，咱们俩现在亲如兄弟，要死一块儿死，要活一块儿活。

后来袁彬退烧了，保住了一条命。而且英宗皇帝老跟在人家瓦剌部队里边，人家也先也有了点儿想法。这天，也先派人来找英宗，说："您看您在我这儿住得挺好，现在我想跟您近乎近乎。"怎么近乎呢？也先想把自己的妹妹许配给英宗。什么意思呢？这叫美人计。皇上稀里糊涂的，既然人家女方家长都主动提亲了，咱们就答应了吧。这时候袁彬劝英宗不要答应，为什么呢？陛下乃中原大国之君，要是成了外族人的女婿，您的气节也丧失了，连尊严也没有了。而且以后更会因此而受制于人，这个绝对不能答应。

英宗很听袁彬的话，就对也先说："我现在不能答应你，不能娶你妹。"也先也不勉强，又跟英宗提议："那咱们就换个方法近乎吧。"于是也先挑了六个美女来服侍英宗皇上。袁彬又提醒英宗，不能答应也先。于是英宗又跟也先说："你看你妹妹要嫁给我，我都没答应，我怎么能再要六个其他的女人呢？你等我回了国，娶了你妹妹，我再把这六个女的收下，也算对得起你妹妹。"这话说得很冠冕堂皇，也先也没办法，这事儿就糊弄过去了。但是英宗身边之前有一个太监叫喜宁[①]，这太监坏极了，他其实已经叛变了，袁彬暗地里劝说英宗这些事儿，他都看在眼里边，英宗对也先所做的这些个对答，喜宁知道就是袁彬在后面出谋划策的，于是喜宁就把这些事儿都告诉也先了，说："也先你有点儿缺心眼儿了，英宗皇上稀里糊涂的，他不会说出这些冠冕堂皇的话。这些话是谁说的呢？都是他身边那袁彬说的。"

---

① 喜宁，蒙古族，明朝太监，后因叛变被处死。

也先听了大怒，有一天夜里，也先喝了点儿酒，大喊："把袁彬给我拉出来，拉到野外，五马分尸，把他处死！"五马分尸，就是胳膊、腿和脑袋，分别往五个方向拴在五匹马上，一喊，这五匹马一跑，就把人撕裂了，也先想把袁彬这么弄死。就在这紧要关头，英宗赶来了，真是顾不得什么皇上的尊严了，生命安全才是最重要的，英宗大哭大号地求也先。也先没办法，这才饶了袁彬。

一打仗，瓦剌部落的军队补给渐渐就跟不上了，这怎么办呢？现在这明英宗在我们手里边，这是个烫手的山芋，吃也不是，不吃也不是。也先平时没事儿的时候，就跟明英宗商量："我没想到你的饭量还挺大，你吃得还挺好。你老这样吃，就把我吃穷了，何况咱们这段时间交往得挺好，我拿你当哥们儿。"英宗就说："干脆咱们别打仗了，咱两国修好，以后互通贸易，互补有无，造福两国的百姓可好？"也先听了这话，也觉得挺高兴，说："行，那就让人去谈判吧。"

派谁去谈判呢？就派袁彬跟叛变的大太监喜宁一块儿去。喜宁是不愿意去的，因为他是叛徒，他有顾虑：万一回到大明朝，要杀了我怎么办呢？于是喜宁说："袁彬，你去探路吧。"袁彬去了之后，见到大明朝的都督姜福。袁彬随身带了一封密信，临出来时候，袁彬偷偷对姜福说："这密信是明英宗亲自写的。"皇上在信里写："戍边将士见机行事，擒获喜宁。"那意思就是，你们看情况，先逮着喜宁。这事儿还不简单？一商量就行了，姜福安排了几百人，在野狐岭等着。等到喜宁带着一百多个兵经过野狐领的时候，伏兵四起，瓦剌的兵大败，喜宁被逮着了，送到京城受审，后来给杀了。叛徒是没有好下场的，因为叛徒一般来说，两边都不受待见，死有余辜。

这样一来，也先这边就没有喜宁了，其实挺折手，因为也先还指着喜宁给自己出主意呢，但是喜宁这一死，也先也就看不住明英宗了，英宗也不能听也先的，而且人家明朝那边都同意休养生息了。挺好，咱们这通仗打得没法对抗，那就讲和吧！最后，在景泰元年（1450年）的8月，在袁彬的护卫下，明英宗终于回了京城。但回到京城之后，英宗受到的待遇并不好，因为他被逮起来之后，北京城又出了一位皇帝，就是景泰帝，明英宗他弟弟。景泰帝说，国不可一日无君，我哥哥让人抓起来了，那就我来当皇上吧。本来景泰帝当皇帝当得挺好的，他还盼着他哥哥永远不被放回来呢。

结果也先把英宗送回来了。送回来之后，景泰帝也不愿意把江山重新让给英宗，那得了，英宗现在就当太上皇吧。成了太上皇的英宗，就被搁在南宫里边了，其实就等于被软禁了。袁彬，因为保护太上皇回銮有功，被封为锦衣卫的百户。"百户"这官大吗？按现在的说法，也就算个警卫连的连长，那么大的功劳，也就落了这么个小官，因为景泰帝不爱看英宗，景泰帝用你把英宗保回来吗？英宗要是不回来，我们景泰帝的小日子过得多好，你袁彬把他哥哥弄回来了，这不是给他添堵吗？所以说，就给你"百户"的小官表示表示就得了。

谁都以为这件事情也就这么过去了，但是万万没想到，过了几年，又发生了惊天之变。

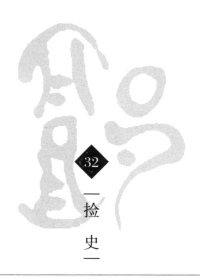

32

一 捡 史 一

在坏蛋扎堆的锦衣卫
中当好人，有多难？

Guo Theory

在袁彬管理下的锦衣卫一反故态，没有株连，不再折腾，有长者之风。袁彬最后活了多大岁数？88岁！

有个朋友跟我聊天说："我看你一天到晚可够忙的。这是要发财？"我说："人哪，你就是闲待着，不也得吃饭吗？是不是？你总得干点儿什么吧？挣钱不挣钱的，那倒是次要的。"比如，要是真有一个跳舞的节目请我去当个评委，给我六万金子我也干不了，为什么呢？那个钱它不是我的，舞蹈节目我也不懂，为了钱我就坐在那儿，给人胡说八道去。完事儿之后大伙儿一块儿骂街，这活儿我来不了。做节目也罢，说相声也罢，其实都是跟我的兴趣有关系的，我喜欢这个。如果说你的兴趣跟你的工作是一回事儿，那就是老天爷特别宽待你，现实中不见得说卖菜的人都爱卖菜。但不管怎么样，你总得干点儿什么吧？至于钱，那就是另一回事儿了。钱呢，穷跟富之间，您记住了，我老说这句话：钱无论是分文还是百万，都得掷地有声，该吝啬不能慷慨，该慷慨也不能吝啬，把钱看得太重，对自己、对别人，其实都不是件好事儿。

没有人生下来就有钱的，是不是？但是钱这个东西挺好玩儿，每个人对钱的看法不一样。台上我也说过，对待金钱的态度，分为三种人，一种是财主，一种是财烧，一种是财奴。什么叫财主呢？八千块钱买条裤子，马路边上我累了，我穿着这条裤子就敢在那儿坐会儿，地上有没有土对我来说不重要，八千块钱的裤子怎么了？随便坐，八千就八千吧，有泥就有泥，有水就有水，咣叽，我坐那儿了，这叫什么？这叫财主。我不能因为这条裤子八千块，我都快累死了，我也得愣戳着不舍得坐，因为我支配不了这八千块钱，我不把钱当钱，地上多脏我也敢坐，因为我是钱的主人，这叫财主。

有的人是财烧，就是口袋里要揣着五百块钱，这可要了命了，他能少活三十年，为什么呢？他身上要是有五百块钱，走两步就得掏出来摸摸，走两步就得掏出来摸摸，要是伸手一摸，钱没了，那就坏了，钱没了！咣叽一声，这人就能坐到地下，你看这玩意儿，钱没了他能吓一跳，这是财烧。

还有就是财奴，说白了就是钱财的奴隶，一个人存了多少钱，做了多大的买卖，如何如何厉害，零钱他还能花，一旦凑成整，他就不能动了，凑够九千他不觉得怎么样，等到又进了一千，够一万块了，就不能动了，存起来吧！哪怕明天没有吃的了，这整钱也不能破开！过去的老财主炒菜的时候，在瓶子里边放点儿油，筷子上绑一个老钳，炒菜的时候，筷子带着老钳插进油瓶子里边，往外一蘸一提，往锅里一甩，这就算是有油了，然后这根筷子就继续蓋在瓶子里边，大年三十再打半斤油，转过年大年初一这半斤改八两，带回半瓶子水，那叫财奴。这就没意思了。

别说钱财了，还是继续讲之前讲的锦衣卫的故事。英宗复位了，天下又当如何？大明朝的江山社稷，英宗说是他的，可等他真的回去以后，天下已经是他弟弟的了。一直到景泰八年，夺门之变，英宗终于复位了。当然了，英宗复位实在是太不容易了，本来他回来之后，弟弟景泰对他挺不好的，但是没想到天下的事儿不好说，夺门之变产生了剧情大反转，景泰帝又被轰下去了，英宗又复位了，万里江山又回到了英宗手里。之前的皇上就是英宗，后来他带着兵，出去跟人打仗，被人给俘虏了。好不容易被敌人放回来了，他的弟弟又把他软禁了，现在夺门之变，他又当上了皇上，英宗这辈子真行，当了两回皇上。

英宗重新当上皇上之后，有一个对他最重要的人，那就是锦衣卫的袁彬，英宗让袁彬担任都指挥使，掌管锦衣卫。一开始的时候确实真不错，据历史原文记载，袁彬"所请之事无不听从"。皇上为什么对袁彬这么好？因为他们是一起患过难的交情。英宗还赏给袁彬一大宅子，这大宅子是原来明代的内阁辅臣商辂^①的宅院，商辂是浙江淳安人，他应该是明朝将近三百年的科举考试里边，第二个三元及第的人。咱们老说"三元及第"，什么叫"三元及第"？解元、会元、状元，这三元都是第一名，商辂是第二个，第一个是黄观^②，但黄观后来被朱棣给除名了。刨去了黄观之外，商辂就是明朝唯一的"三元及第"。英宗、代宗和宪宗，商辂先后守了三朝的皇上，官做得大了去了，历任兵部尚书、户部尚书、太子少保、吏部尚书、谨身殿大学士等等，当时明朝人夸商辂，都说他是"我朝贤佐，商公第一"。他是很厉害的一个人！袁彬想要商辂的这个宅子，英宗毫不犹豫就给了。不光给了，还让孙显宗出面，给袁彬续弦。孙显宗是谁？是皇上的舅舅，孙太后的弟弟。

平时没事儿的时候，皇上也老让袁彬进宫里来，君臣聊天，你还记得当年咱们在一块儿吗？在荒郊野外，咱俩多么不容易，是不是？其乐融融，君臣无间，非常好。但到这会儿，有首歌里唱得好：童话里都是骗人的。蒙难的皇帝和护驾的忠臣，他们之间的故事，其实到这里，已经画了一个句号。另起一行之后，就是另一个故事了。

袁彬能当上锦衣卫的负责人，主要是因为皇上感谢他的功劳。当时全面负责锦衣卫工作的其实还有另外俩人，一个叫门达^③，一个叫逯杲^④。逯杲死了，曹钦

---

① 商辂（1414—1486），字弘载，号素庵，浙江淳安人。明朝名臣、内阁首辅。其天资聪慧，是明代近三百年科举考试中第二个"三元及第"的人才。

② 黄观（1364—1402），字澜伯，又字尚宾，中国历史上"六首状元"之一。永乐帝朱棣篡权后，黄观为国尽忠投江而死。后在万历年间追加谥号文贞。

③ 门达，丰润（今河北丰润）人。明朝锦衣卫指挥。《明史》将之列入佞幸传。

④ 逯杲（lù gǎo）：安平（今属河北）人。原是门达属下的一名锦衣校尉，因曹吉祥推荐，由副千户升指挥金事。在职作恶多端。后因上奏吉祥及从子钦阴事。被吉祥、钦恨甚。钦反，杀杲。事平，赠指挥使。

造反的时候被杀了，那个故事咱就不在这儿细表了，反正就是被杀了。如今就剩下门达了。历史上但凡提到门达，几乎没人说他的好话，都说他权倾一时，骄横无礼，反正是一个权势炙手可热的人，袁彬和门达在一块儿工作，这就不愉快了，因为两个人的性格不一样。袁彬宽大仁厚，门达很坏，所以门达老觉得看袁彬别扭，怎么办？袁彬是皇上心里的红人，想当初曾保着皇上一块儿回来的。但这都不要紧的，欲加之罪何患无辞？门达查来查去，终于查到了缺口。袁彬有个岳父，为什么说袁彬有个岳父呢？因为过去的男人都三妻四妾，像袁彬官做得这么大的人物，娶几房媳妇那不叫事儿。应该就是袁彬某一个小妾的父亲，这个人叫王钦，王钦骗人钱财，门达就打这切入了，他把这个事儿写下来，跟英宗打小报告，说王钦骗人钱财，而且把袁彬定为此案的主使，直接把袁彬逮起来了。本来这事儿是个冤枉案子，稀里糊涂地判，给袁彬判了个自赎徒刑，意思就是让袁彬交点儿罚款，然后该干吗就干吗。

其实这一招儿，门达是想要瞧瞧皇上的态度，他一瞧，皇上并没有翻脸，皇上没有跟门达说，袁彬是我的人，你们不能这样对待他，皇上什么都没有说。门达这就理解了，他觉得皇上对袁彬的心气已经过去了。凡事有第一次就有第二次，门达开始继续用他自个儿的手法，又给袁彬加上好些罪名，比如受贿，诬陷袁彬接受以前造反的叛臣的贿赂，用官府的木材建自己的私宅，向督工的官员索要砖瓦，反正将各种的莫须有的罪名都扣到袁彬头上，写成奏章拿给皇上看。英宗皇上看完之后，就说了一句话：任汝往治，但以活袁彬还我。什么意思？就是你随便弄，只要别让袁彬死了就行。

皇上这个反应，用老北京人的话说，有点儿不够哥们儿。哪能这么说话？你起码得问问事情是真是假吧？可能在天子心里，之前的事情也逐渐地淡化了，可就是皇上的这一句话，就要了袁彬的命了，袁彬已经60多岁了，门达开始对他严刑逼供。在锦衣卫镇抚司衙门里，门达是专门管刑狱之事的，是夺门功臣里边的一位，但是被提拔之后，门达长期没得到宠信，在锦衣卫的花名册上，逯杲是他的部下，但是行使职权的时候，他还得听逯杲的，现在逯杲死了，就剩门达了。

于是门达开始耀武扬威地整治袁彬。门达打袁彬，是为了把袁彬彻底打下去，自己独霸锦衣卫，而且他还专门给袁彬弄了一间小号，这小号冬天特别凉，夏天特别热，墙壁厚得都不行。你在里边怎么喊，外边也听不见。

据说有一次，袁彬的夫人来探望，门达居然不让她进去。只有某一天在审袁彬的时候，让他的家属在远处看了两眼，从此以后就不准再看了。而且门达为袁彬量身定制了一套刑法，用刑的方式很残忍，比如说拿一根杨柳枝子，把头都削尖了，拿这个东西打袁彬，打完之后，袁彬浑身鲜血淋漓。再比如把夹棍夹在腿上，然后抄起两米的大杠，敲迎面骨，这样的刑罚之下，谁活得了？门达还给袁彬设计了一种叫"弹琵琶"的刑法。什么叫弹琵琶？就是不管是铁还是带尖的东西，用这玩意儿剐袁彬的肋骨。元彬都64岁了，当时受刑的时候没有现场的资料，但咱们分析一下袁彬，估计他心里边依然想着皇上，不愿意相信皇上已经遗弃了他，而且很希望能够再见皇上一眼。但是很遗憾，皇上没有反应。

这时候满朝文武都吓得不行了，没人敢出来说话。大伙儿都心想，袁彬就赶紧死了得了，不然怎么办呢？连皇上都不拾这茬儿。没想到这会儿居然站出来一个人给袁彬打抱不平，而且这个人跟门达没有仇，不是因为恨门达才帮助袁彬，甚至这个人跟袁彬也没有交情，他就真的是愤愤不平。这个人是干吗的呢？他是一个漆工。这个人叫杨埙，您现在如果去查一些历史资料，还能看到，明朝最厉害的漆工就是他，他曾经去过日本学习各种漆画，可以说是首屈一指的艺术大师。

杨埙愤愤不平地击登闻鼓，冒死为袁彬诉冤，而且还给皇上直接留言写道：正统十四年，驾留沙漠，廷臣悉奔散逃生，惟袁彬一人，特校尉耳，乃能保护圣躬，备尝艰苦。及驾还复辟，授职酬劳，公论称快。今者无人奏劾，卒然付狱，拷掠备至，罪定而后附律，法司虽知其枉，岂敢辨明。陷彬于死，虽止一夫，但伤公论，人不自安。乞以彬等御前审录，庶得明白，死者无憾，生者亦安。臣本一芥草茅，身无禄秩，见此不平，昧死上言。

杨埙写得很好，但这管用了吗？多少还是管用的，皇上看完之后，可能多少也觉得不是滋味儿，心里面过意不去了。如果说没有杨埙告状的话，估计袁彬也就死了，就是因为杨埙，最后皇上总算是网开一面，但是袁彬还是被判处了绞刑并疏财赎死。要没有杨埙挺身而出，估计门达直接就把袁彬拉出去切了。袁彬疏财赎死后，被贬去南京。什么叫疏财赎死？就是拿钱买命，咱也不知道皇上到底是有多缺钱，老让人花钱买命，总之把袁彬贬到了南京。袁彬在南京住得挺好，闲着没事儿的时候，就写下了自己在瓦剌时候的经历，最后他写的东西被整理成集，名为《北征事迹》。这本书厉害了，到现在咱们要研究这段重要历史，第一手资料就是袁彬写的这本书，很多历史，我们都是从这书里摘出来的，虽然说皇上对不起袁彬，但袁彬的字里行间依然充满了善良，充满了温情，不容易。

这个故事慢慢地又反转了，明英宗好不容易第二回当皇上了，最后却纵欲而亡，死了。他死了之后，新皇上——明宪宗朱见深来了，他不喜欢门达，怎么办呢？把门达革职放逐南丹。南丹是哪儿？广西南丹。袁彬则官复原职。别的倒不重要，关键就是官复原职的袁彬，他听说门达要被发配到广西，没有人跟门达来往了，所有人都落井下石，唯恐对门达的揭发不够全面，都希望门达早点儿死。据历史记载，只有袁彬一人对门达"饯之于郊，馈以赆"，"饯之于郊"，就是在郊外送行，袁彬等着门达，送路费和礼物给门达。门达要我的命，你那么害我，我差点儿死在你手里，但是今天你落到这个下场，我还拿你当朋友。

所以说，袁彬真是个君子，明宪宗在位的成化年间，这二十三年的时间里，虽然说朝廷也有乱政，但是在袁彬管理下的锦衣卫一反故态，没有株连，不再折腾，有长者之风，袁彬最后活了多大岁数？88岁！

弘治元年（1488年），袁彬去世的时候，朝廷赐给他光禄大夫、上柱国、左军都督等谥号，袁彬的妻子和母亲都被封为一品诰命夫人。生荣死哀。袁彬这个人，青史流芳是应该的。

袁彬死了之后，跟父母和妻子埋在一起。袁氏家族的墓，就在江西宜丰县，1983年被当地政府列为县级重点文物保护单位。据说墓地里还有几块碑，谁要是到那儿去，可以看一看。那些碑的材质是汉白玉，包括一些碑前的形状、一些残存的石料，其实跟北京地区的碑都差不多。估计是袁彬家里人从北京运去的。

反正不管怎么说，在明代的锦衣卫里面，袁彬可能说是仅存的好人，到今天咱们也得夸人家——好人袁彬。

33

—论 俗—

中华面点精华：饺子

就酒，越吃越有

Guo Theory

好吃不如饺子，舒服不如倒着。

年越来越近了，对中国人来说，过年有一件事儿是必须要做的，就是吃饺子，老话说得好："好吃不如饺子，舒服不如倒着。"

相声里也说，好吃不如饺子，舒服不如倒着。咱们吃饺子，还要再弄一些醋。过去人民生活水平比较低下，一年到头了才能吃顿饺子，老百姓就觉得这是天大的美事儿了，现在生活水平高了，好多人不爱在家弄饺子，嫌麻烦，愿意出去吃。可我老觉得在外边吃不如在家里吃舒服，在家里吃，馅可以随心所欲。饺子馆的馅有上百种，但是有的是哗众取宠，甚至有的东西未必适合包饺子。我曾经也在节目里聊过，天津人大年三十吃素馅饺子，这一年，素素静静没有任何不顺心的事儿，这是老百姓给自己的一个幸福的愿望。

素馅嘛，香菜、白菜、豆腐干、红粉皮、油条、发菜、木耳、面筋、酱豆腐、芝麻酱。不能放鸡蛋，因为鸡蛋是荤的，更讲究的人家，连葱跟姜都不放，因为葱姜属于小五荤，必须得是纯素馅。大年三十晚上 12 点一过，就到初一了，天津人还讲究煮饺子不能煮破皮了。从小我就知道这规矩，如果饺子皮煮破了，今年就会不顺心，所以包饺子的时候都很仔细，认真地包，要把饺子边都捏严实了，就怕它破了，破了就不顺遂。但是到了初五，一般来说就要吃肉馅的饺子了，大年初五得剁馅，又叫剁小人，一边剁一边喊着仇人的名字。

天津人的习俗是初五这一天不串门，初五在家剁小人，捏小人嘴，你要是初五串门去，一进门，奔人家刀下去了。所以说天津人初五不串门。这个饺子馅，通常就是各种家常的馅，其实无外乎就这么几种，我们家比较爱做的是牛肉大葱馅的饺子。牛肉跟大葱，这俩上辈子可能是两口子，只要这两样碰到一块儿，就相当和美。好牛肉有肥有瘦，好大葱剁一块，加上花椒水、酱油和盐。花椒水，就是把花椒用水煮一下，然后把花椒篦出去，拿水来和馅，也有人放花椒面儿，但是不如花椒水柔和。鸡蛋放两种，生鸡蛋跟熟鸡蛋。生鸡蛋直接打在里边，顺着一个方向搅和；熟鸡蛋是拿油炒完之后，把鸡蛋弄碎，和在一块儿，牛肉大葱馅的饺子，蘸着醋、就着蒜吃，那是人间美味。

夏天的话，一般来说吃羊肉西葫芦馅的比较多。夏天正是西葫芦的旺季，洗干净，去了籽，嫩的西葫芦都不用刮皮，擦成丝，和上羊肉馅，也是加花椒水、盐、酱油，口味儿重或口味儿轻，那就按照自己的口味儿来了。老人包饺子有一特点，不用尝馅，用闻的，一闻那味儿，就知道咸与淡，我就可以做到这一点，我们家现在包饺子，馅和得差不多了，就请我来闻。我一提鼻子，就能感觉出来这馅是咸是淡，这是个手艺。但是赶上感冒不成啊！羊肉西葫芦馅，其实我个人更爱吃老一点儿的西葫芦，太嫩的我觉着还不如拌着吃，擦成丝拌着吃挺好，老西葫芦配上羊肉，那是另种一味道。不光包饺子，做锅贴也好吃，锅贴就是包成饺子样，两头别捏死了，露着馅，拿一大饼铛，搁上油，把锅贴码好了，天津话管这叫㧟出来，其实就是煎出来的意思，煎到一半的时候，还要洒水，盖上锅盖。洒水里边还要兑上醋，这是个窍门，水跟醋兑一块儿，煎到一半的时候，哗，用力一洒，紧跟着把锅盖就盖上，一起锅，这锅贴又脆又香，蘸着醋和蒜吃。这在夏天是最好吃的东西。

韭菜鸡蛋是素馅里边的常胜将军。一般来说呢，夏天之前吃这个是最好的，因为到了夏天，韭菜就不值钱了，俗话说，六月三伏臭韭菜，它割了一茬儿又一茬儿，到了六月就不值钱了，春夏之交的韭菜，包饺子最好，这个时候的韭菜最嫩。当然了，春天似野鸡脖的韭菜更好，意思就是韭菜带着紫颜色，像野鸡的脖子，花里胡哨的韭菜最香。但一般来说，春夏之交的时候韭菜最好吃。嫩韭菜切碎了，厨子管切韭菜这个过程叫磨，把韭菜磨成馅，磨碎了，还要把鸡蛋炒好了，搁上虾皮，虾皮要提前拿油煸一煸，再加上粉丝或者是粉皮，撒上盐和香油拌好了，韭菜特别容易出汤，它得随时拌好随时包。韭菜饺子晾凉了之后，煎着吃也好吃，也有人愿意凉了之后再蒸一下，也好吃，但这样容易烂，不如煎着吃好。煎的韭菜饺子两面焦黄，我看有的孩子吃韭菜饺子，特别愿意把饺子放到碗里边杵得稀碎，再倒上些醋，把它拌匀了，端起来跟吃面食似的往嘴里放。我见过好几个孩子都爱这么吃，可能孩子觉得这么吃有游戏的成分在里面！

还有一样东西，有的人爱吃，有的人不爱吃。茴香。茴香、芹菜和香菜这几样东西，挺奇怪，爱吃的人真爱吃，不爱吃的一口都不能吃！茴香有股子味儿，而且这茴香喜荤，它得跟肉一块儿弄。咱北方好像吃茴香一般就是做馅，切碎了和着肉馅拌好了，有种幽香淡雅的气味儿在里边。茴香、芹菜，还有香菜（香菜是小名，大名叫芫荽），据说这三样叫菜宗三杰。这三样都挺各的，这味儿有人接受不了，有人说常吃茴香可以明智，这都是雅人。做馅的办法见仁见智，我见过有人拿鸡肉跟香菜一块儿拌的，也挺好！

青椒和牛肉馅，还有三鲜馅，这都是饺子里的上品。三鲜那就是家常虾仁、鸡蛋、韭菜和牛肉，但是那里边的韭菜是翘头，三鲜馅里边不搁韭菜不提味儿，搁太多了不像话，就少来点儿韭菜，提提味儿就得。北京人做饺子还要加上上好的黄酱，还有青椒切碎了，跟牛肉和着一块儿吃，这特别的好。过去人吃饺子不容易，比如我经常念叨，过去在山东那个地方，民工挖河，大伙儿太辛苦了，吃点儿什么呢？给哥儿几个包饺子吃吧。但是干活儿的人也多，大老爷们儿太能吃，你得包多少饺子才够他们吃？怎么办？有多少材料就包多少吧，包完饺子之后，还得切点儿窝头，把窝头也切成饺子那么大的块。煮完饺子之后，连饺子带汤倒桶里边，把切好的窝头也全倒到里面，先把桶拎到屋里去，把灯关上，告诉干活儿的各位，拿着碗进去自己盛，还得先告诉他们，谁也别捞底，顶上都是饺子。干活儿的人到屋里盛完了饭，端着碗出来就骂街，因为窝头沉底，饺子都在上头漂着呢。饺子和包子，这俩是叔伯兄弟。包子呢，因为它也是要和馅的嘛，好吃又不贵，菜饭合一。反正到现在，我的印象中，相声界的名家范振钰①先生做的包子不错。20世纪90年代，范振钰先生住在北京和平门后的铁厂7号，那座大宅子据说是京剧大师金绍先先生的故居，但是后来由于种种原因，这院子里最多住了上百人，从大门进去之后，到井里靠北有两间房，那就是范先生的两间北房，外边带着半间厨房。这两间房子是范振钰先生到北京工作之后，团里边分给他的房子。90年代后期，我们爷儿俩搭档说相声，我当时住得远，在北京大兴，所以说有时候为了在城里演出住得方便，范先生就把他的家门钥匙给我配了一把。

没事儿的时候，我就住在范振钰先生那儿，我印象中，他和的包子馅好，第一是选肉比较精良，第二是和馅的时候有一窍门，一般人家弄包子和馅都是葱花、姜末、肉馅放在一块儿，他是把葱花撒在肉馅的上面，一边包一边往里边放，他说要先放在馅里边，馅就臭了。包子的味道特别地好，这个包子叫水馅的包子，所谓水馅包子就是半斤馅，打进一斤左右的水。据说好多大包子铺也都是这个包法。我后来也认识好多厨子，有几个名厨跟我聊天，说确实是这样，人家给咱讲了好多科学道理，说葱跟肉在一起会起化学作用，搅在一块儿就没法弄了，就必须得撒在上面。范先生没跟我说过这些科学知识，但是他们的手法是一样的。我印象特别深，范先生那会儿不怎么吃东西，食量不佳，半个烧饼、四个花生，弄俩葡萄，这就一顿饭。早上，一般五点钟就起来了，上年纪的人，觉也不多，起来了他就坐在那儿，先坐两壶开水沏茶。两壶水喝完了，他这一天就不再喝茶了，再渴就喝啤酒，然后这一天要喝半斤白酒，抽五盒香烟，这么大的烟酒量，但他老人家

---

① 范振钰（1927—2008），著名相声表演艺术家。师从班德贵，相声泰斗马三立的再传弟子。代表作有《白事会》《杂学唱》等。

不咳嗽也不喘，满头的黑头发。有一段时间，教我评书的恩师金文声先生来北京，在琉璃厂说书，也住在那儿。

所以我经常跟范先生和金先生住在一起，里屋有一大床，老哥儿俩睡，外屋有一单人床，我睡，爷儿三个夜里一块儿聊天说话。早晨范先生起得早，他跟金先生不一样，他起来就收拾屋子，金先生不爱起早，一直得睡到中午才起床。有一次金先生终于挨不到中午了，因为他要上厕所，不起来不行，于是老头儿起来上厕所去了，范先生过来收拾床，把金先生的被子叠起来了。金先生回来之后，一进门就喊："范振钰，咱俩都70多岁了，谁也不许伺候谁。你要再叠我的被，我就给你抖了①开，要不然我就搬出去了。这俩老头儿一是真不拿别人当外人，二就是确实互相心疼，互相照顾，谁也不能伺候谁，我现在回想起来，这个画面就跟在我眼前一样。然而斯人已逝，让人长叹，俩老爷子如今都没了。

我们家包包子一般就是羊肉馅和牛肉馅。反正这个馅跟包饺子那馅没有太大的区别。好牛肉配好大葱，尽量不用葱叶，用葱白、姜末、花椒水、酱油、盐、香油、鸡蛋，和馅的时候顺着一个方向搅和，天津的方言说这个搅和叫打得黏糊，有的时候我们家就做扁豆牛肉馅的包子。好扁豆煮完之后，把它磨碎了，跟牛肉一块儿和好了包包子，那个包子皮不能太厚，有的时候透过包子皮都能隐约看见馅。一年前我们拍电视剧《县长老叶》，家里做完了扁豆牛肉馅的包子，拿到现场去，一百多个包子，一会儿的工夫大伙儿都抢光了。那会儿于谦老师都吃完饭了，又吃了好多个包子。

我有一朋友，有天他们家包包子，我问他："你们家今天吃什么？"他说："今天我们家吃包子。"什么馅的包子？西红柿馅的，我问西红柿馅怎么做？他说可麻烦了。把西红柿先烫了皮，把皮给撕了，把里边的籽挤出来，再把西红柿肉切成小块，然后再加上肉来包。我也没吃过，我觉得挺麻烦的，稀汤寡水的，当然他们爱吃的是真爱吃。包子是发面的，有助于消化。家里包包子，全家人一块儿

---

① 抖了：京津方言口语，做"反复地甩"的意思。

和面、和馅、擀皮、蒸，其乐融融，你要到外边吃，没这个乐趣。

跟包子比较接近的，沾点儿馅的，其实就是肉龙①了。有时候我们家里一下子来了十八个人，这么多人吃什么呢？为了省事儿，阿姨有时候忙不过来，得了，吃肉龙吧。反正一到吃肉龙的时候，最兴奋的就是侯震。侯震，好多人都认识他，我的师弟，相声大师侯宝林先生的长子长孙，现在是侯门三代唯一从事相声职业的人，官称少侯爷。我老开玩笑，我说他就是我师父留给我的非物质文化遗产。他是只要一说吃肉龙就眉开眼笑，为什么？他说他从小在幼儿园里就老吃肉龙，他对这个东西情有独钟，他的网名叫懒龙。你看肉龙就是跟懒龙一回事儿嘛，为什么蒸肉龙？就是因为懒，是吧？省事儿。和好了肉馅，发了面，擀一个大大的皮，把馅铺里边，卷好了，切成段，上锅一蒸，用手拿着吃，连饭带菜都有了，肉龙也叫懒龙。

我干儿子叫陶阳，唱戏的，那孩子有一回在我家吃饭，吃了五块巨大无比的肉龙，后来大家都说，这孩子是不是会变戏法？把那些肉龙都藏哪儿去了？这么吃哪儿受得了？我说以后吃饭，你们盯着点儿他，别给他撑坏了。

还有人早晨起来爱吃包子，尤其是北京人，早晨起来包子配炒肝，反正我个人觉得早晨吃包子不太合适。当然了，这是个仁者见仁，智者见智的事儿，每家的吃法都不一样。在天津的时候，早上起来也有卖包子的，但是很少。因为一般来说，早晨起来吃个砂锅，吃个油条或油饼，这都还行，但是沾馅的东西，我老觉得得正餐吃才行，但是能用馅做早点的，应该云吞更好一点儿。云吞和馄饨，南方都叫云吞，但是在我印象中，最起码在我十几岁之前，在天津我们一说馄饨，大家都知道是什么东西，说云吞就没人知道了，为什么？馄饨几乎就没什么馅！举个例子，云吞片蘸一点儿馅，一抓一个，下锅一煮，其实基本上就是片儿汤。

云吞是南方的叫法，在我的印象中，云吞传到天津大概是在 20 世纪 80 年代

---

① 肉龙是北京传统小吃，也流行于天津、河北等地。发好的面擀成饼，再在上面均匀地抹上一层肉馅，卷起上锅蒸熟而食。

末。云吞个头儿很大。因为我有印象，我们邻居那个老大爷，说他们家是卖云吞的，我没吃过，我得看看去啊。结果回来之后我心想："那不就是个带汤的大饺子吗？"您现在到天津去，天津还有卖这个的，写个牌子——天津云吞。当年在天津，从家里边出来时候，顺手拿一个西红柿，到云吞摊上让店家给你洗干净，切在砂锅里边，他那汤一般是鸡汤，有时候也用排骨汤，开锅之后一锅放十个云吞。上好的肉馅跟葱末，调十个云吞，放上香菜、紫菜、冬菜，要是再加点儿钱，他还给你放一根拆骨肉，还有两个中等个头儿的虾，最后再飞上俩鸡蛋，或者里边放一个鸡蛋也可以，点点儿香油，再吃点儿油条什么的。反正一般来说，这碗云吞吃完，能坚持到下午两点都不饿。

北京有老字号卖馄饨的，印象中在2004年，有一回我在陶然亭附近的一家老字号馄饨店里吃过，那会儿我们还坐公共汽车，有时候下车后进店里要碗馄饨和萝卜丝饼吃。后来有的时候都不为了吃馄饨，就为吃一口萝卜丝饼。后来那地方就拆迁了，没有了。不过北京喝馄饨的地儿还是有的，印象中还有韭菜鸡蛋馅的馄饨，我也没想到还有这种馅的，但不管怎么说，民以食为天，什么馅都是有它的道理的。

啰里啰唆了半天，净写馅了，其实又回到一开始那话题，过年了，还得吃饺子。得了，先给大伙儿拜年了，大家好好吃饺子吧。

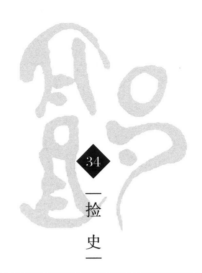

34

一 捡
史 一

历数忠臣孝子的那些哀与幸

Guo Theory

海市蜃楼皆幻影，忠臣孝子即神仙。

一晃又过年了，挺好，过年的时候，我们这行人就开始忙起来了，因为普通的老百姓在家看看戏，看看相声，瞧瞧电影，串个亲戚什么的，真是过年过节得到了休息。但是做演员的不行，这会儿正是我们最忙的时候。

难得有闲的时候，我也看看书，因为我这人平时也没有什么爱好。前些时候做节目，就有人问我：平时有什么爱好？因为我老拿于谦老师的爱好说事儿，我说于老师行，于老师一天能赶八个饭局。我这一年到头，在外边跟人吃饭连十回都没有，但是我跟谁说，谁也不信，没办法，我就是这么个人。闲着的时候我就爱看看书，看看戏什么的，觉得这样还挺好。

那天无意中我又看到了《红楼梦》，其实在所有古典文学里边，《红楼梦》我始终就没有看完的时候，有时候翻着翻着就放弃了，可能是因为我水平太差了。包括我们说评书的时候，说四大名著的时候，大伙儿觉得这都能说，但是我跟您说，《红楼梦》就说不了。因为《红楼梦》这个书真的是用来看的，是用来研究的，它不是说的。真把《红楼梦》改成评书的话，也不像话，为什么几百年来的说书艺人，没人说《红楼梦》？就是因为说这个书不卖钱，不如说《三国演义》，说《水浒传》，说《西游记》卖钱。

当然了，说《西游记》的人也不多，因为太难说了。可是最难说的还是《红楼梦》。有时候我翻翻《红楼梦》，还是挺感慨的。有一天我翻了《脂砚斋批评本红楼梦》这本书，里面写了八个字，我特别感慨。有时候我看书，某几个字或者几行字看完之后，我就能回味好半天，反复地琢磨这几句话的意思。说句冒充文化人的话，我就是老要来回地咀嚼，就好比橡皮糖似的，在嘴里来回嚼来嚼去，想把它嚼透。但是挺不容易。《脂砚斋批评本红楼梦》里边说了八个字，屈死多少英雄，屈死多少忠臣孝子。卖了这么半天关子，我看到的是哪八个字呢？这八个字就是——有命无运，累及爹娘。

"命"跟"运"是两回事儿，命是天生的，运是后天的境遇。这八个字能管一个人的一辈子，很多人这辈子就折在这两个字上了，最难的就是有命无运，这八个字屈死多少英雄，屈死多少忠臣孝子。你看《红楼梦》里边的香菱，按说她是富贵人家出生的，生来有命，可是这一辈子活得那么惨，可见她没有运，不光她自己没有运，她家里也被一把大火烧得干干净净。香菱原来不叫香菱，叫甄英莲，姑苏人，她爸叫甄士隐。看过电视剧的都知道，香菱的眉毛之间有一个米粒儿大小的胭脂痣，也就是长了一小瘤子。香菱四岁那年，正月十五元宵节看花灯的时候，她家有个家奴叫霍启，你看人家曹雪芹这名字起的，霍启，祸起，打这儿起，这个祸就算起来了。因为霍启的看护不当，香菱被人贩子拐走了。拐走之后，人贩子把香菱养大了，最早是要把她卖给金陵的一位公子，叫冯渊，但是没想到还没卖呢，香菱就被薛蟠抢走做了小妾。香菱是薛宝钗给起的名字。到了后来，夏金桂要下毒害香菱，结果阴差阳错地毒死了自己。薛蟠出狱后，就把香菱扶正了，但是香菱却因为难产而死。香菱这一辈子，可以说就是典型的有命无运，后来甄士隐把她接到了太虚幻境，那就是另一回事儿了。"命运"这两个字，真是能管人一辈子。

诸葛亮大家都知道吧？很有才华，前知五百年，后知五百载，活神仙一样的人物。但是诸葛亮的命很短，前些日子我们还在北京的梅兰芳大剧院里，跟高派名家辛宝达①先生一块儿唱了全本的京剧《胭粉计②七星灯③》，这出戏说的就是诸葛亮之死的故事。诸葛亮很有才华，有那么大的能耐，但是他的事业还没有做完，他还不能死，不想死该怎么办？那就只能想办法续命，向上天借命，诸葛亮跟老天爷唱："我真的还想再活五百年！"然后摆上七星灯，但是没想到魏延进来，踢灭了诸葛亮的本命灯，最后寿没借着，诸葛亮死了。当然了，诸葛亮没借着寿其实也挺好的，他要是真借着了，刘备该找他来了，你有这么大能力会借寿，在白帝城干吗不给我借寿，是不是？所以说免去了很多的尴尬。

通过这些人的故事，其实我也想了很多，我家书房里边有一副对联，这些年我没少搬家，包括当年我很落魄的时候，经常搬这儿搬那儿的，北京城的郊线我都快住遍了，但是这副对联我是走到哪儿都没忘了带，这对联的内容是：一等人忠臣孝子，两件事读书耕田。这是纪晓岚写的一副对联，它反映了古代人的价值判断和人生理想。可能现在说这个，有的人觉得太过时了，现在谁家还讲究这个？但是我很欣赏这两句话，说得真好！一等人，忠臣孝子，两件事儿，读书耕田！古往今来，很多事情其实也验证了"忠臣孝子"为什么被归类为一等人，我觉得忠臣孝子应该是中国人立命安身的根本。

比如我之前说书的时候提到过，宋朝有个皇帝赵㬎④，也就是宋恭宗，又叫宋恭帝，是南宋的第七个皇上。赵㬎当皇上的时候岁数不大，所以他执政期间，净是太皇太后替他代理朝政，太皇太后叫谢道清，前期她依靠贾似道⑤，后来依靠陈

---

① 辛宝达，生于1947年，老生演员，祖籍河北沧州。先后师从张荣兴、贯盛习、李和曾，是高派第三代传人的代表。

② 主要讲述的是诸葛亮设计差人赠脂粉、钗裙借以羞辱司马懿父子，最后成功智退敌军的故事。

③ 七星灯：是《三国演义》中诸葛亮在五丈原，为延续自己的生命而点的灯，后因魏延突然入帐而熄灭。

④ 赵㬎（1271—1323），又称宋恭宗、宋恭帝，南宋第七位皇帝。后因触犯文字狱而被元英宗赐死。

⑤ 贾似道（1213—1275），字师宪，号悦生，南宋晚期权相。咸淳九年（1273年），襄樊陷落。德祐元年（1275年），贾似道率精兵13万出师应战元军丁丁家洲（今属安徽铜陵东北江中），大败，乘单舟逃奔扬州。群臣请诛，乃贬为高州团练副使，循州安置。行至漳州木棉庵，为监押使臣会稽县尉郑虎臣所杀。

宜中①，军事上后期她又诏令江万载帮着一块儿干军中的事儿。陈宜中老逃跑，江万载还算行，忠心耿耿，保护了南宋小朝廷，反正延续了三年左右。当然后来赵昺就死掉了，他是被元英宗赐死的，死的时候才53岁。

赵昺有两个妃子，一个是陈氏，一个是朱氏，俩妃子一瞧皇上死了，咱们也不活了，于是陈妃、朱妃还有两位宫女，这四个人一起悬梁自尽，这叫什么？以明志也。这四个女人死了之后，忽必烈派人来了，听说有人上吊自杀了，搜搜身吧，就在朱妃的衣服里发现她临死前写的字：既不辱国，幸免辱身。世食宋禄，羞为北臣。妾辈之死，守于一贞。忠臣孝子，期以自新。写得很好，"既不辱国，幸免辱身"，她既没有辱国，又没有侮辱自己的身体；"世食宋禄"，她一直吃着大宋王朝的俸禄；"守于一贞"，我得对得起皇上，我要守着我的贞洁。忽必烈看完很生气，让手下的人把这四个人的脑袋都切了下来，找一向阳的地方，挂在外头晒。但是到了今天，可能提起赵昺这位皇上都未必有人知道，那几个大臣也未必有人知道，而这四个女人倒是千古流芳，为什么？就是应了最后的那八个字——忠臣孝子，期以自新。女人当然也可以做孝子，最起码"忠臣孝子"这个四个字在她们身上得到了体现，她们忠于了君王，恪守了孝道。当然了，从古至今，孝妇和孝女的故事少一点儿，忠臣的故事更多一些。

文天祥，一说名字大家都知道，文天祥在元军的监狱里边写道：孔曰成仁，孟曰取义，唯其义尽，所以仁至。读圣贤书，所学何事？而今而后，庶几无愧！写的这是文人气节，何其伟岸。写得非常豪壮，但是你再看他写给他闺女的那封信，那信谁看了都能掉眼泪，字字泣血，感人至深。文天祥在监狱里边，收到了闺女柳娘给他写的信，一看信文天祥就知道了，闺女的日子过得不好，当时文天祥的媳妇领着两个闺女在宫里过着囚徒一样的生活，文天祥心里明白极了！只要他向敌人投降，全家人就能团聚了，尽享荣华富贵一点儿问题都没有，但是文天祥不愿意为了媳妇和女儿而丧失自己做忠臣的气节。他给闺女写的回信里提到："收

---

① 陈宜中，字与权，温州永嘉（今属浙江）人，南宋末年宰相。因多次临阵脱逃，被戏称为"逃跑宰相"。

柳女信，痛割肠胃！人谁无妻儿骨肉之情？但今日事到这里，于义当死，乃是命也。奈何？奈何……可令柳女、环女做好人，爹爹管不得也。"文天祥这个人，到今天仍如雷贯耳。

有一次我上山东蓬莱去玩儿，蓬莱阁大家都去过吧？在蓬莱阁我看见一副对联，看完之后我特别感慨，上联是：海市蜃楼皆幻影，下联是：忠臣孝子即神仙！写得太棒了，海市蜃楼，花花世界，那都是假的，虚幻的。什么是神仙？忠臣孝子。你要说这副对联放在蓬莱阁，其实也很应景，为什么？山东人的忠诚度还是很高的，你看看从古至今，古代的帝王没有山东人，哪怕水泊梁山的宋江，他也说替天行道，很希望引起朝廷的重视，被朝廷招安，所以说这是一种根深蒂固的忠君思想。

我在说评书的时候，查阅过好多资料，也搜集到了不少忠臣孝子的故事。纪晓岚写的好多书里边，就说了好多忠臣孝子的故事，这些故事到今天看依然还非常地让人感慨。有这么一个小故事，说有一个村，这个村子里有一个农妇，农妇的丈夫在地里干活儿，农妇每天去送两回饭，她一去田间地头送饭，就觉得有个挺年轻的女人老跟着她，她也不认识这个年轻的女人。去送饭的还有其他的农妇，她就问人家："你们看跟我一块儿来的那个年轻的女的是谁？她老跟着我。"但所有的人都说没看见什么年轻的女人。农妇心里边就有点儿害怕，别人都看不见，就她自己能看见，你想这玩意儿得多瘆得慌？农妇就开始儿有点儿提心吊胆了，后来她渐渐察觉到不对，这女的不光去送饭的时候跟着她，她回家的时候也跟着她，但是那女的不跟她进屋，当农妇进屋了之后，那个年轻的女的在哪儿呢？她在院子的墙角那儿徘徊。这是怎么回事儿呢？农妇想亲口问问那个女的，但是她往对方身边一走，对方就躲，步步后退，但农妇只要继续走路，那女的就又在后边跟着她了，总是维持着一个不远不近的距离。农妇大姐这时候就意识到，坏了，这女鬼八成是自己的冤家对头。

后来有一天，农妇壮着胆子站在那儿大声问那个女的："你怎么回事儿，你干吗老跟着我？有什么话直说，别老这么不远不近地跟着我。"咱现在说，这大姐的胆量够大的，她还敢过去问。结果对方竟然也回答了，说："你说得不错，我确实是个鬼，上辈子你跟我都是一个大户人家里的姬妾。因为我比你好看，主人更宠幸我，你就特别嫉妒我，编瞎话污蔑我，说我跟人家私通什么的，还说我跟奸夫一起偷主人的钱。主人信了你的话，把我关了起来，最后，我郁郁而终。所以今生今世，我是来找你偿命的。但是你这辈子对你的婆婆特别孝顺，所以总有神仙暗中保护你，我没有办法接近你。我老跟着你，就是想找机会下手，但看你现在的状态，我觉得我报仇成功的可能性不是很大了。就是这么点儿事儿。"这农妇一听吓一跳，心想上辈子的事儿我哪儿知道，是不是？"那你看这事儿咱们怎么解决呢？"冤鬼就说："那这样吧，你要是能请出家人做个道场超度我，让我早日转世投胎，咱们之间的怨就算了了。"这农妇为难地说："我家里穷，没有钱给你做道场啊。"女鬼就说："我也知道你穷，我天天跟着你，都看见了。那这样吧，你以虔诚之心念'南无阿弥陀佛'一万声，也一样可以超度我。"农妇将信将疑地问："这行吗？我光念佛就能超度你？"女鬼说："普通人念佛，心里边的事儿多，杂乱，很难与佛相应。但是忠臣孝子的诚心已经感动了天地，他们念佛一声，声音就能直达三界。所以忠臣孝子念佛的功德威力跟诵经、超度的道理是一样的。你是一位孝妇，我相信只要你诚心念佛，自然能与佛相感应。"农妇一听，好吧，那咱们就开始吧，农妇就很诚心地念起佛来，她念一句，这女鬼就往西方拜一下，农妇念满了一万声佛，这女鬼突然就不见了。后来村里人听说了这件事儿，都说这个农妇太棒了，人人都得向她学习，要好好地孝顺双亲，这个功德胜似拜佛。所以人们都说，忠臣孝子的头上有神光照耀。

纪晓岚写了好多个因果故事，其实都跟上面这个故事很类似。还有一个讨饭的妇女，她对婆婆特别孝顺，哪怕是自己饿得摔倒了，手里捧着一碗饭也舍不得撒手，因为她心想自己绝不能把饭扔了，婆婆还没吃饭呢，可见她对婆婆特别好。有一天晚上，她跟婆婆娘俩儿找到一个破庙，在旮旯里过夜。夜里边，就听这个庙里有两个人大声地说："你这浑蛋，怎么不躲开那位孝妇呢？你害了她，你看她受了阴气，发冷发热感冒发烧的。"另一个声音就说："我这不是拿着紧急的公文嘛！我慌里慌张的，没看见她。"那个声音又说："这忠臣孝子头上有几尺神光照耀，你瞎呀？你怎么可能看不见她？来，打他！"然后就听鞭子声噼里啪啦，把这位打得鬼哭狼嚎。第二天大家就都听说了，于是大伙儿都说贤淑孝道好，孝顺的人头顶上的神光很厉害，所以说咱们都得好好孝顺父母！

当然了，很多事情就是民间传说，现实是怎么回事儿，咱们也没亲眼看见，不过还是那句话说得好：忠臣孝子人人敬，佞党奸臣留骂名。人活一世，还是心地善良一些，做一个好人，那是没错的！

要当状元不容易，
科举虐你没商量

Guo Theory

三场辛苦磨成鬼，两字功名误煞人。

今天家里来了几个串门的客人，我跟几个孩子说了些话，有的孩子是过年放假了，但是他们开学之后还很忙，今年刚好是毕业班，大家就讨论要如何冲刺，等等。我特别感慨，于是我就想到一个名词——科举。

科举现在是没有了，其实所谓的科举，就是通过考试来选拔官吏，因为它是分科取士，所以叫"科举"。过去取士的权力是归中央所有的，允许自由报考。科举是从隋朝开始实行的，到清朝光绪三十一年（1905 年），最后一科进士考完，科举考试就寿终正寝了，整整经历了 1300 年。

明朝的科举，在元朝的基础上又改良了一下，得到了发展，制度更加完善，规模也增大了，所以参加科举的人数特别多，但是考核的内容变得僵化了。明朝 277 年，开科 89 次，取了进士 24536 人，它是分三级的考试：乡试、会试和殿试。

到了清朝的时候，不论年龄大小，反正只要你还没有取得国家正式学校的学生资格，你就叫"童生"。童生经过了县学的考试，就成了秀才。每三年一次，秀才到省城参加乡试，考中的叫举人，举人就是国家在编的官员了，享受国家俸禄。举人再参加每三年一次在京城的礼部举行的考试，这叫会试，这要是考中了，就叫贡士。考取贡士的人就得参加殿试了，会试一般是三月举行，殿试一般就是四月二十一日进行。

过去来说，北京城有句老话说"臭沟开，举子来"。说的就是每年三月的会试，因为每年这个时候，北京城的地下管道和地下通道，全都得刨一遍，怕有堵住的。这一刨开，那是京城里最臭的时候，春天的风也多，北京城满大街都特别臭，所以说"臭沟开，举子来"。

殿试的时候，念书的人兴奋得都不行了，因为能进到保和殿。故宫有三大殿：太和、中和和保和。皇上亲自定考题，亲自主持考试，那份荣耀，令人激动。但是殿试其实也不容易，包括一进考场就得搜身，不管天多凉，从外到内的衣服全都得脱了搜查。为什么呢？主要就是严防夹带。这一搜，就得几个钟头才能搜完。好几百人挤到一块儿，那都快要中暑了。

考试的房间特别小，每人就一米左右宽的一小间，而且进去之后，你就不能出来了，吃喝拉撒都在里边解决，考试的这几天，你都得在里边，大小便都不得自由，还不能跟隔壁的考生聊天，你说闲着没事儿，咱们隔壁的俩人聊会儿？您哪儿的？姓什么、叫什么？这一聊天，就算舞弊犯规。考场叫贡院，俗称考棚，院子里边是一排一排的号房，每个号房大约高到六尺、深有四尺、宽是三尺左右。所以那会儿有两句话说：三场辛苦磨成鬼，两字功名误煞人。不容易，这个号房也没有门，只挂个帘子，排列是按照千字文来排：天地玄黄宇宙洪荒，就这么一个小屋子，屋子里边搭这么一个炕，然后有个板，考生就坐在炕上，每场三天。

但是考试再难，对平民百姓来说，科举是唯一能够做官的途径。你十年寒窗都熬过来了，考试这点儿苦根本就不算什么。当年广东顺德有个老秀才，叫黄章，他1699年参加乡试的时候，都已经100岁了，重孙子都有了，他是中国科举史上年龄最大的考生，他的灯笼上写着"百岁官场"四个大字，曾孙扶着他入了考场。乾隆皇上知道之后，很感动，还给了他很多赏赐。

但是考生有好样的，也有不灵的，不灵的考生净琢磨怎么作弊了，所以那会儿作弊也挺有意思的：有的人是搁怀里藏着东西；还有的是找人代笔；还有飞鸽传书的；还有继烛，就是把蜡烛掏空了，往里边藏一个芯，里边填上答案；还有一种就是怀藏，打小抄，这个很精致，四书五经，不管是什么东西，都能缩印了塞到馒头里，缝到衣服里边，反正是各种各样的方法。就进考场了。现在你可能说没什么，现在缩印小字很方便，但过去那会儿没有这么先进的技术，得有专门的手艺人，还得是眼神好的来弄这个。唐朝之后，乌贼的汁作为一种秘密书写的工具，被人应用在考场作弊上了。把乌贼汁弄出来写字，写什么？就写需要夹带进考场的内容，比如考试的题目什么的，写在什么地方呢？就写在裤子的夹层上，然后在裤子上涂点儿烂泥，把作弊内容遮掉，入场之后，把这烂泥去掉，字就露出来了。乌贼汁有一特点，就是过一段时间之后，字迹自己就消退了，你也不用再去洗，所以说它抄起来方便，而且事后还自行毁灭证据，这东西是作弊的上佳之选。

尤其在唐朝的时候，考场里边找枪手作弊的比例特别高。唐朝有一个很传奇的枪手，叫温庭筠①，据说是宰相文彦博的亲戚，有才华，但是人品不灵，每回考试都因为人品问题被刷下来。被刷下来不要紧，他就专门在考场上从事替考的工作了，考官一直防着他。你想这个人得有多大的能耐啊？为了他，所有的考官都得防着。《新唐书》里曾经记载，为了防范温庭筠来替考，单独把他的位置安排在主考官的门口，你就在主考官眼皮子底下写，看着你写，好家伙，洋洋洒洒一千多字，他一蹴而就，提前就交卷走了，考官这才踏实了。后来才知道，就在主考官门口考试的这一次，他居然替八个人写了考卷，你说这玩意儿他了得吗！是不是高人？

清朝的殿试是从天明就开始，有时候能一直持续到第二天天亮，整整一昼夜。后来才规定，日出开始，日落收卷，因为时间太长了，皇上也受不了。殿试之后，

① 温庭筠（？—866），本名岐，字飞卿，今山西太原人，晚唐诗人、词人。文思敏捷，因八叉手而成八韵，素有"温八叉"之称。

根据成绩把参加考试的贡士分为三个等级，这叫三甲：一甲是进士及第，有三名，分别是状元、榜眼和探花；二甲称为进士出身，有多少多少名，这个数量不限；三甲称为同进士出身，也是多少多少名。最厉害的就是一甲，因为这就是科举考试的前三名。

殿试是国家非常重要的选拔人才的考试，就跟咱们今儿的高考一样。所以皇上很重视殿试，皇上是主考官，其他的王公大臣最高就是读卷官。殿试的前一天晚上，专管典礼司仪的鸿胪寺的官员，把两张黄案分别放到保和殿和前丹陛上，转天放考题用。这都弄齐了，然后光禄寺的官也排好桌子的编号，写上考生的名字，到时候考生对号入座。然后负责仪仗队的人在保和殿前面也都排好了，命题工作就开始紧张地进行了。

殿试前一天，读卷的大臣们都集中在文华殿，大伙儿商量好了再让皇上看，整个殿试有一套程序，都完事儿之后，才把这卷子拿出来，御林军昼夜巡逻，严密警卫。到正日子了，天一亮，新贡士们已经穿上朝服了，到保和殿以外排班站立，王公大臣们也等着，皇上打乾清宫起驾，到保和殿升殿。内阁大学士就从黄案上把试题拿出来，捧给礼部尚书，礼部尚书放在殿外的黄案上，大臣贡士们一块儿跟着跪，行个礼表明试题没问题。

各就各位，开始考试！一般来说，这个题目都是皇上提的，都是关于治国安邦的这些内容，对此你们有什么想法？怎么做才能对国家有好处？如果你做了官该怎么做？考题都是这个。考卷开头的地方是写考生的姓名、籍贯、年龄、学历以及曾、祖、父三代的名头的地方，到交卷的时候，这个地方得订死了，都密封上，让评卷的老师和官员们不知道你是谁，以免作假。

殿试一结束，读考卷的大臣们就开始在文华殿上评阅这些答卷，在这会儿，这些官跟所有工作人员吃住都在文华殿，昼夜不得外出。在这个过程当中，殿内还有王公大臣，还有监察部门的官员跟着监视，门外有御林军护卫，他们得反复审阅，然后定前十名，四月二十四号呈到皇上那儿的是预定名次。到这会儿，皇上才亲手打开上面封的卷头，在这之前，所有人都不知道考卷是谁的。皇上一瞧，这个是第一，那个是第二，都完事儿之后，当时就得引见这前十名的考生。这十名考生见了皇上，介绍一下自己，我姓什么、叫什么、是哪儿的人，皇上自己定一甲的三人、二甲的七人。到这会儿，评卷工作基本就算是完成了。到 5 月 25 日，是殿试传胪，也就是公布考试结果的日子了。皇上到太和殿内，坐在宝座上，然后音乐响起来，新科进士们打午门走进太和殿的广场，礼部尚书捧着金榜，伴着音乐声念，榜眼是谁、探花是谁、状元是谁，一个个都念一遍，念到谁的名字，谁就出来跪着，王公大臣和百官们也得跟新进士们一块儿行礼。皇上回宫之后，这边由礼部尚书举着金榜，新近的状元等人就在后边跟着。

然后这些人走哪儿呢？您记住了，走御道，皇上专门行走的御道，顺着午门的中门出宫，把这皇榜挂在天安门前面的长安左门，这门现在没有了，总之就挂在这儿。其他进士的名次按单双数分别自午门的左、右挂出来。这时候京城最高的行政长官，也就是顺天府的府尹，在长安左门外给状元准备好了伞盖仪仗，皇榜挂完了，就给状元戴上大红花，给这状元、榜眼和探花各敬酒一杯，扶状元上马送回府。

第二天，礼部要设宴款待这些新进士，这叫鹿鸣宴①，也叫恩荣宴。还有一种说法讲，如果你在六十年前的这一天中过进士，你也可以参加宴会，这叫什么呢？这叫重复鹿鸣宴。你又来了一回，但这样的人很少。然后所有的进士到太和殿见皇上，谢恩，到孔庙行礼。在孔庙大成门外的进士题名碑上刻上名字，今年的进士有郭德纲，有于谦，有岳云鹏，张三、李四，这都得写上。

打这儿起，大家的身份就不一样了，为什么？按过去来说，只要是参加考试的读书人，比如某个考官是你这次考试的主考，那么打这儿起，你就是人家的学生了，出去跟人自我介绍的时候得说：我是某某老大人的门生。参加过殿试了以后，你就要说：我是天子的门生。见过皇上的人自然是不一样了。当然了，这之后，新进士们一般也都要当官了，但这个官衔不会特别大，一般都是先进入翰林

---

① 科举制度中规定的一种宴会，起于唐代，两宋时期沿袭唐制。到了清代，各地又用鹿鸣宴这一仪式，于乡试揭榜之次日，宴请主考官及新考中的举人，以表示慰问和庆贺。

院这类的文化机构，当个修撰或者编修，还有更小一点儿的官，比如庶吉士，也就到这儿了，三年任满之后，再分别按个人的业绩去委任其他的官衔。这样一来，每个人的仕途就由皇上决定了，你要是不是太有出息的人，那就当个一般的官员。如果说是有样的人，皇上对你很满意的，那就当个地方要员，有的成为诸侯，有的成为中央大官员，有的名留青史，有的默默无闻，各种各样的结局都有。

中国古代的读书人为什么都要赶考呢？因为一旦中了举，未来就不一样了！怎么说呢？我没钱不要紧，有人给我送衣服，吃饭有人替我结账，还有人给我送美女。我要上哪儿做官去，没有路费，有人给我送路费，车马和行李什么的都有人送，还有人给我当跟班的，也不问我要钱，分文不取，就给我免费服务，为什么？这在过去就是一种投资，虽然你没钱，但我也来跟着你，所有的费用都是我出，等你当上官之后，你赚了钱，咱们再分账，其实就是当成生意去干，过去搞这种投资的人也是非常多的。

为什么好多的人非得要参加科举呢？因为在过去，对有功名的举子来说，朝廷的待遇确实很优厚：第一来说，就是免役，不用再干差役的活儿。古代的徭役赋税很重，是不是？但是如果你考中秀才了，你家里就可以免除二丁差役，什么意思？比如你们家里有俩男的，这俩男丁以后就不用为政府服务和干活儿了，减轻了俩人的税，这就算节省了很多的费用。在那会儿来说，大概这两人能节省出相当于二十亩土地的收入；第二就是你家里可以雇佣奴婢了，明朝那会儿规定，不允许老百姓家里用奴婢，您看电视剧和电影里有个土财主，家里有八个丫鬟、十个管家，那是不允许的。即便你是地主，你有钱，也不能随便雇奴婢，违规了是要挨打的，上堂就打你板子。你必须中了秀才，身份和地位上升了，不是百姓阶层了，才能有奴婢；第三是免刑，在法律上给了举子们很多优待，比如明朝初年规定，进士、举人和贡生犯了死罪，可以特赦三次，这很厉害，当然这只是明朝初年的规定，后来就没有这么执行了。当然了，这秀才犯法，在没有被剥夺功名之前，是不得用刑的。秀才见到县官、县太老爷，也不用下跪，这都是功名的特权。你看电影里头，秀才见到官先磕头，那是胡说；还有一个好处就是免粮，古代交粮食给国家，就如同是纳税，向政府交粮纳税，是百姓必须尽的义务，而且要交的数量也不少，这对普通百姓来说是个沉重的负担。但是如果说你们家里出一秀才，那行了，那很实惠了。你想啊，经济上也很实惠，礼仪上还有待遇，法律上还能免责，这玩意儿，太好了，所以说很多人就算再苦再累，也挡不住地要去参加科举。

现在北京建国门内大街路北，就是咱们现在中国社科院大楼附近的胡同，你有机会看看去，贡院东街和贡院西街，贡院头条二条三条，这就是以前科举考试的地方。为什么管科举考试的考场叫贡院呢？古代给皇上送东西叫贡品，而科举考试是向皇上贡献人才，所以就叫贡院。

明清两代的贡院都建在北京，最早是明永乐十三年（1415 年），那会儿据说因为皇宫还没盖完，盖贡院也没那么些钱，就拿木板、席子之类的东西搭出考棚。四周围先是用荆棘围成的墙，大门五间，这叫龙门，寓意鲤鱼跳龙门。中间三门上有匾，中门上写的是"天开文运"，东门写的是"明经取士"，西边写的是"为国求贤"。贡院内的中路主要有明远楼、公堂、聚奎阁和会经堂等，两边是号棚。

当然了，现在说这些都已经离我们太远了，但是有时聊一聊也挺好的。不管怎么说，学会文武艺，货卖帝王家，天下读书人算是有了这么一条出路。现在虽然没有科举了，你也得努力多读书，多读书总归是不会吃亏的。我在自己家里边，包括之前我跟我儿子郭麒麟聊天的时候，也经常说这些，哪怕你没有文凭，但是你要有文化。多读书，对自己、对社会都是好事儿！

36

—捡 史—

内务府：一个敢从皇帝
嘴里抢食的部门

Guo Theory

内务贪，太守肥，三千太监三千贼。

写这本书我很开心，因为能跟各位读者分享一些我个人的想法。当然前提是，我的文化水平一般，您各位可别拿我当有学问的人，咱们就像是街坊四邻、哥们儿兄弟一块儿聊天。之前我写过明朝的故事，今天咱们可以写一写清朝的故事。

清朝一共有十个皇上：顺治、康熙、雍正、乾隆、嘉庆、道光、咸丰、同治、光绪，宣统。从道光开始，清朝应该是由盛而衰，一年不如一年，为什么呢？当时清朝有一个机构叫内务府，民间有一口头语，您一听就知道了：内务贪，太守肥，三千太监三千贼。这句口头语就是说内务府贪污太严重了。

这个东西很难讲因为什么？原因很多。拿咱们的道光帝来说，道光帝据传说真是节俭，恨不得一个铜钱掰成两半儿花，他那身上的龙袍，据说旧了都不换，补块补丁就照样穿。有一天道光皇上发现自己的裤子膝盖破了个洞，就让内务府去补一下。补完回来，道光就问："补这个窟窿多少钱？"内务府回答："三千两银子。"道光帝差点儿没背过气去，一个补丁三千两银子，你们要疯啊！人家内务府也有解释，说："皇上的裤子是有花的绸子，我们拣了好几百匹的绸子，才给您找到对应相配的图案，所以贵了。一般的补丁大概五两银子也就够了。"这其实就是蒙皇上呢，等到一上朝，大臣一瞧，好家伙，皇上都穿打补丁的龙袍了，来吧，咱们也来，所以有的大臣的衣服明明没破，也扎破了，打上补丁。

有一次，道光皇上看见军机大臣曹文正的裤子膝盖上打着一块补丁，就问他："爱卿，你在外边打个补丁多少钱啊？"曹文正一愣，一看周围太监的表情，那一双双眼睛都不怀好意地瞪着他呢。曹文正心里发毛，他就知道了，不能说便宜了，大家都看着呢，他就赶紧说："启禀万岁，外边打一个补丁需要三钱银子。"在当时，三钱银子能买一整套最好的衣服了。曹文正心说，这大概跟内务府的太监们报给皇上的价格差不多了。没想到皇上听完愣了，说："哎哟，外边是便宜，你看我打个补丁，五两银子。那外边鸡蛋多少钱一个啊？"皇上又问了一个问题，曹文正的汗都下来了，干脆跟万岁爷回："我从小有病，不能吃鸡蛋，所以不知道鸡蛋的价钱。"

那么，内务府给道光皇帝吃的鸡蛋多少钱一个呢？这个挺有意思。当时一个鸡蛋是三四个铜板，而内务府的采购价格是三十两银子一个，您就知道这当间儿[①]差多少钱了。后来光绪皇帝跟他的老师翁同龢[②]聊天，说："鸡蛋好吃，就是太贵了，翁师父，您吃得起吗？"翁同龢多聪明啊，赶紧说："我家里边就是逢过年过节，才吃一两个鸡蛋，平时都不敢吃。"所以光绪一辈子都认为鸡蛋很贵，连朝廷大臣都吃不起！光绪皇帝一年光吃鸡蛋就得吃掉上万两白银，你说这玩意儿哪儿说理去？老百姓是三钱就能买十来个鸡蛋。所以，什么东西只要一进内务府，那价钱不是翻番儿，翻百倍都是低的，翻千倍才是正常，上万倍也很正常。所以咱们今儿这题目叫作"皇上打不过内务府"，道理就在这儿了。

那么内务府到底是一个什么机构呢？清朝的内务府全称"总管内务府衙门"，

---

① 当间（jiàn）儿：京津方言口语，做"中间"的意思讲。
② 翁同龢（hé）（1830—1904），字声甫，号叔平，别号天放闲人，晚号瓶庵居士，江苏常熟人。中国近代著名政治家、书法艺术家。先后辅佐同治、光绪两任皇帝，卒后追谥文恭。

它是清朝入关之后设立的管理宫廷内部事务的机构，专门负责皇上还有宫廷里的私事，也就是为皇家的家事服务，府衙建于清朝的顺治初年。但是后来内务府曾经被撤过，也并过，但是越改它的权力越大了，到后来竟然成了跟朝廷里的五府六部这些大臣可以相互抗争的一个权威性的官僚机构。巨大的权力带来巨大的利益，所以内务府的内部，官员贪污腐败的现象很严重，清廷的内务府是最腐败的衙门了。

当然了，皇上也不傻，你想啊，聪明莫过帝王，伶俐莫过江湖。都当上皇上的人了，哪儿有傻的，是不是？所以历代皇帝也制造了很多完善的内务府管理制度。当然制度不是万能的，加上这些内务府的小官也都聪明绝顶。有一个真事儿，我在节目上也提到过，就是道光皇上吃热汤面的故事。道光帝曾经出宫私访过，他有一天闲着没事儿，换上便装，到前门大街去走走。前门大街多热闹，是不是？走着走着，时间到了中午了，路边上有一小面馆，道光皇帝就往那里头一坐，吃点儿什么呢？你们这面馆有什么好吃的？我们这面馆，什么炸酱面、热汤面、打卤面都有。你想啊，皇宫里边吃东西都有专人打理，皇上哪里懂这些？就说："行，那来个热汤面吧。"热汤面就是家常面，谁都知道，有点儿汤，有些面条，有点儿白菜丝，飞个鸡蛋，有几片白肉，漂俩虾仁，反正就是这个呗，吃呗，家常便饭。皇上在宫里吃饭比较麻烦一些，吃一看二眼观三，到了这儿，大碗面吃着很舒服，一吃吃了两碗。吃完问店家："多少钱一碗呢？"店家跟他回："一个大子儿一碗，您吃了两碗，俩大子儿。"皇上就愣了，这么好吃的东西，才一大枚一碗，两大枚就吃饱了，我宫里边一顿饭得百八十两银子，我要是在宫里吃热汤面，得能省多少钱，是不是？

回宫之后，道光还想着这事儿，一直到天黑，御膳房掌案的来问皇上："您吃饭吧？传膳吗？您打算吃什么？"皇上想起来了，说："给朕来碗热汤面。"掌案的说："那行，遵旨，可是今天可能做不了，皇上开恩。"其实您想，这御膳房里能连碗热汤面都做不了吗？这没有什么难度啊，和好了面，揉面，炝锅，炒肉片和菜，然后一煮，　下面，最后搁点儿作料不就得了。二十分钟后就能吃上。

但是皇上不懂这个，就问："怎么着今儿还来不了热汤面啊？得多少钱啊？"掌案的说："皇上，跟您说，一碗热汤面得一万两银子。"道光诧异了，怎么一万两银子呢？掌案张口就回："您这个了不得，我们得给您专门搭一个做热汤面的炉子，然后购置专做热汤面的家伙，煮面得用纯黄金的锅，和面用纯金的盆，盛面用官窑瓷器四套，各种器皿四套，这些东西齐了之后，还得头号的白面来十担。鸡、鸭各十只，虾仁、肘子、海参各十斤，燕窝、猴头、银耳各五斤。还得在红、白两案雇用专做热汤面的名厨各十名……"皇上赶紧说："你别费那劲了，前门外靠路西有一小面馆，热汤面一大枚一碗，你现在去给我端两碗来，快去吧。"

这大臣吓坏了，负责御膳房的连太监带官儿们，心想这可怎么办？但表面上他们很镇定，跟皇上说："您等着吧，我们这就想办法去！"过了一会儿，掌案的回来了，告诉皇上："没有，没买着热汤面。"怎么没有呢？因为皇上说的那家店，已经被查封了。皇上听完，心里咯噔一下，其实皇上心里跟明镜似的，他知道，这就是他手下的人为了对付他，把那小面馆给查封了。道光帝叹了口气，感慨道："朕贵为一朝天子，竟吃不起一碗热汤面。"就这个小事儿，你就能看出来，皇上斗不过内务府！因为这会儿的内务府，已经恶性膨胀成了一股很巨大的独立的势力，所以说内务府官员们贪污腐败的程度，那是让人瞠目结舌的。

包括慈禧太后，她也斗不过内务府。慈禧太后有一回听说京城里的皮箱子卖得很贵，但有人跟慈禧太后聊闲时说："现在咱们京城的皮箱子要六两银子一个！"慈禧听了很惊讶，因为皇宫里买皮箱子，每个都要六十两银子，怎么京城里的皮箱卖六两还有人嫌贵？于是慈禧就打发自己的手下亲信阎敬铭①去京城里问，阎敬铭回来说："最贵的皮箱也不过六两银子。"慈禧就怀疑内务府采购皮箱的时候克扣贪污银两，于是就对阎敬铭说："你不是说京城里的箱子六两银子一个吗？你去买个六两银子的箱子回来，咱们跟六十两一个的箱子比较一下。"好吧，阎敬铭就又去皮箱市场了。

---

① 阎敬铭（1817—1892），字丹初，今陕西省大荔县朝邑镇人。晚清大臣。阎敬铭因善于理财，有"救时宰相"之称。

结果阎敬铭到了皮箱市场一瞧，所有卖皮箱的店铺全都关门不干了。阎敬铭一问才查出来，内务府来人了，要求所有的皮箱店关门，不允许卖，谁要是敢开张，就要谁的脑袋，这怎么办呢？阎敬铭就给天津的道台写了封信，让他从天津买个皮箱子送过来，结果等了半个月，天津的箱子也没运过来。因为买不到六两的箱子，就没有告内务府贪污的真凭实据，是不是？你对内务府的指控不成立。那么天津那边怎么没送箱子来呢？后来阎敬铭一问才知道，他不是派人上天津送信去了嘛，送信的这主儿接了内务府官员行贿的一千两银子，带着信跑了，压根儿就没把信送到天津，由此你就知道内务府已经到了这么猖獗的地步。慈禧太后那是长期在宫廷斗争里就没失败过的主儿，竟然在这件事情上栽了跟头，到最后她也拉倒了，不问这件事儿了。为什么？她也知道问不出个结果。所以到最后大清朝被推翻了，其实很多事情也是很正常的。

给溥仪的媳妇婉容当过抄书先生的周君适[1]曾经说过，故宫有个官门上坏了一对铜环，铜环坏了怎么办？得了，换新的吧。在内务府的账目上，这对铜环的价格是两万两银子。当时就有人换算，按当年的物价水准，两万两银子能盖十栋楼房。包括光绪皇帝大婚的时候，内务府也没少贪污。1889 年，光绪皇帝要结婚了，皇上结婚，这可是风光体面的大事儿，宫里边提前一年多就开始张罗，其中就包括洞房里的一门帘。皇上的洞房也跟老百姓一样，它也得有门帘，这门帘还得好看，得描龙画凤，得绣花。这个事儿是交给苏杭织造处去办，织造处可能事情太多，实在顾不过来了，怎么办呢？就把这些零碎的活儿交给其他部门去承办。

当时内务府的某一位大臣家里边有一位教书的先生，据资料记载说这先生姓郭，我每次看到这儿，心里都咯噔一下子，当然这位郭先生肯定跟我没什么关系！这个教书的先生是一个老实人，皇上要结婚了，这消息满天飞，这郭大爷丝毫没有意识到自己要发财了，天天还在家里边闭门念书呢。这天，在刺绣局子里专门做绣工的一些哥们儿和老乡过来找郭先生，说："你别在家里念书了，皇上大婚，

① 周君适（1903—1989）名伟，号漱霞，笔名圣兮、寒云。原籍湖北黄陂。清朝光绪年间重臣。

咱们要发财了，你能不能到内务府里去谋个差事，接点儿活，咱们挣点儿钱？"这郭老先生还挺不好意思的，但还是去找了。费了好大劲，最后他终于找到了大臣门房的管家，管家就跟这位内务府的大臣说："这个念书的郭先生打算挣点儿钱。"大臣说："好吧。你跟他说吧，什么都不要往心里去，就让他绣个门帘就行。门帘虽然小，但是个面子活儿，必须要绣好，不要怕花钱，所有的材料要用最好的，绣工也要用最好的，听见了吗？"郭先生谋到了差事，心里很高兴，于是就去找一流的绣工，买了最好的材料，精心地绣，绣完之后，就把这门帘交上去了。上头表示很满意，东西很好，没问题，能交差了，那你说多少钱吧？而且人家还特意嘱咐郭先生："你尽量把价格开高一点儿，才能证明你这东西做得好。"这消息传来之后，郭先生很开心，跟负责绣活的老乡们坐在一块儿说："这事儿成了，你看你们绣得很好，都夸咱们的活儿做得好，现在让咱开个价，你看咱们怎么开？而且人家可说了，让咱们往高了开，咱们这回可要发财了，行吧，咱们到底开多少钱啊？"

　　几个人算了一算，门帘的成本价是五十多两银子，折合现在人民币可能是一万来块钱，大概就是这么一个账吧，那他们要开多少钱呢？因为那个年头，五十多两银子绣一门帘，那也就是皇上家，普通老百姓家谁敢，可是咱要开多少钱呢？郭先生提议说："咱们开一百两银子吧，翻倍挣钱！"有人说："这个还是少，人都说了，让你往多了开，咱们也这么多人，是不是？咱们多开点儿吧，开多少？开二百两银子。"二百两银子可真不少了，郭先生还琢磨，这二百两是不是太高了？咱们这翻了几倍了，行吗？合适不合适？这玩意儿要是被查出来怎么办？几个人就互相鼓励，你看我，我劝你，劝来劝去，最后得了，咱们豁出去了，咱们开五百两银子！人家要说价格太高了，咱们再打打折扣呗。于是郭先生这伙人就弄了个账单，给大臣家里的门房管家送去了，对管家说："你看，我们的东西也做好了，报价也做好了，您看看吧。"管家说："行，多少钱？五百两银子？"管家一看这个报价就乐了，说："这开得也太少了，你们回去再商量商量吧！"郭先生就回来了，这哥儿几个又聚在一块儿，大家都糊涂了，这是怎么回事儿？

五百两银子还少，这可怎么办？咱们豁出去了，咱们要一千两！于是郭先生又回来找管家了，说："管家，我又回来了，我们上一次算错账了，应该是一千两银子。"管家说："这还差不多，一千两银子还说得过去，你们等着吧，我给大人送去。"管家就拿着账单去找内务府的大臣了。

结果没想到，内务府这位大人看完账单居然急了，说："这价怎么这么低？回去！你们再商量商量吧！"好嘛，一千两银子还嫌少。郭先生回来，几人又合计，得了，再豁出去了，五千两！因为这已经不像话了，一个门帘哪儿就值五千两了？好吧，郭先生又把这五千两的单子递了上去，心说，反正我也发财了，大不了再减点儿呗。没想到递上去之后，内务府这官直接亲自动笔，把这价格改了，改成多少了呢？两万五千两！这相当于人民币五百来万！这个价格报到宫里，国库如数拨款，内务府这官什么也没干，就净赚了两万两银子，门房、管家每人得了一千两，教书的这位郭先生一个人拿了三千两，所有的绣工得了一千两。在当时，读书人教一辈子书也挣不到一千两银子，就给皇上绣了这么一个门帘，就够郭先生活好几辈子了。

郭先生这么一个知识分子，就这么开了窍，绣工们也得了暴利，从上到下，每个人都挣了钱。内务府太厉害了，所以说最后大清朝灰飞烟灭，其实也是很正常的事情。

37

—捡史—

看脸吃饭的『江湖艺人』
竟然精准预言了历史进程？

Guo Theory

八十一年往事，三千里外无家，孤身骨肉各天涯，遥望神州泪下。金殿五曾拜相，玉堂十度宣麻，追思往日谩繁华，到此翻成梦话。

当初给这本书起名叫《郭论》的时候，我是有意见的，因为我觉得自己担不起"论"字，我的思想也不构成一个论点，你也不能因为让人说出点儿什么来，叫《郭说》还行，结果人家说《郭说》不像话。得了，最后就叫了这么一个名字，好在各位读者跟我也不较真，也不上吝①。得了，我就这么一写，您各位就这么一看，您当是看文字版的相声也可以。

前几天我做节目的时候，在节目里提到相声艺人有一个拜师的仪式，我们叫"摆知"②。"摆知"其实就是摆下酒席，让大伙儿来吃饭，然后你们就知道我拜师这件事儿了，反正这是其中的一个解释。

相声艺人如果没有"摆知"仪式的话，那么你跟师父之间的这种关系，应该是还没有达到行业内部都认可的一个状态，所以说，说相声一说自己是谁谁谁的

---

① 上吝：京津方言口语，做"计较"的意思讲。
② 摆知，相声术语。意思是摆出来让大家知道，是相声界确认师徒关系的仪式，对应的是"口盟"。

徒弟，最后懂行的人老得问您："您摆知了吗？"然后你再回答："我摆知了，我的先生是谁，是哪位。'引保代'分别是张三、李四和王五。""引保代"指的是引师、保师和代师。"引师"就是来引荐一下，让这个师父跟徒弟互相认识的人，或者说是他把拜师学艺这事儿促成的，他就是引师。"保师"是要保证师父疼徒弟，保证徒弟孝敬师父，这是保师。所以说过去还有个说法，保师的身份就如同是亲娘舅。还有一种"代师"，现在有的时候，在拜师仪式上大家说，你师父教不了你了，让他来代替师父教你一下，这叫"代师"，这个纯粹是瞎说，因为你得这么想，你要教不了人家，干吗收人家当徒弟？还得找一帮忙的替你，费那劲干吗，直接拜那位不好吗？对吧？因为在过去，当师父的人身边得有一位代笔师，当师父的那些人，净是不认字的人，他不会写字，得有一个能写字的人代替他，师父有一块票布，就是有一帖子，谁要拜谁为师，执笔这位就叫"代师"，这就是"引保代"。

说相声收徒弟，在拜师仪式上有一点很重要，在约请来参加仪式的同行当中，除了说相声的、说书的、变戏法的和打把式的之外，还要有一种人，这就是今天我想写的这种人——算卦相面的。为什么学说相声拜师还得算卦相面？因为在旧社会来说，我们都算是跑江湖卖艺的人。老话说得好：既入江湖内，便是薄命人。而且自古以来，这几个行业之间互通有无。拿数来宝来说，人家也是一种单独的艺术形式，但说相声的人也唱数来宝。有人说，那你们说相声的也算卦吗？你还别抬杠，在过去，不少说相声的老先生，包括说书的老先生，他们的副业就是算卦相面，因为从传统艺术的角度来讲，这都行当都是相通的。甚至有的老先生说相声实在不挣钱，得了，干脆改行算卦去了，所以说，我们拿算卦相面的人，也当成自己人。

早期跟我合作过的老先生们，比如张文顺先生，他就比较了解算卦这一块，他甚至曾经有一段时间也给人算卦看相，做得挺好，这是门手艺。那会儿，中山公园有的时候逢上庆祝的日子，游园的日子，他们就一起摆个算卦的摊子。张先生还有其他的几位，也都是说相声和说书的老先生，有火做的，有水做的。"火做的"就穿着呢子大衣，戴水獭的帽子，戴着金丝边眼镜，坐在那儿给人看面相，这是火做的。北京也有一位水做的先生，破棉袄、破棉鞋，坐在那儿，地上搁一盆，三毛钱也能算，五毛钱也能算。反正每个人的追求也不一样，所谓的算命，它是指推测人的命运，这种行为属于玄学的范畴。研究算命的学术叫易学，也叫命理术数。它的理论核心是阴阳五行、天干地支、伏羲八卦，这个理论的系统是非常复杂深奥的，您让我说，我也说不利索，为什么？我也没专门学过这个，但是你让我一棍子打死它，说它没有道理，我也不好这么讲，因为很多时候、很多事情，绝不是几句话就能说清楚的。

比如说道光年间，有个人是八旗子弟，满人。他想知道自己的儿子什么时候能成才，什么时候才能有个样，就去找人算命，找来找去，有人告诉他，在哪儿有这么一个算命的先生很厉害，你去吧！好吧，他带着儿子就去了，到了地方，报上儿子的生辰八字，哪年哪月生的、什么时辰。算命的就开始给他推算起来了，算了一遍又一遍，好不容易算完之后，就看看这孩子，又看看这家长，不说话。家长就犯嘀咕了，这先生怎么回事儿啊？我儿子的命是好是坏？您倒是说一声啊，您别老这么看我，我犯嘀咕啊。算命的叹了口气说："哎呀，有点儿奇怪，按这个命来说，你儿子他这个身份是至高无上的，但是他一生却穷困潦倒，这也太奇怪了。你要说命不好，就没有比你儿子的命更好的人了，但你要说命好，他这命里都看不见钱，最后是穷困而死，这是怎么回事儿呢？……"算命先生这话一说，人家当爸爸的生气了："你这是胡说八道，我们不相信你了。"恨不得把人卦摊都砸了，爷俩儿走了。

后来这儿子长大了，当了个官，在什么单位呢？就是那会儿衙门口有一个叫太常寺的地方，太常寺就是在朝廷里边负责祭祀的这么一个部门。他儿子在这个部门里当什么呢？当文书官，穷得都不行了，衙门里边每到祭典的时候，都需要有一个人当遣儿，每到这个时候，这位文书官就说我愿意来。什么叫遣儿？这个说起来挺有意思，就是在朝廷的祭拜大典之前，它都要先演习一遍，就怕正式的时候弄错了，演习的时候得来找个人，给皇上当替身，替皇上来一遍。这个遣儿虽然穿的是破衣裳，但是所有的礼节和状态都得跟皇上一模一样，文武群臣也得向他行礼，演习的时候就拿他当皇上一样，但是他就只有这一天的荣耀，只有文书官里边缺钱的人，才愿意来当这个，别人都不愿意干，因为大家都觉得这个折福，干了能得病。你是什么人？你要当皇上，你哪儿受得了去享这种福？而且每次的酬劳就是给八千钱。所以说，这就是当时人家算卦的说的，他这个命至高无上，但是穷困至此，那可不呗，他都能当皇上了，但是是个假皇上，穷困至死，熬成那样也就给八千钱，所以说这很多事情也不是我这个水平的人能解释得了的，我就这么一写，您各位就这么一看就是了。

其实古往今来，还有很多故事，好多事情，都跟这些东西有关系，您就当个小故事听就行。比如说宋徽宗也是如此，因为宋哲宗晏驾①，哲宗是正月里去世的，没儿子，怎么办呢？跟太后一商量，得了，最后立了赵佶为帝，赵佶就是后来的宋徽宗，当年叫"九大王"。您要是看过《水浒传》就知道，跟高俅踢球的那位九大王当上皇上了。宋徽宗其实在位初期，还有点儿明君的架势，启用了新法，朝里上上下下还都觉得他不错。但是到了后来，蔡京这些奸臣，净给宋徽宗出坏主意，政治形势算是一落千丈，后来金国兵临城下，怎么办呢？宋徽宗就赶紧把江山禅让给了太子。然后到了靖康之变之后，宋徽宗跟自个儿的儿子钦宗皇帝一起，被金人俘虏了，弄到北边去了，一直到后来驾崩于五国城，死的时候54岁。但是到后来又被迎回南宋，葬在现在的绍兴的一个地儿。

当年宋徽宗赵佶还是端王的时候，有一次碰见一个云游的老道，那会儿他还不是皇上呢，一天到晚净是玩儿，比如跟高俅踢球什么的。他碰见这个云游的老道，这老道一眼看见赵佶，咕咚就跪下了，常拜不起，一个劲儿地磕头。老道身边的好些徒弟就问："师父，您瞧见什么了？碰见一个踢球的，您就磕成这样，这要瞧见一个说相声的还了得吗？为什么要这样？"这老道就说："你不知道，此人贵不可言！"这是宋徽宗当皇上之前发生的事儿，老道说完这话之后没多久，到

---

① 晏驾是古时帝王死亡的讳称。在《战国策》《史记》中均有此称法。

了正月，宋哲宗就死了，赵佶就当上皇上了。所以宋徽宗赵佶就一直记着这件事情，当初那云游老道夸过我，说我贵不可言，确实是。一眨眼的工夫，徽宗当皇上当了二十年。

宋徽宗最大的特点就是"万事皆可为，独不可为人君也"。什么意思？天下什么事儿他都能干，唯独不能当皇上，他是一个很好的书法家、画家和音乐家，方方面面，只要沾上玩儿，就没有他不会的，但是唯独当皇上他不行。可是老天爷就会开玩笑，偏偏让这么一个不能当皇上的人当了皇上，那你想这玩意儿它得多热闹，是吧？可是就在这个状态下，一眨眼他也做了二十年的皇上了。有一天宋徽宗突然想起来：二十年前我还没当皇上的时候，有一个老道说我贵不可言，于是他就派手下的人去找这个老道！那年头怎么找人？也没有电视，也没有网络，想找一个人堪比登天。但一个特别巧的机会，这老道自己来了，徽宗很开心，说你还记得吗？二十年前你说我贵不可言，今天咱们又见面了，你感觉我现在如何？宋徽宗很高兴，他以为这老道要夸他了。没想到这老道号啕痛哭，站那儿就哭，哭得都不行了，连声就说："福尽矣！"意思就是说，你的福气已经都没了，也没有再拜宋徽宗，转身就走了。大伙儿都傻了，赵佶也挺尴尬，这叫什么事儿？当然了，后面的故事大家也就知道了，没过几年就到了靖康元年，金兵南下，东京之战失利，金兵攻破了汴京城，宋徽宗跟儿子宋钦宗被贬为庶人。徽钦二帝连同后妃宗室百官几千人，以及教坊乐工、技艺工匠、法驾、仪仗、冠服、礼器、天文仪器、珍宝、皇家藏书、地图，所有东西都被押往北方，北宋灭亡。这个事儿因为发生在靖康年间，所以历史上称为"靖康之变"。

宋徽宗在押送往北方的过程当中，也是受尽了凌辱，爱妃先被金将那边强行要走了，而且到了金国的都城后，他跟儿子钦宗两人是穿着丧服去谒见金太祖完颜阿骨打的。这叫什么？这叫向太祖献俘，这其实是挺侮辱人的事情。然后宋徽宗被封为昏德公，被关押在现在的辽宁省昌图县，后来又迁到五国城。五国城就是现在的黑龙江依兰县。宋徽宗被关押在五国城里的时候，偶然的机会居然突然又看见那老道了，这已经是他第三回见了。宋徽宗对老道说："你来吧，咱现在聊会儿天，我有的是时间了。你记得吗？你当年看见我说'贵不可言'，后来见了我说'福尽矣'，现在你给我讲讲，当年那都是怎么回事儿？"这老道叹了口气说："上原之相，确贵不可言，然为恶太多，福已损尽，自作孽不可活也！""上"，说的就是皇上；"原之相"，就是皇上您原来的相貌，"确贵不可言"，的确贵不可言；"然为恶太多，福已损尽，自作孽不可活也！"就是说你其实是挺厉害的，贵不可言，但是你作恶太多了，你的福都损耗尽了，这就是自作孽不可活。徽宗听完了，那能说什么？也就长叹一声，之后徽宗还写了四句诗：彻夜西风撼破扉，萧条孤馆一灯微。家山回首三千里，目断山南无雁飞。"彻夜西风撼破扉"，半夜这西北风，玩儿命地摇晃我这破门；"萧条孤馆一灯微"，我在这住着，只有像豆大的这么一个灯；"家山回首三千里"，回头看家，三千里远；"目断山南无雁飞"，连一只往家的方向飞的鸟都没有。很惨！所以你说宋徽宗遇见老道这事儿，老道这三回说这话，其实也挺有意思。

这里边还涉及一个人，蔡京，是蔡京把徽宗引上坏道的。蔡京也有一个类似这样的看相的事情。蔡京是北宋的权相，也是个大书法家。他是福建莆田仙游县的人，熙宁三年（1070年）进士及第，先做了地方官，到后来一点儿一点儿往上升。也做过龙图阁的官，待过开封府，什么都干过。到后来官至太师，先后四次任相，当权共达十七年之久，四起四落，古今第一人。兴了花石纲之役，改了盐法和茶法，铸了当十大钱。北宋末年的时候，当时天下称蔡京是"六贼之首"，所以后来宋钦宗继位之后，虽然没有把蔡京杀了，但把他贬去了南方。得了，你往南方去吧，被贬的时候蔡京多大岁数呢？81岁。但是朝廷不爱看他了，他本来论罪当诛，得了，不杀你，你走吧！

蔡京走的时候，把这些年搜刮来的金银带走了很多，另外还带了三个宠姬，这仨女的漂亮得不行了，一起走吧。可是才上路不久，圣旨到，让蔡京带着仨美女回去！为什么？人家金兵说了，女真人点名要这三个女子，要是原来，这对蔡京来说是不可能的事情，但到了这会儿，他也没什么可说的，得了，人家要就给人家吧。就把这仨女的送回去了，那是挥泪一别，蔡京曾经那么高的身份，到这会儿叫天天不应，喊地地不灵。跟在蔡京身边的人，有个门子，就是随从，这人叫吕辨，吕辨就一路上护送蔡京，一直送到长沙。在长沙，这个吕辨憋了半天，问了蔡京这么一句话："以相公学识，洞鉴过去未来，可知有今日之事否？"意思就是，以您老人家这能耐，天上地下，过去未来，没有您不懂的，那么今天这个下场，您想到过吗？蔡京听完这话也挺难过的，也没说什么，想得到想不到的，也没用了，得了，好不容易到长沙了，就先歇会儿吧，住在哪儿呢？就住在城南的一破庙，这破庙叫什么呢？上面挂了块匾，写着三个字：东明寺。蔡京抬头一看"东明寺"这三字，当时就傻了，面目呆滞，一点儿表情都没有了，为什么？五十多年前，蔡京进士及第，正是春风得意的时候，有一天他在汴梁城里逛街，突然对面来一算命的先生，算命先生跟这蔡京走一对脸，突然就站住了，上眼、下眼、左眼、右眼来回打量蔡京，看完之后扑哧乐了。蔡京纳闷，你干吗呢，算命呢是吧？你为什么看着我乐呢？这算命的不说话，转身就走。蔡京后边就追，您别走，你不能这样，跟你走一对脸，你看我乐，你得告诉我，你乐什么？这个算命的乐了半天不多说，就说俩字："东明。"所以今天蔡京走到这儿，看这庙门上写着东明寺，心里就知道了，完了，自己活不了了，得死在这儿了，所以最后蔡京死了就埋在这儿了。

还有一件奇怪的事情，就是蔡京跟他的父亲还有祖父，三个人都死在七月二十一号。祖孙三辈是同一个忌日，你说这事儿多奇怪？蔡京临死之前，还曾经写下这么几句话：八十一年往事，三千里外无家，孤身骨肉各天涯，遥望神州泪下。金殿五曾拜相，玉堂十度宣麻，追思往日谩繁华，到此翻成梦话。

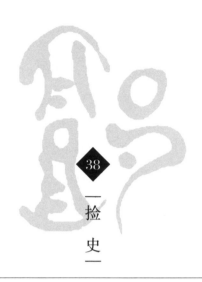

38

捡史

西施：古代第一

『美女特工』恋爱史

Guo Theory

飞鸟尽，良弓藏；狡兔死，走狗烹。越王为人长颈鸟喙，可与共患难，不可与共乐。子何不去？

这一晃儿，春节就算是过完了。估计各位读者这一春节也够瞧的，走亲访友，各处串门，跟大伙儿一块儿吃个饭，乐和乐和，挺好。春节我几乎就没闲着，您各位是放假了，我们一点儿都没歇着。我也就所谓的大年初一跟初二算歇了一下。因为年前的各种事情，各种工作，该录的录，该演的演，忙活完了，初一初二歇了两天。

大年初三和大年初四，我就在天津演出了，天津有个人民体育馆，今年是我第十三年在这个体育馆里演出，演出方也一直说这个事儿，挺不容易。一个艺人在一个演出场馆里，能够连续坚持演十三年，是挺不容易的，而且在天津这也算是形成一个品牌了。每年初三和初四的时候，我们晚上七点演出，从中午两三点开始，我的车一到了体育馆附近的那几条马路，大批的黄牛就举着钱在街上等着收票了。有的黄牛还说过，初三和初四这两天要是弄好了，能过一肥午。当然了，黄牛是一个社会现象，这个我左右不了，但这充分说明了天津人真爱听相声。初三和初四，我在天津体育馆这算是省亲专场演出，因为我是天津人，所以每年的这两天，我都要在天津演。

初三和初四忙活完了，初五和初六，有的亲戚得来家里串串门，一块儿坐一坐什么的，折腾来折腾去，有这么几天，我也就该从天津回北京了。这个年也算过完了，然后紧跟着后边就要忙开箱的事儿了。说相声的术语有"封箱"①，也有"开箱"②，封箱就是把箱子封上了，开箱就是打开箱子，把服装和道具又取出来，挺好，忙忙活活，有事儿干我就挺开心的。

今儿给大家写点儿什么呢？有人跟我说，3月8号妇女节就快要到了，现在又管这个节叫女神节，您能不能写写女同志的话题？我琢磨着，我一个大老爷们儿，我聊什么女同志话题啊？再说我也不熟悉女同志的话题，对方就说，要不然这样，您可以写一写封建制度下的一些比较浪漫的私奔系列的故事，是不是？大家看着也觉得挺好玩儿的。我一琢磨，也不是不行，那就写写呗。好在《郭论》就是这样，什么都能写，天文、地理、医卜、星象，想起什么就写什么。好在您各位读者跟我不较真，咱们就聊一聊封建制度下的女神的一些故事吧。

我想来想去，其实还真有好多故事值得一说。想来想去突然就想起来，咱就从四大美女写起吧。大家都知道"沉鱼落雁，闭月羞花"这八个字，这指的是西施、王昭君、貂蝉和杨玉环（也就是杨贵妃）。四个人各有各的故事，但不是每个人都有浪漫的私奔故事，说到私奔，可能这四个人里边就西施还能沾上点儿，因为在民间传说里，最后西施是跟范蠡一起跑了。

范蠡大家都知道，春秋末年著名的政治家、军事家、实业家，也是经济学家，算是儒商里边的鼻祖，他还有一个外号叫陶朱公。按咱们现在的说法，范蠡这主儿有钱，"陶朱之富"说的就是叫范蠡。一个人在历史上能有这么多外号，可见他这能力大了。

要说西施的故事，真得从范蠡说起，没有范蠡，也提不到西施。我也不知道

---

① "封箱"是京剧等戏班的旧俗，指戏班年终休息。每年农历十二月中旬以后，例行封箱典礼，稍提前亦可。

② "开箱"是相声界的术语，是指春节后的第一次演出。因把封箱演出的道具重新起封使用而得名。

您对这段历史熟悉不熟悉，反正我知道大概是这么回事儿。公元前494年，吴国把越国打败了，范蠡就陪着越王勾践在吴国做了三年奴婢，卧薪尝胆，什么苦都算吃过了。回国之后，范蠡跟文仲一块儿商量，咱们怎么能把吴国给灭了？咱不能白受它的羞辱，是吧？他们想了各种计策，其中有一条叫"美人计"，美人计的重点是得找一好看的美人，献出去迷惑吴王，这个美人就得有样，不能是一般的美人。

找吧，范蠡这费劲费大了，周游全国到处去找，后来他走到一个村里，终于看见了这个浣纱的西施。西施的本名叫施夷光，是越国的美女，一般人都称呼她西施。后来有人说"捧心的西子"，说的就是她。西施春秋末期出生在越国，她出生的地儿叫"苎萝村"，就是现在浙江省诸暨市的苎萝村这个地儿。西施从小跟她母亲在江边浣纱，所以有人管她叫浣纱女。西施长得好看，那个身材和相貌，又勾勾又丢丢①。我每次说书的时候都爱说这个词，夸人好看，说人"又勾勾又丢丢"，出字幕的编导老来问我："您这几个字怎么写呀？"我说我也不知道，这就是这么传下来的，你随便找几个字吧，它只是北方民间，尤其是北京地区形容美女好看的一种俗语，又勾勾又丢丢，姑妄言之，姑妄听之，你也不用跟我较真。

"沉鱼落雁"里的"沉鱼"，就是指西施在江边浣纱，鱼看见她了，忍不住心想："哎哟！这大姐怎么那么好看？"结果鱼都忘了在水里边游了，就沉到水里去了，所以叫"沉鱼"，"沉鱼落雁，闭月羞花"，"沉鱼"就是西施。"落雁"是王昭君，王昭君出塞走在路上的时候，在大漠里坐着弹琵琶，大雁听见了，心说："哎哟，这大姐弹得不错！"结果大雁都忘了挥动翅膀了，打天上掉下来了，所以王昭君是"落雁"。"闭月"是貂蝉，"羞花"是杨贵妃，这么四个大美女，那三位以后咱们再详细地写。

西施为什么这么好看呢？民间有一传说，据说西施原本不是凡人，月宫的嫦娥手里有一颗明珠，这明珠就是西施的化身。传说这个玩意儿，也找不着头，你

---

① 勾勾丢丢（勾和丢都发二声）：方言口语，形容人长得美丽，身材婀娜多姿。

也不知最早是谁传的，也不知是谁说的，反正人们都这么说。嫦娥手里老拿着俩明珠，或者是一个明珠，甭管是几颗明珠，反正就拿在手里玩儿，这可能就跟说相声的玩儿核桃的道理差不多。嫦娥有一颗大明珠，很喜欢，有一只五彩金鸡，就在这儿老看着这颗珍珠，嫦娥仙子天天在这儿玩儿明珠，越玩儿越开心。这五彩大金鸡也是玩儿心大，哎呀！明珠太好玩儿了，但是嫦娥不让我玩儿，光让我看着。有一天嫦娥不在，不知道是出去交朋友去了，还是出去吃串儿去了，甭管是干吗去了吧，反正出门了。这金鸡一瞧，那得了，我玩儿会儿这明珠吧，它就把这明珠叼在嘴里边，跑到月宫后头去玩儿了。你想啊，金鸡没有手，它就只能拿嘴叼着这明珠，来回这么上抛下抛地丢着玩儿，很开心，一不留神没接住，明珠掉了下去，从月宫掉到人间去了。金鸡吓坏了，赶紧去追。嫦娥也知道自己的这个大明珠丢了，很生气，就派玉兔去追金鸡。

玉兔去追金鸡，去哪儿追呢？正好下界有一个女的在这儿浣纱，就是西施的母亲。她正在浦阳江边浣纱呢，突然从天上掉下一颗大明珠到水里边，她伸手就这么一捞，这一捞不要紧，明珠飞了起来，飞到她嘴里边，又进到她肚子里边了。回家之后，西施她妈就觉得自己怀孕了，她是有丈夫的，丈夫姓施。西施她妈就跟丈夫说："亲爱的，我跟你说点儿事儿。我今儿去江边浣纱去了，结果捞了一颗明珠吃，吃完之后我就怀孕了。"两口子还挺开心，太好了，一直盼着要孩子也没有，得了，那就等着吧。这一等等了十六个月！一般来说是十月怀胎，一朝分娩，她这好家伙，十六个月，到了第十六个月，肚子终于疼了，俩人在地上跪着，祷告上苍。因为是老天爷给了他们一个孩子，赶紧让这孩子出来吧，这怪着急的！正着急呢，一只五彩的金鸡从天而降，站在屋顶子上，这鸡一叫唤，这施姓媳妇就生下一姑娘，取名就叫西施。哎哟，家里爱西施爱得都不行了，西施从小就好看，越长大越好看。

在过去来说，西施是中国古代四大美人之首，倾国倾城之貌，这个不用多介绍，我印象很深的是，当年我唱戏的时候，戏班里的老先生把这"倾国倾城"念成"坑国坑城"，唱的时候他也唱出"坑国坑城"来，也不知这个发音是从哪儿来的？

如果读者里边有专家学者，到时候咱们可以探讨一下。反正后来范蠡就发现了大美人西施了，得了，就是你了！范蠡就把西施进献给了吴王。吴王一瞧，我的天哪，太好看了！美人在侧，软玉温香，从此君王不早朝！到后来吴国也就被灭了。那么这个时候就看得出来，范蠡是一个聪明人，他帮助越王勾践成功地灭了吴国，但自己也离开了越国。

范蠡是和文仲一起，两人合伙给勾践出主意，最终帮助勾践打败了吴王，立下了赫赫的功劳。但是老话说得好，太高人愈妒，过洁世同嫌。"太高人愈妒"，意思是说你的能力太大了，能力越大，别人就越嫉妒你；"过洁世同嫌"，你太清洁了，太清廉了，你太好了，全世界都会嫌弃你。文仲就没有想明白这一点，唯独范蠡想到了。范蠡是个大聪明人，他离开越国之后，给文仲写了封信说："飞鸟尽，良弓藏；狡兔死，走狗烹。越王为人长颈鸟喙，可与共患难，不可与共乐。子何不去？"这封信是什么意思呢？"飞鸟尽，良弓藏"，拿这弓出去打鸟去了，一弓一个，这箭一射，鸟就被打死了，那么鸟要是没有了，这个弓就得收起来了，没用了；"狡兔死，走狗烹"，狗是用来出去逮兔子的，但兔子都没有了，那个狗也没用了，得了，把狗炖着吃了吧；"越王为人长颈鸟喙"，意思是说，越王这人长着大长脖子，那嘴尖得跟鸟似的，长成这样的人有什么特点呢？那就是后边这句了，"可与共患难，不可与共乐。子何不去？"越王勾践这个人，你跟他一块儿受罪行，你跟他享福，他不干，到这会儿了，你怎么还不走？范蠡就是这个意思。

范蠡这话说到这儿，其实意思已经很明白了，文仲也不好意思说不信，他也觉得范蠡说得有道理，怎么办呢？得了，我假装有病，我就不上朝。但是很多事情并不是说你不上朝就能解决的，结果越王勾践主动来找文仲了，找他来干吗？赐给他一把剑，并说了这么几句话："子教寡人伐吴七术，寡人用其三而败吴，其四在子，子为我从先王试之。"这几句话太狠了！"子教寡人伐吴七术"，你当初给我出了七条对付吴国的策略；"寡人用其三而败吴"，我只用了三条，就打败了吴国了；"其四在子"，剩下那四条计策在你那儿了；"子为我从先王试之"，剩下这四条不在你这儿了吗，好的，你到地下，为寡人的先王去打败吴国的先王吧。反正这话说到这份儿上，文仲还不明白是什么意思吗？文仲只能仰天长叹说："大恩不报，大功不还。其谓斯乎？吾悔不随范蠡之谋，乃为越王所戮。"他的意思是，我后悔了，我真应该听范蠡的，我们这范大哥说得挺好，我没听他的，结果让越王把我逼死了。叹完，一代谋臣最后服剑而亡，自尽死了。这个结局，其实是范蠡早就料到的。你不得不承认，这就是人家范蠡的过人之处，从此"鸟尽弓藏"也就成了一个成语，后代很多名臣都以此为警觉。

早在勾践灭了吴国，大摆庆功宴的时候，范蠡其实就把后面的事情都料到了，悄悄地带着西施跑了，这个事儿反正是民间传说，是真的还是假的，这东西很难讲。这都是几百年上千年前的事儿了，如今只剩下野史记载了，有的事儿正史上虽然说了，但也没说明白。有关西施最后的下场，有说她死了的，有这有那，反正有很多说法，但是最大团圆的结局，应该就是跟范蠡走了。还有的说，范蠡跟西施两个人从刚认识的时候，就已经卿卿我我，你爱我我爱你，但这不是为了国家吗？范蠡不得不把西施献给了吴王，现在大功告成了，范蠡就又把西施带回来了，西施也很认同范蠡，就随着范蠡，两个人就算是私奔了。私奔以后，范蠡把名字也改了，不能再叫范蠡了，这个名字的名声太大，如果继续叫范蠡，让越王知道了还了得？于是范蠡改了个名，叫什么呢？叫鸱夷子皮[1]。你看这范蠡，他改了一个四个字的名字，这个鸱夷子皮怎么讲呢，据传说在那会儿就是用牛皮做的一种装酒的器皿，大概是这么个东西，看似很粗俗，但是伸缩自如，因为是牛皮做的嘛，能装好多酒，能伸能缩。范蠡的意思就是，我能屈能伸，包罗万象，吞吐天地，大概是这么个意思。

范蠡带着西施俩人私奔出来，最早是找了一个海边，结庐而居。俩人既捕鱼，也晒盐，也做各种生意，很快就攒了很多的钱，据说有数千万的家产。范蠡仗义疏财，对街坊四邻也都不错，谁缺钱了他都给。所以说大家都很夸他，因为他定居这个地儿是在齐国，齐王听说自己的国家里来了这么大的一个人才，请来吧！齐王就

---

[1] 鸱夷子皮是春秋时期楚国商人范蠡经商时取的别名。

把范蠡请到了国都临淄，拜范蠡为相。范蠡就又当上了齐国的相国，干了多长时间呢？干了三年，范蠡自己就提出来不能再干了，为什么呢？因为"居官致于卿相，治家能致千金，恐受尊名，不是吉祥的征兆！"意思就是说，我做官已经做到相国了，我每天坐在家里待着，就能挣这么些钱，对一个人来说，凡事好到了极点，那就不是好事儿了，所以到三年头上，范蠡急流勇退，向齐王归还了相印。跟齐王说："我当不了相国了，您另请高明吧，我干不了了。"范蠡把朝里的事儿全交代清楚了，然后散尽家财，把家里所有钱都给了朋友和老乡，自己身无分文，什么都没有了。

然后范蠡又第三次搬家了，这回搬到哪儿了呢？搬到了宋国，他跟西施又到宋国去了。很厉害，你想他从越国出来到了齐国，从齐国出来又到了宋国，宋国在那个年头，是属于天下之中的一个好地方，应该是最佳的经商之地。范蠡到了宋国之后，又接着做生意，没几年又成了巨富。在宋国，范蠡又给自己起了个新名字，叫陶朱公。到后来人们夸谁有钱，就说他有"陶朱之富"，这个"陶朱"说的就是范蠡。

当然了，这些故事都是真真假假，假假真真，尤其是范蠡跟西施两个人的故事，有些版本里说两个人好好地过日子，生了多少个孩子，一辈子很幸福，我估计这也是老百姓的一个美好的愿望。这些事情距离现在的年头太远了，也没人能够分得清真真假假，但是有这么一个美好的结局，相信是大家喜闻乐见的。

39

一捡史一

私奔容易坚守难，看如花

美眷如何抵过似水流年

十八年古井无波，为从来烈妇贞媛，别开生面。千余岁寒窑向日，看此处曲江流水，想见冰心。

晚饭前家里人问我想吃什么？春节的菜还有好些剩下的。我说咱们省点儿事儿吧，别弄那么多，回头老吃剩菜也是个事儿。正好之前有炖的牛肉，切两刀白菜，还有什么酥肉海带，乱七八糟搁一块儿，熬了一大锅，正好有馒头什么的。大伙儿一吃，还挺高兴，一人盛一大碗，热乎乎的。

我记得有一年，我上河北的邯郸去，看他们当地人结婚或者家里办喜事儿，净是熬这么一大锅烩菜，然后拿馒头就着吃，也挺好。其实吃东西，就是一个怎么舒服怎么好的事儿，真搞得像雕龙画凤似的，摆着好些刻的花，也未必多好，这就跟穿衣服似的，自己觉得舒服最重要。有好多人都说，郭德纲穿衣服都穿名牌，其实说句实在话，没有一件衣服我能叫得出名字来，就跟汽车似的，到现在我就认识一夏利，桑塔纳我都叫不上名儿来。我对不上号，我特别羡慕有的孩子往马路边一站，过一辆汽车，他就知道这辆是什么车，那辆是什么车，都说得出来，我是真不懂，在这方面我很脱离时代。

跟大伙儿写了一篇有关封建制度下的女神西施私奔的故事，我的知识面有限，但是因为我从小学说书、学相声，接触了很多的古典文学民间故事，所以这种事情我知道得还是不少的。这么多年来，根据我了解的这些故事，其实里面都体现出了中国人骨子里的"忠义"二字，这个很重要。

比如说我有时候跟朋友聊天，老提到高三哭杨俊，这是一个荡气回肠的故事。故事发生在明朝的时候，京都有这么一个烟花女子，叫高三，你想她连个名字都没留下来，也不知道她本名叫什么，估计就姓高，就跟《玉堂春》里的苏三差不多。高三长得好看，史书原文上夸她是"自幼美姿容"，然后昌平侯杨俊，也就是明朝杨家将里的一位，他很爱高三，两个人就相好了。到后来杨俊出去打仗，到边疆一走好几年也没回来。高三从那起就闭门谢客，不再接别的客人了，因为她认为自己已经是属于杨俊的了，要等他回来。结果高三一直等到天顺元年（1457年），出事儿了，英宗复辟之后，朝里边奸臣上奏，说皇上当初在瓦刺围困的时候，杨俊坐视不救，盼着您死。这一句话令皇上很生气，就下令斩杨俊。

到了临刑的时候，杨俊被绑在街上，准备杀头，杨俊的亲朋故旧和之前所有的好哥们儿，没有一个人到现场来，只有这位烟花女子高三穿着一身素，哀痛欲绝地来到刑场，一边走一边哭喊说："老天爷，奸臣不死，忠臣死！"哭也没用，刽子手咔一刀下去，把杨俊的脑袋切下来了。高三扑上前去，抱住了人头，把人头上的血污舔干净，用丝线把脑袋跟脖子缝好，又买了一具棺材，把尸体入殓，给杨俊安葬后，自己就上吊自尽了。这个故事说明了什么？青楼女子也是知情知意的人，高三不忘跟杨俊的恩爱，甘愿献出自己的一切。所以说你不能因为人家出身低贱，就瞧不起人家，这样的感情到了今天，依然惊天地泣鬼神。

当然了，这话扯远了，还有一些故事，其实都是当年老百姓教育孩子用的。比如说过去老人教孩子，老说："这个你要记住了，男孩儿要学关云长，女孩儿要学王宝钏。这是中国人传统的道德理念。"关云长关二爷，千里走单骑，亘古一人，没有这么好的人了，财色不爱真君子；王宝钏苦守寒窑十八载，等薛平贵，这也不是一般人做得到的。在西安，大雁塔附近有一个武家坡[1]，武家坡有一个窑，窑洞上面写着"古寒窑"，据说那就是当年王宝钏苦守十八年等薛平贵的寒窑，跟前还有一座庙，庙里供着他们两口子的塑像。

有一副对联，上联是：十八年古井无波，为从来烈妇贞媛，别开生面。下联是：千余岁寒窑向日，看此处曲江流水，想见冰心。王宝钏的故事大家应该都很熟悉，但这个故事应该是虚构的，因为历史上没有薛平贵这个人，倒是有个薛仁贵。可是多少年下来，这个故事越说越真，说王宝钏是相府小姐，她父亲叫王允，王允没有儿子，只有仨闺女，大闺女叫宝金，二闺女叫宝银，三闺女叫宝钏。大闺女许配的是兵部侍郎苏龙，二闺女许配的是九门提督魏虎，其实那会儿未必有九门提督，只不过民间传说王宝钏的两个姐姐都嫁给了当官的。唉！大闺女二闺女嫁得都不错，三闺女是三个女孩儿里长得最好看的，父亲也最疼她，您想，王宝钏的父亲是朝里边的宰相，那得有多少豪门的贵族公子上她家来提亲啊！但是王宝钏都不答应，她一不羡慕权贵，二不贪图虚名，她要嫁就得嫁个有才有德的如意郎，而这些豪门之后净是纨绔子弟、花花公子、酒囊饭袋，她看不上。

后来一个偶然的机会，王宝钏遇见了薛平贵！薛平贵出身不是特别好，他家里也挺穷，但是姑娘就喜欢他，觉得自己必须得嫁给他。于是王宝钏就跟自己的父亲说："咱们高楼贴彩，十字路口搭一彩楼，我绣球往下一扔，谁要抢着绣球，我就嫁给谁。"她父亲心想，这也不像话啊，是不是？但架不住闺女自己愿意，王宝钏跟她父亲说："您放心，嫁鸡随鸡，嫁狗随狗，我都认同！"好吧，于是就在相府门口搭了一个彩楼，选了个黄道吉日，相府家的三小姐要抛绣球挑女婿。一时间，京城里的贵胄子弟，有钱有势的，有头有脸的人都来了，一来大家都知道王三小姐漂亮，二来她贵为相府千金，这桩亲事要是成了，那可是喜从天降，是不是？结果到了那天，吉时已到，敲锣打鼓，哎呀，王三小姐上了彩楼，一帮

---

[1] 《武家坡》(传统剧目)是京剧《红鬃烈马》中的一出折子戏。主要讲述了出身高贵的王宝钏独守寒窑十八年，最后终于与丈夫薛平贵相认的故事。

丫鬟服侍着小姐，小姐长得好看得都不行了，手里托着一个五彩的绣球。底下这帮人都抻着脖子往上看，宝钏这儿看看，那儿看看，绣球一扔，啪一下子打到院子角落那儿站着的薛平贵的脑袋上了，这就是唱戏的老唱的"王孙公子千千万，彩球单打薛平郎"。

这一下大伙儿都傻了，绣球打着要饭的了，这可要了命了，大伙儿笑话还不要紧，王允真是急了。这不像话，我家的闺女想嫁什么人不行，怎么能跟一要饭的结婚呢？不同意！王允这一说，宝钏也急了，说："咱们怎么说的就得怎么来，对不对？说好了抛球订婚事，你怎么能够置信誉而不顾，出尔反尔呢？"父女俩这就开始吵架，到最后俩人打赌击掌，谁也不让谁。王宝钏就去武家坡找了一个旧窑洞，在窑洞里边跟薛平贵过上了日子。

但是故事越发展就越热闹了，后来说西海岸出了妖魔，有妖精吃人，谁能降妖呢？老王允就想了一个坏主意，说别人不行，非得我家这三姑爷才能降服妖魔，让薛平贵去降妖吧，他能耐大。其实王允的想法是，让妖精把薛平贵吃了，这事儿就拉倒了。薛平贵没办法，只能去了，没想到一到了西海岸一瞧，发现那不是妖精，而是一匹烈马，这马浑身都是红颜色，鬃毛也是红的，薛平贵一下子就把马给降住了，这马叫什么呢？叫红鬃烈马，后来咱们看戏，《武家坡》有时候叫《红鬃烈马》，观众现在看不明白了，其实就是因为这匹马才有了这出戏的名字。降完了这匹马，国家又跟西凉国打仗，王允又保举自己的三女婿薛平贵，让他到两军阵前去打仗。薛平贵和王宝钏这两口子挺不容易的，打仗这种事儿，两军阵前刀枪无眼，薛平贵这一去也不知道是死是活，夫妻俩抱头哭了一场，临走的时候，平贵给宝钏留了几担干柴，还留了点儿钱，留了点儿米，对宝钏说："东西都在这儿了，咱家没别的，你能等我，你就等我，你要等不了我，实在没有办法了，我也不怪你。"就这样，两口子洒泪分别。

两军阵前开战，西凉国这边来了个代战公主，这一打不要紧，代战公主爱上薛平贵了，两军打来打去，最后把薛平贵擒获了！代战公主把薛平贵掳回去之后，西凉老王还挺爱他，对薛平贵说："得了，我把你招为驸马吧，我闺女没有喜欢的人，你留在我这儿，我们也不杀你，你就好好跟我闺女过日子吧。"薛平贵就先留下来了，因为得先活下命来，以后有机会再说吧。就这么着，薛平贵跟代战公主俩人结了婚。再之后，西凉老王死了，晏驾了。文武群臣说，老王也没个儿子，家里就一个代战公主，得了，让姑爷当王吧，就这样，薛平贵做了西凉王。

那边王宝钏天天等着，丈夫还不回来，到最后家里这柴也用完了，粮食也吃干净了，那点儿钱也花没了，怎么办？得了，出去挖野菜吧。王宝钏就到武家坡去挖野菜，正挖着呢，天上飞来一只滨鸿大雁，王宝钏看见大雁，很感慨，说："大雁，你要往西边去，你若能飞到西凉，看见我的丈夫薛平贵，能给我捎封信吗？"这个大雁有灵性，听王宝钏说完，就落到她跟前。王宝钏就从自己的裙子上撕了一块布，把手指咬破了，用鲜血写了一封信，说说离别之苦，我怎么想念你薛平贵，我本是一个相国的小姐，跟你私奔出来，到今天我都不后悔，但是我很想知道你什么时候能回来。信写完了，卷好了，绑在大雁身上，又嘱咐它过河的时候可要留神，别弄湿了信，到哪儿去都要小心，别被人逮着。都嘱咐完了，这大雁就飞了。

这天薛平贵正在银安殿上坐着，皇上的大殿叫金銮殿，他们西凉那儿叫银安殿。薛平贵正坐着，突然来了一只滨鸿大雁，大雁在殿门口居然张嘴说话了，说："你还记得十八年前的王宝钏吗？"就这一句话，吓了薛平贵一跳，赶紧让大雁过来，大雁不过来，他就赶紧拿弓箭打这大雁，这一打，大雁就把身上带着的信丢下来了。看完了信，薛平贵的眼泪就下来了。对，我在这儿当了王，可我家里还有一个结发妻子，这可怎么办？薛平贵就把这代战公主灌醉了，然后自己乔装打扮，跑回来了。代战公主醒了，很生气，不像话，丈夫没了，而且这丈夫还是国家的王，这得找他，追吧，打这儿起，代战公主就追，一直追，赶三关追薛平贵。

薛平贵终于回来了，在武家坡看见自己的妻子王宝钏，正在那儿挖野菜，两人已经十八年没见了，终于夫妻相认。薛平贵说，我当初给你留了干柴多少担，还有八斗米，还有多少钱。王宝钏说，你这些米，我数也把它数过来了，十八年了，你给我说这十八年你都干吗去了？薛平贵如实相告，宝钏很大气，说："好，有代战公主也不要紧的，有她照顾你。"那个年头毕竟是封建社会嘛，男的娶个三妻四妾，也不叫事儿。

后来薛平贵可谓功成名就，他到了长安之后，皇上晏驾，到最后他竟然当上了唐王。当然了，这一看就是民间传说，薛平贵当了唐王了，王宝钏也终于走出了寒窑，凤冠霞帔，终于当上了正宫娘娘，代战公主是西宫娘娘。当然民间还有另一个说法，说王宝钏跟丈夫团圆重逢之后，只过上了十八天的好日子就去世了。但是那个说法有点儿太惨了，我们不倾向于那种说法，忍了十八年，哪能十八天就死了是不是？不像话。民间传说而已，很多事情也就是姑妄言之，姑妄听之，你看相府小姐跟人私奔，最后当上了娘娘，这是瞎编的民间传说。

还有李三娘①跟后汉高祖刘知远②的故事，最后李三娘成了皇后，这是历史上有真实记载的故事。后汉高祖叫刘知远，李三娘是他的皇后。南北朝时期，这老李家有一对儿女，儿子叫李洪信，闺女叫李三娘，家里还有一干活儿的长工，叫刘知远。刘知远天天干点儿粗活，晚上睡在马棚里。有一天夜里，这李家小姐，远远看到马棚里红光闪闪，是着火了吗？李小姐就跟丫鬟说："咱俩瞧瞧去。"俩人到马棚一瞧，不是着火，是刘知远在这儿睡觉呢，但他周身上释放出一股子红光，而且在他脸上还有一条筷子大小的蛇，打鼻子眼左边进，右边出。李三娘这就知道了，这刘知远不是个凡人，这是有真龙天子的命啊，然后她就把刘知远叫醒了，说："我很爱你。"俩人这就私订终身了，后来李三娘跟爹娘说自己爱长工刘知远，这爹娘也疼孩子，说你愿意就愿意吧，就让刘知远来给我们磕个头吧。结果刘知远一来拜见岳父岳母，好家伙，他这一磕头不要紧，他可是真龙天子呀，他磕一个头，把岳父岳母磕死了，一命归阴！

李三娘的哥哥李洪信，这个人有点儿缺心眼儿，李洪信的媳妇也坏，两口子

---

① 李三娘（约913—954年），山西榆次鸣李人，是后汉高祖刘知远的皇后，在《磨房产子》《井台会》《磨房会》《红袍记》等剧目中被称为李三娘，而成为家喻户晓的人物。

② 刘知远（895—948），即后汉高祖。五代十国时期后汉开国皇帝，谥号睿文圣武昭肃孝皇帝，葬于睿陵。

一瞧，你看这事儿闹的，这俩人私订终身，败坏门风，还把老头子和老婆子都气死了。得了，你们俩别在这儿住了，就给他俩赶出去了。李洪信跟刘知远说："你上咱们的瓜田里面种瓜去吧。"为什么让刘知远去种瓜呢？这个故事其实到这儿，跟之前薛平贵的故事就差不多了，因为种瓜这个地儿，有这么一个山崖，叫"不过崖"，为什么叫不过崖？因为这里有妖精，这妖精一出来，浑身一团火。刘知远去了一瞧，那不是一团火，也不是怪兽，而是一匹马，汗血宝马。你看这跟薛平贵的红鬃烈马其实都差不多，刘知远降服了汗血宝马，又来了一位神仙，让刘知远在地上挖，结果挖出来金盔金甲和银枪铜剑，神仙让刘知远去投军，说他必有成就。

于是刘知远就走了，留下李三娘在家等着他。刘知远走的时候，李三娘已经怀孕了，十月怀胎，一朝分娩。李三娘的嫂子太缺德了，李三娘都要分娩了，她还让李三娘推磨干活儿。李三娘正推着磨，这肚子就开始疼了，孩子生下来，身边连剪刀都没有，只好自己用嘴咬断了脐带，所以这孩子小名叫咬脐郎。生完孩子，李三娘就打发家里边的一个叫斗城的老家丁，让他把这孩子抱走，去找他爸爸去，自己还继续在这儿天天受罪。李三娘的嫂子太缺德了，她让李三娘白天挑水，晚上推磨，挑水的时候，特意给李三娘做了一木桶，木桶的底部是尖的，什么意思？不让李三娘在挑水的路上歇着。有一天李三娘打水回来，走到半道儿实在累得不行了，这时从山里边跳出来两只黑老虎，李三娘吓坏了，把水桶一扔，结果这两只黑老虎跑过来，把这桶给挤在了中间，不让桶里的水洒出来。等到李三娘当上了皇后之后，特意在这山里修了一座老虎庙，让山里的老虎享受人间香火。据记载，这座老虎庙在清朝康熙年间还曾经修缮过，雍正十三年（1735 年）的时候，还在这庙前栽了两棵柏树，如今这两棵树已经粗得不行了。

一晃十六年过去了，刘知远当上皇上了，被送到他身边的咬脐郎也长大了。有一天，咬脐郎出去狩猎，看见一只白兔，他举箭一射，负伤的白兔带着箭跑。咬脐郎在后边追，追到井边，瞧见有一女的正在担水，那箭扎在了水桶上。咬脐郎下马，一看箭确实是他的箭，再看这女的，竟然就是他的生母李三娘。最后道破真情，母子团聚，这出戏就叫《李三娘打水》。后来咬脐郎带着李三娘回去见刘知远，合家团聚。

老虎夹水桶的传说肯定是假的，但是李三娘跟刘知远是历史上真有其人的，所以说即便是贵为皇后的人，往前倒若干年，为了爱情也曾经有一段私奔的历史，现在写起来，也觉得是挺好玩儿的事情。

40 —捡史—

陈圆圆：究竟该怪命运还是自己？

Guo Theory

高高山头冷风凄，南北行人论高低。阳关独木依然在，仍旧当年老司机。

　　这两天我一直在书房里收拾各种老资料，这一搬家，再一归置，到处乱哄哄的，一个人也忙活不过来，我就叫来了几个徒弟，帮我一块儿干活儿。结果大家正收拾着，突然有一份相声的文本掉到地上了。

　　这个文本叫《卖五器》，是我历年来演的不同版本的一段传统相声，《卖五器》是我们相声界的一个传统节目，故事说的是一个人迷财迷疯了，拿出五件破烂来，硬说是好东西，要卖给别人。卖每样东西都是一段贯口①，有大有小。我写的这份文本里，详细地记录了各个版本的演法，比如张先生这么演，赵先生这么演，最早的出处是如何？为什么后来改进了？哪位老师或哪位先生有什么想法？他为什么这么调整？所以我这份文本是比较全的，它详细地记录了这段相声的整个发展过程。

①　对口相声中常见的表现形式，也叫"背口"，贯口分为大贯儿和小贯儿两种。有一贯到底的意思。在《报菜名》《八扇屏》《白事会》中都含有大段的贯口。

孩子们收拾东西也累了，就坐在那儿读了起来，并指着《卖五器》里面的几句话问我说："师父，你看这个，李自成进北京……"他们提到的，是这里边的贯口片段，李自成进北京，铜棍打死吴兵部，刘宗敏霸占陈圆圆。消息传来，山海关气坏了吴三桂，杀父之仇，夺妻之恨！这才下沈阳请清兵多尔衮带兵入关，江山已定，改国号为大清。徒弟就问我说："您写的吴三桂那冲冠一怒为了陈圆圆，这都是有没有历史根据的事儿啊？"

孩子说完了，其实给我也问住了，因为陈圆圆和吴三桂，想当年这也是一对很著名的CP①。但是很多事儿谁也没赶上，现在流传下来的历史故事，无外乎三种：一种就是正史记载，一种野史相传，还有一种是老百姓的口头文学，在这个过程当中，肯定会有以讹传讹的地方。但是我坐着没事儿，就跟徒弟们聊了聊陈圆圆。聊完之后，我觉得也应该跟咱们《郭论》的读者朋友们一起来探讨切磋一下。之前我写冒辟疆的时候，提到过陈圆圆，但是因为那个故事不是以陈圆圆为主，所以没有写得多么细致。

陈圆圆原本姓邢，德云社有一说相声的老前辈叫邢文昭，陈圆圆就姓那个"邢"，因为她的养母是陈氏，所以她改姓为陈，叫陈圆圆。从古至今，一说到陈圆圆，就是八个字的评语：色艺双绝，名动江左。陈圆圆打小就聪明得不行，但是偏赶上那会儿年时不正，天时也不好，所以说没办法，她家里有一亲戚，这亲戚是她姨夫，这位姨夫不是什么好人，重利轻义，把圆圆给卖了，卖给哪儿去了呢？卖给了苏州的梨园，也就是卖给唱戏的人家了。为什么管唱戏的这一行叫梨园？因为当初唐明皇好听戏，他安排好多唱戏的人在一梨园，后来唱戏的人自我介绍的时候，就说自己是梨园子弟。打这儿起，陈圆圆就开始唱戏了。

有资料记载，陈圆圆一上场，台下的看客就凝神屏气，听入了迷，着了魔。陈圆圆明艳出众，独冠当时，观者为之魂断，听陈圆圆唱戏，能令人陶醉得死的心都有。当然了，在那个年头，所谓的梨园中人，跟现在的专业团体演员不一样，

---

① 是英文单词 couple 的缩写，原指夫妇、情侣。后被引申为令拥护者看起来赏心悦目的配对情侣。

那个年头唱戏的人很难摆脱以色事人的命运。据古籍记载，圆圆曾经属意于吴江邹枢，原本在姓邹这户家里唱戏，一住就住了好些日子。后来有人把陈圆圆买走了，买走陈圆圆的人就是江阴贡修龄的儿子，叫贡若甫，他花了好多钱买陈圆圆，把她从戏班子里赎出来了，弄回家去当自己的妾。这主儿的家里边有一正妻，这位正妻容不得陈圆圆，谁让你花这么多钱买她？贡若甫就很为难，他花了这些钱买来了陈圆圆了，结果自个儿的大老婆容不下她。后来，贡若甫的父亲贡修龄一见着陈圆圆，顿时吓了一跳，这位贡修龄老爷子应该是会相面，他指着陈圆圆说："此贵人！纵之去，不责赎金。"老爷子的意思就是，你走吧，该干吗干吗去，我们家装不下你，我们买你的钱也拉倒了，不用你还了。总之，贡家就这样把陈圆圆放走了。这段故事是李介立记录在《天香阁随笔》[①]里的，真真假假，反正姑妄言之，姑妄听之。

那么到现在为止，陈圆圆真正爱的人究竟是谁？目前还没有。应该说，她第一个接纳的男人，就是之前我写过的冒襄，也就是冒辟疆。崇祯十四年，大才子冒辟疆路过苏州，经过友人的引荐，认识了陈圆圆。两人定下来后会之期，我爱你，你爱我，妹妹坐船头，哥哥在岸上走，这俩人挺开心。到当年八月的时候，冒辟疆又到苏州，又见到了陈圆圆，当然后来他们之间的事情很复杂，冒辟疆因为种种原因，屡失约期。陈圆圆一步一步走得也都很不幸。

一提到陈圆圆，吴三桂就是一个躲不开的话题。冲冠一怒为红颜，说的就是吴三桂和陈圆圆的故事。明朝末年，内忧外患，崇祯帝郁郁寡欢，屡次撤乐减膳，吃饭时不要音乐，八个菜改成俩菜，来碗鸡蛋炒饭就凑合着吃了。崇祯帝的身边有一位田贵妃，田贵妃看皇上一天到晚老这么闷闷不乐，这不行啊，她就让自己的父亲田弘遇到江南去，给皇上选点儿江南美女来，让皇上解解闷。田弘遇想，这件事儿要是办成了的话，绝对是大功一件啊。于是田弘遇就到苏州玩儿去了，就听说有一陈圆圆很不错，那就见见吧。一见陈圆圆，好家伙，真好，要多好看

① 《天香阁随笔》：书中内容庞杂，历史故事、边疆风水、风土人情、诗词书画、名人轶事，无不涉及。多有其他野史未载之事，可补史乘之缺，议论亦颇有见地。原书八卷，今本二卷，由清代的李寄撰写。

有多好看。行，这成了！田弘遇立即花重金把陈圆圆买下来了。田弘遇买了陈圆圆可不是给自个儿用的，说好了是要献给皇上的。可这会儿，崇祯皇上确实心思不在这件事儿上，因为国内有起义军风起云涌，山海关以外也有敌人虎视眈眈，大明朝摇摇欲坠，军国大事搅得崇祯头昏脑涨，哪儿有那么大的闲心看美女？所以陈圆圆来了，崇祯也挺欣赏，也夸了夸，行，这大姐挺好看，挺顺溜，得了，留在宫里吧。

但是据说陈圆圆在宫里只待了两三个月，皇上也根本没有把她收纳过来。皇上顾不过来，这怎么办？最后得了，让陈圆圆从哪儿来的回哪儿去吧。于是陈圆圆就又到了田弘遇府上，回到田府之后，她也没别的事儿，就唱唱戏。又过了些日子，田贵妃去世了。田弘遇心想，这怎么办呢？他当时正有意结交手握重兵的吴三桂，田大人很聪明，请吴三桂上家里来吃饭。吴三桂来了，八个碟子八个碗，烤串小龙虾全摆上了。但是也不能光让吴三桂吃饭，咱们家唱歌、唱戏的大姐们也都出来，有唱歌的，有跳舞的，其中就有这位陈圆圆。吴三桂一看到陈圆圆就愣住了，这个大姐也太好看了！在陆次云①的《圆圆传》里边，说了这么一句话，说"吴三桂不觉其神移心荡也，心里边小鹿直撞"，田大人看见了吴三桂这反应，心中大喜，他请吴三桂吃饭，为的就是这个，得了，这陈圆圆我送给您好吗？田弘遇又给陈圆圆置办了很丰厚的嫁妆，送到了吴府。

可这会儿正值天下大乱，清兵已经打到山海关了，崇祯皇帝就调吴三桂去山海关抵抗金兵。可是这边闯王李自成的起义军也逐渐到了京城。不到半个月，北京城被攻破，崇祯想走没走了，最后的结局大伙儿都知道，在当时的煤山，也就是现在的景山上，有一棵歪脖树，崇祯就吊死在那歪脖树上了，大明王朝算是没了。李自成改国号为大顺，这个消息传到山海关。吴三桂两面受敌，也不知道去哪儿，可是他好歹也是大明朝的官儿，他想来想去觉得不行，我如果投靠李自成，恐怕最后会玉石俱焚，如果投靠清军，就得落一个汉奸叛军的恶名，这个很难抉择，

---

① 陆次云，（约1636—？），字云士，号北墅，浙江钱塘（今杭州）人。康熙十八年（1679年）应博学鸿词试，报罢。次年选郏县知县，有政声，以丁父忧去职。著有《澄江集》《北墅绪言》等。

吴三桂腹背受敌，艰难地琢磨着这事儿。

这边李闯王的农民军攻占了北京之后，圆圆就被大将刘宗敏给霸占了，民间都说，就是因为这件事儿，吴三桂生气，冲冠一怒愤而降清。在《明史·流贼》里是这么写的："初，三桂奉诏入援至山海关，京师陷，犹豫不进。自成劫其父襄，作书招之，三桂欲降，至滦州，闻爱姬陈沅被刘宗敏掠去，愤甚，疾归山海，袭破贼将。自成怒，亲部贼十余万，执吴襄于军，东攻山海关，以别将从一片石越关外。三桂惧，乞降于我大清。"这已经写得很清楚了，吴三桂奉诏准备去援助，到了山海关，北京失落，吴三桂犹豫不决，李自成把他父亲给劫了。他父亲写信给吴三桂说：儿子，你投降吧。吴三桂本打算投降，但是到了滦州，听说陈圆圆被刘宗敏掠去了，这才愤而疾归山海关，吴三桂是因为陈圆圆才生气的。所以吴三桂领清兵入关，在吴三桂跟清军的两面夹击下，起义军遭受了重创，离开了北京。

起义军离开北京，带着这么些人，又带着这么些东西，拿不了的就扔路上了。吴三桂在兵火中找到了陈圆圆，算是团聚了。打这儿起，陈圆圆就跟着吴三桂辗转征战，一直到吴三桂平定云南，圆圆也跟着一块儿到了吴三桂的平西王府，一度宠冠后宫。无论吴三桂身边有多少个媳妇，多少个美女，谁也不如陈圆圆厉害。吴三桂独霸云南之后，阴怀异志，就偷偷摸摸地开始起了不好的想法了，而且他在这个地方穷奢极乐，购建园林，采买年十五者共四十人为一队。吴伶，苏州一带唱戏的姑娘们都是十四五岁，四十来人算一队，天天给吴三桂唱歌跳舞，花前月下，高高兴兴。到了这会儿，陈圆圆也已经年老色衰了，她跟吴三桂其他的媳妇之间的关系也不太和谐，再加上吴三桂已经是这样的身份了，他宠幸的女人就更多了，所以陈圆圆很聪明，主动"辞官入道，布衣蔬食礼佛以毕此生"。就是说她很明白事理，知道自己岁数大了，伺候不了吴三桂了，所以就去找地方修行去了。打这儿起，陈圆圆就踏踏实实地伴随青灯古佛，了此一生。所以说一代红妆，从此算是繁华落尽，归于寂寞。

到了后来，康熙帝削三藩，吴三桂造反没成功，最后被康熙给剿灭，死在了长沙。陈圆圆听到这个消息之后，默默地找了一个水池子，投池自尽，据说是死在一座莲花池里。陈圆圆投池自尽的这个结局，不管是学界也好，民间传说也好，算是比较公认的说法。当然了，有关陈圆圆最终的归宿，还有好几种说法：有一种说法是，清军打入昆明的时候，没等到后来吴三桂跟皇上闹别扭，陈圆圆就已经死了；还有一种说法是，陈圆圆是自缢而亡，昆明被攻破之后，陈圆圆跟吴三桂家里的皇后一块儿上吊自尽了；还有一种说法是，陈圆圆出家了。

关乎陈圆圆出家，也有两种说法：一种说她从望海楼迁到金马山，死之后就安葬在了金马山；还有一种说是在昆明出家，昆明有一座三圣庵，陈圆圆最后是在三圣庵里边圆寂的。也有说陈圆圆不是出家而是隐居了。有些文史工作者经过考证提出，陈圆圆最后是被葬在一个地方，这个地方是当年古泗州，岑巩县水尾镇马家寨，有这么一条山路，这条山路很长，形状像头狮子，据说陈圆圆就隐居在这个地方。

反正上面提到的这四五种死法，其实没有任何一种有确切的实物证据，都是大家分析和猜测的。关于陈圆圆的归宿，就算是一个千古之谜了。当然了，你要是看过武侠大师金庸先生写的《鹿鼎记》，那里边还给陈圆圆安排了其他的故事，她成了吴三桂的小妾，但是还跟李自成生了一个女儿阿珂，阿珂后来成为韦小宝的老婆之一，当然这肯定是金先生杜撰出来的了，这不能当真事儿来听。

其实一直以来，好多人都纳闷，陈圆圆到底长什么样？清朝有个画家叫苏方田，他画了一幅陈圆圆的像，在这幅画像里边，陈圆圆穿着一身尼姑的衣服，披着袈裟，坐在蒲团上，手拿一小佛珠，没有戴帽子，光着脑袋，脸上的神色一片祥和，瓜子脸，鼻梁还挺直的。你别看那年头没有做鼻梁的整容手术，陈圆圆的鼻梁却很挺，确实是位绝世美女，这是一种说法。还有一种说法，说陈圆圆不是特别好看，这也是一种猜测，但有好多人都认为这是真的，他们觉得陈圆圆长得一般，但是胜在才情，因为有另外一个画家吴静如，他也画了一幅陈圆圆的画像，画名叫《圆圆像》，据说是写实的写生画作。画面上陈圆圆颧骨甚高，上唇左有一黑子，鼻梁中陷。这么一描述，那陈圆圆就没法看了，怎么说呢？颧骨很高，上嘴唇左边有一颗黑痣，鼻梁子还塌陷。天津民间有句口头语：嘴唇上面有颗黑痣，这叫点儿高。好多人分析说，陈圆圆首先是资质好，这个人的气质很棒，演戏也很厉害，歌舞表演都很好，并不是相貌长得多么美丽。所以要照这个说法，那就说明陈圆圆本身有些文学功底，还有出色的演技，再加上化妆化得好，整个人的气质很棒。然后大伙儿越传越邪乎，就把她说成是一个天姿国色的大美女了。陈圆圆迷倒了吴三桂，迷倒了刘宗敏，也倾倒了大顺王朝，以个人的魅力影响着男人们的江山社稷，很厉害。但是到今天，当年的真实情况究竟如何，咱们谁也无从考证了，也就是我姑妄言之，您姑妄听之。

　　有这么四句话，算是可以用来结束陈圆圆的故事：高高山头冷风凄，南北行人论高低。阳关独木依然在，仍旧当年老司机。